Tel.: 020 – 6902353
Fax: 020 – 6959391

AFGESCHREVEN

De valkeniersknoop

Mary Hoffman

De valkeniersknoop

Vertaald door Annelies Jorna

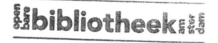

Van Goor

ISBN 978 90 475 0190 9
NUR 283
© 2008 Uitgeverij Van Goor
Unieboek BV, postbus 97, 3990 DB Houten

oorspronkelijke titel *The Falconer's Knot*
oorspronkelijke uitgave © 2007 Bloomsbury Publishing Plc, Londen

www.van-goor.nl
www.unieboek.nl

tekst Mary Hoffman
vertaling Annelies Jorna
omslagontwerp Marieke Oele
zetwerk binnenwerk Mat-Zet BV, Soest

Inhoud

Voor Stevie, mijn valkenier

'Hij komt en gaat in het verhaal,
verbaasd dat hij er een rol in speelt.'

Uit: 'Simone' in *Viaggio terrestre e celeste di Simone Martini* door
Mario Luzi
(tweetalige editie, Luigi Noaffini, 2003)

Umbrië, Italië, het jaar
onzes Heren 1316

1

Hoofse liefde

Silvano da Montacuto was niet zomaar jong, knap en rijk. Hij was jong, knap, rijk én verliefd. Hij had zich nog nooit zo gelukkig gevoeld als die avond in hartje zomer toen hij op zijn schimmelhengst door de hoofdstraat van Perugia reed, gevolgd door zijn jachthond en met een valk op zijn zadelboog.

Silvano was zestien jaar, tenger van bouw en elegant gekleed, met een veer op zijn hoed en een zilveren dolk in zijn riem. Zijn moeder hield zielsveel van haar enige zoon en zijn vader was trots op hem. En hij was op weg naar het huis van Angelica, op wie hij verliefd was.

Eerst had hij nog een afspraak met Gervasio de' Oddini, zijn beste vriend, om met zijn nieuwe slechtvalk Celeste te pronken. Ook wilde hij Gervasio vragen hoe hij Angelica het hof moest maken.

'Als een jager,' zou Gervasio waarschijnlijk zeggen. 'Observeer je prooi, leer haar gewoontes kennen, laat haar aan je wennen door onschuldig en vriendelijk te doen. En als ze dan uit je hand eet en niet meer op haar hoede is, sla je toe!'

'Maar ik bén onschuldig... Ik wil haar toch geen kwaad doen,' zou Silvano antwoorden.

Gervasio zou erom lachen. Hij was een jaar ouder dan zijn vriend en speelde graag de wereldwijze oudere man, die evenveel verstand had van vrouwen en hoofse liefde als van jagen, vechten en het laten oplopen van zijn schulden in de plaatselijke herbergen.

Ze hadden die avond afgesproken bij de Adelaar, hun favoriete herberg dicht bij het hoofdplein van de stad, de Platea Magna. Silvano bond zijn paard buiten vast, maar hij nam de met een kap bedekte Celeste op zijn pols mee naar binnen. Ettore, de jachthond, volgde hem op de hielen. De herberg was heel geschikt voor een vertrouwelijk gesprek, vol luidruchtige stamgasten en rokerig van de walmende kaarsen.

Silvano ontdekte zijn vriend in de duisternis; hij baande zich een weg langs houten tafels en stapte over uitgestrekte benen. Gervasio zat te drinken met een man die Silvano nooit eerder had gezien, een man die wegglipte toen hij eraan kwam. Gervasio riep om meer wijn en de twee jongens gingen naar een tafel in een rustige hoek van het vertrek.

'Mooie vogel,' zei Gervasio en hij bewonderde Celestes vastgezette borstveren.

'Uit Brugge,' zei Silvano nonchalant, al barstte hij van trots. 'Afgericht in Brabant, natuurlijk.'

'Natuurlijk,' herhaalde Gervasio spottend. Zelf had hij een boomvalk, minder mooi en snel, maar zijn vader kon zich geen betere vogel veroorloven. De familie De' Oddini was van lagere adel en Gervasio was ook nog eens de zesde en jongste zoon.

Silvano was de enige zoon en erfgenaam van de rijke baron Montacuto, en de hele wereld kon zijn komaf herkennen aan zijn kleding, zijn schimmelhengst en nu ook zijn nieuwe jachtvogel. De vrienden praatten nog zeker tien minuten door over de kwaliteiten van de valk, een cadeau voor zijn verjaardag, voor ze over de mooie Angelica begonnen.

'Kon een zekere dame maar even makkelijk als Celeste gepaaid worden met lieve woordjes en complimenten om jou je zin te geven,' zei Gervasio, blij dat het gesprek eindelijk op een onderwerp kwam waarbij hij zich de meerdere van zijn vriend voelde.

Silvano zuchtte instemmend. Hij wilde met alle plezier de hele avond over Angelica doorpraten, al had hij er geen moment vertrouwen in dat ze zelfs maar van zijn bestaan wist. Ze was getrouwd met een rijke schapenboer, veel ouder dan zijzelf, die dure kleding, juwelen en parfum voor haar kocht. Maar dat was het probleem niet. In Silvano's ogen was ze in schoonheid even ver boven hem verheven als hij in afkomst boven haar en daarom kon hij niet geloven dat ze ooit zou openstaan voor zijn liefde, ook niet als ze vrij was geweest.

'Schrijf een gedicht voor haar,' stelde Gervasio voor en hij keek zijn vriend bemoedigend aan. Omdat hij wereldwijzer was dan Silvano wilde het er bij hem niet in dat een knappe, goed geklede jongen, die een fortuin en een titel ging erven, geen indruk zou maken op een jonge vrouw die getrouwd was met een boer van middelbare leeftijd, een kerel met een buik en een wrat op zijn neus.

En er was geen twijfel aan dat Silvano knap was. Zijn lichtbruine haar was zo geknipt dat het sluik tot even onder de kaaklijn viel en zijn ogen waren zilvergrijs met lange donkere wimpers, kenmerken die hij van zijn Belgische moeder had geërfd. Baronessa Montacuto was sierlijk, broos en tenger, waardoor ze drie andere zoontjes en twee dochtertjes had verloren nog voor ze adem konden gaan halen, maar ze had haar overlevende jongen een charmante manier van doen en een zuiver uiterlijk meegegeven die perfect pasten bij zijn bestemming. Silvano had ook nog twee leuke kleinere zusjes, Margaretha en Vittoria.

Hij reed paard, schermde, ging op jacht, zong als een vroege vogel en kon bijna even goed Latijn lezen als een monnik. Maar zijn toekomst lag niet in de kerk. Nee, Silvano zou baron Montacuto worden, met een landgoed vol bedienden, de huuropbrengst van grote hoeveelheden land ten noorden van Perugia en een mooie baronessa die zijn kroost grootbracht. Alleen zou dat niet Angelica zijn. De vrouw van de schapenboer was voorbestemd om al voor haar vijfentwintigste dik te zijn, maar Silvano zou zich tegen die tijd allang bezighouden met heel andere dingen in zijn leven.

Gervasio's mondhoeken krulden op toen hij aan haar weelderige charmes dacht. 'Schrijf een gedicht voor haar,' herhaalde hij. 'Dat vindt ze vast prachtig.'

Een zwakke roze blos kleurde Silvano's hoge jukbeenderen.

'Je hebt al een gedicht geschreven, hè?' lachte Gervasio. 'Dacht ik het niet! Vooruit, laat horen.'

Silvano tastte in de beurs aan zijn riem en haalde een stukje perkament tevoorschijn, vol krassen en inktvlekken. Hij deed alsof hij de inhoud amper kon ontcijferen, maar in werkelijkheid kende hij de woorden uit zijn hoofd:

Ik werd geraakt door Amors pijl,
een zoete pijn blijft mij nu bij.
Hoe smartelijk lijd ik onderwijl:
mijn liefste schoot opnieuw op mij.
De god, over zijn aardse werk tevree,
is terug in zijn hemelse sferen.
Hoe bitter schrijnt nu de nawee,
mijn wonden blijven zweren.
Ach vrouwe, heel mijn tweede wond,
verlos mij uit mijn lijden.

Eén roos, één kusje van jouw mond,
zal mij voorgoed verblijden.

'Meer heb ik nog niet,' zei Silvano met vuurrode wangen.

'Dat moet wel effect hebben,' zei Gervasio, die amper een lachbui kon bedwingen.

'Denk je echt dat ze het mooi vindt?'

'Natuurlijk, als je het maar zwoel voordraagt en verleidelijk met je lange wimpers knippert. Trouwens,' zei Gervasio en hij kwam overeind, 'laten we meteen naar haar toe gaan en het ijzer smeden terwijl het heet is.'

Angelica woonde in het westen van de stad, vlak bij de Porta Trasimena, op loopafstand van de herberg. De twee jongens liepen langs de enorme Sint-Franciscuskerk en het aangrenzende klooster. Voor Gervasio was die aanblik een verschrikking, bang als hij was om er op een kwade dag als toekomstig monnik heen gestuurd te worden, als zijn vader eenmaal overleden was en zijn broers de erfenis hadden verdeeld. Hij was niet in de wieg gelegd voor armoede of nederigheid, om maar te zwijgen van kuisheid.

Twee jonge monniken in grijs habijt en op blote voeten kwamen op dat moment de grote kerk uit en Gervasio trok een grimas. Hij spoorde Silvano aan haast te maken en snel vervolgden ze hun weg naar het westen.

Angelica zat zich stierlijk te vervelen bij een raam van de stadsvilla waarin ze met haar echtgenoot woonde. Zij weigerde een voet in zijn ouderwetse, stenen boerderij buiten Gubbio te zetten, of hij daar nu wel of niet was. De aankoop van een stijlvol palazzo in de stad was een voorwaarde geweest in hun huwelijkscontract. De oude Tommaso had de rijkdom en bezittingen ingebracht in het huwelijk, Angelica de schoonheid. Haar familie besefte maar al te goed dat ze verder niets te bieden had: geen naam of afkomst, geen bijzondere talenten of prestaties, alleen haar volmaakte, ovale gezicht omlijst door dartele blonde krullen en haar prachtige lichaam.

Tommaso wilde een erfgenaam; zijn eerste vrouw was onvruchtbaar geweest en hij had geduldig haar dood afgewacht. Angelica wilde een mooi huis, dure kleren en bedienden. Bij haar ouders thuis was ze zelf weinig meer geweest dan een dienstmeisje en ze had gezworen nooit zulke ruwe, rode handen te krijgen als haar moeder. Dus was er een villa in de stad gekocht en het eerste jaar van haar huwelijk genoot Angelica met volle teugen: ze had haar huis ingericht met zelfgekozen meubels en draperieën, en ze kon haar geparfumeerde lichaam koesteren in kostbare stoffen als zijde, kant of bont, al naargelang het seizoen.

Maar nu verveelde ze zich. Tommaso was naar Toscane gereisd om over de schapenprijs te onderhandelen. De verwachte baby – inzet van de huwelijksovereenkomst – had zich niet aangekondigd. Een beginnende zwangerschap was met veel pijn en bloed geëindigd, wat Angelica als excuus had gebruikt om Tommaso nog maandenlang uit haar bed te weren. En ze was zich gaan afvragen of het dragen van de mooiste kleding van de wereld wel een vergoeding was voor het feit dat ze een kleine, dikke man van middelbare leeftijd als echtgenoot moest verdragen.

Angelica keek naar buiten en bloosde van plezier. Op straat, onder haar raam, stonden twee knappe jongemannen en ze wist dat een van hen verliefd op haar was.

Silvano keek op en zag haar. Ze droeg een lichtblauwe japon met een lijfje van mousseline en ze had een dubbele halsketting van parels om. Hij kreeg een brok in zijn keel en wist dat hij het nooit zou klaarspelen om zijn gedicht aan haar voor te dragen.

'Doe jij het maar,' fluisterde hij tegen Gervasio. 'Jij kunt het veel beter.' Hij stopte zijn vriend het stuk perkament in handen, waarna hij het palazzo de rug toekeerde om zijn verwarring te verbergen.

'Ik doe het niet, ik doe het niet!' viel het meisje uit tegen haar broer. 'Je kunt me niet dwingen!'

'O, dat kan ik best. Let maar op,' zei Bernardo. 'Ik ben je broer en je voogd en wie, behalve jij, zal me tegenspreken als ik zeg dat jij het klooster in moet?'

Chiara huilde van woede en angst. 'Dan zul je me er vastgebonden in een zak heen moeten dragen,' spuugde ze hem toe. 'Niemand zal ooit kunnen beweren dat ik uit vrije wil ben gegaan!'

'Dat moet dan maar,' zei Bernardo, geen moment uit het veld geslagen. 'Je hebt geen keus. Vader heeft niet genoeg nagelaten voor een fatsoenlijke bruidsschat voor jou. Voor de aalmoes die de clarissen als donatie willen accepteren kunnen we geen echtgenoot kopen. Of wil je soms uitgehuwelijkt worden aan een lelijke oude vent?'

Chiara hield zich even in. Was het mogelijk dat Bernardo op zijn manier zijn best deed aardig te zijn en rekening met haar te houden? Maar ze kende hem langer dan vandaag en veel vriendelijkheid was haar niet ten deel gevallen sinds haar vader een halfjaar geleden was overleden. En voor die tijd ook niet.

'Waarom kan ik niet hier bij jou en Vanna blijven?' vroeg ze en ze begon weer te snikken. 'Ik hoor hier thuis en ik kan jullie toch helpen met de kinderen.'

'Dat hebben we al zo vaak besproken,' zei Bernardo mat. 'Een dienstmeisje kost me veel minder dan fatsoenlijke kleding, vlees en wijn voor jou.'

'Dan neem ik wel genoegen met zelfgemaakte kleren, bier en droog brood!' huilde Chiara. 'Stuur me alsjeblieft niet weg!'

'Doe niet zo idioot,' snauwde Bernardo. 'Ik verkoop je toch niet als slavin. Er zijn zo veel meisjes die het klooster in gaan en een vroom, nuttig leven leiden. Waarom jij dan niet?'

Omdat ik nog familie heb, dacht Chiara. En omdat ik geen roeping heb. Maar ze was te trots om haar broer te smeken zijn hart te laten spreken. Liefde had ze niet meer gekend na de dood van haar moeder, toen ze nog een klein meisje was dat haar melktandjes begon te wisselen. Hun vader was net zo hardvochtig geweest als zijn zoon, een man die geen genegenheid of gevoelens kon tonen. Chiara vroeg zich heel even af hoe haar schoonzus Vanna het uithield met zo'n koude kikker.

Ze zette die gedachte van zich af, evenals het gevoel afgewezen te worden. Ze was intussen al een paar minuten stil en de tranen op haar wangen droogden. Haar toekomst als non strekte zich kleurloos voor haar uit, zonder een sprankje avontuur of romantiek, en ze voelde zich zo moe alsof ze daadwerkelijk met haar broer had gevochten en van hem had verloren.

'Ik merk dat je geen weerwoord meer hebt,' zei Bernardo. 'Dat is dan geregeld.'

Hij had gewonnen.

Silvano keerde zich af en beet op zijn lip terwijl Gervasio het door hem geschreven gedicht voor Angelica opzei. Gesproken op die lichte, wat spottende toon van Gervasio klonken de dichtregels hem nu banaal en onmogelijk naïef in de oren, al had hij er bij het schrijven al zijn hartstocht in gelegd. Silvano wenste vurig dat hij snel volwassen zou worden, en een minnares krijgen, landerijen die hij moest beheren en haar op zijn kin.

Met zijn meisjesachtige trekken en tengere lichaam wekte hij de spotlust op van zijn vaders vrienden, stuk voor stuk steenrijke mannen van middelbare leeftijd met een borst als een bierton en benen als boomstammen. Stoere mannen, die de hele avond moeiteloos doordronken en de volgende ochtend bij het krieken van de dag weer op jacht gingen. Toch was Silvano sterker dan hij eruitzag. Angst kende hij niet, en als het moest wist hij wel raad met een zwaard en met de dolk die hij aan zijn riem droeg. Nu moest hij nog leren zijn gezicht in de plooi te houden en zijn gevoelens niet te tonen.

Hij schrok op van wat er vervolgens gebeurde. Angelica klapte in haar lieve witte handjes en ze lachte. Hij hoorde haar zeggen dat ze het gedicht prachtig vond. En toen hij naar haar keek, zag hij haar een rode bloem uit de pot op haar balkon plukken. Goed, het was een geurloze geranium in plaats van een welriekende roos, maar de bloem zweefde heel sierlijk door de lucht voor Gervasio hem opving.

Zijn vriend gaf de bloem meteen door aan Silvano, samen met het stuk perkament, om duidelijk te maken wie de dichter was. Keek Angelica een tikje teleurgesteld? Silvano stak de verse bloem op zijn hoed en boog zwierig voor haar voor hij zijn hoed weer opzette.

'Ga mee,' fluisterde Gervasio dringend. 'We moeten weg. Haar man is in aantocht.'

En inderdaad kwam Tommaso de heuvel op zwoegen. Aan de uitdrukking op Angelica's gezicht zagen de vrienden dat ze onaangenaam verrast was hem nu al te zien. Veel liever was ze in de zonsondergang met de jongens blijven flirten. In plaats daarvan moest ze het avondeten voor haar man gaan regelen en zijn gemopper aanhoren over de schapenprijs. En met een beetje pech kwam hij later die avond naar haar kamer, om over haar heen te kwijlen en haar blanke huid te schaven met zijn stoppelige gezicht. Ze huiverde.

Toen de twee vrienden heuvelafwaarts liepen, lichtte de boer bij wijze van groet zijn pet en op hun beurt hieven zij hun hoofddeksel met een uitbundig gebaar dat hij terecht voor spot aanzag. Een edelman was zelden of nooit hoffelijk tegen een boer. Tommaso keek scherp naar de bloem op de hoed van de jongste en meende toen een glimp van een blauwe jurk te zien verdwijnen van het balkon bij zijn huis.

Zuster Eufemia was de novicemeesteres van het nonnen-klooster in Giardinetto. Het was een kleine gemeenschap; in tegenstelling tot wat Bernardo tegen zijn zusje had beweerd, gingen er weinig vrouwen zonder roeping bij de orde van de clarissen. In het Sint-Claraklooster woonden slechts twintig nonnen en drie novicen. Chiara zou de vierde novice worden.

'Wat dat meisje uit Gubbio betreft,' zei de abdis tegen zuster Eufemia, 'het zou me verbazen als ze een roeping heeft.'

'Zei haar broer niet dat ze een vroom kind was dat zo veel verdriet had om de dood van haar vader dat ze de wereld de rug toe wilde keren?' vroeg Eufemia.

'Ik denk dat die broer van alles gezegd zou hebben om haar kwijt te raken,' zei de abdis droog. 'Maar als wij haar niet ne-men, vindt hij wel een ander klooster dat haar wil hebben. En we kunnen in ieder geval goed voor haar zijn. Als ze onge-schikt blijkt voor het religieuze leven, kan ze lekenzuster wor-den. Is de kleurwerkplaats iets voor haar?'

'Tja, zuster Veronica kan zeker hulp gebruiken,' zei Eufemia. 'Je zou denken dat die schilders in Assisi de pigmenten die we maken éten. Zuster Veronica kan de vraag gewoonweg niet aan.'

'Daar mogen we niet over klagen, zuster Eufemia,' zei de abdis op een mild verwijtende toon. 'We werken ter meerdere glorie van Sint-Franciscus zelf. Als de fresco's klaar zijn, is daar een wonder te zien dat steeds meer pelgrims naar Assisi zal trekken.'

'Dat is zo, moeder Elena,' zei Eufemia. 'Niets is goed genoeg voor de heilige; dat hij moge rusten in vrede.' Ze sloeg automatisch een kruisteken; de nonnen deden dat dagelijks zo vaak dat ze het zelf amper nog merkten. 'Wist u dat de abdij nu ook een kleurwerkplaats heeft? Er is meer dan genoeg werk voor beide kloosters tot de basilica klaar is.'

De abdis keek naar buiten; ze was de enige in het kleine klooster die een cel met een raam had. Haar blik bleef rusten op de vertrouwde contouren van de abdij aan de andere kant van de moestuin. Abt Bonsignore had haar verteld dat zijn orde erin had toegestemd om pigmenten te gaan produceren voor de groep kunstenaars die in de basilica van het naburige Assisi aan het werk was. Broeder Anselmo, een nieuwe monnik die over de nodige kennis en ervaring beschikte, was aangesteld als kleurenmeester. Abdis Elena had even een steek van jaloezie gevoeld nu haar klooster niet langer het enige religieuze huis met een kleurwerkplaats was, maar, zoals ze zojuist tegen zuster Eufemia had gezegd, al het werk ter meerdere glorie van Sint-Franciscus kon alleen een zegen zijn.

Nergens in Italië stonden de kloosters van franciscanen en clarissen zo dicht bij elkaar. In andere clarissenkloosters konden de nonnen tot hun spijt slechts zeven keer per jaar, op kerkelijke hoogtijdagen, de mis vieren, maar in Giardinetto was een monnik beschikbaar om de mis op te dragen wanneer de nonnen erom vroegen. En tegenwoordig was broeder Anselmo die monnik.

De abdij was als eerste opgericht. Het zusterhuis ernaast werd gevestigd toen twee vrouwen besloten de wereld de rug toe te keren en bij de broeders aanklopten om hulp. In het begin woonden ze in een huis dat niet meer was dan een bijgebouwtje van de abdij; ze mochten gebruikmaken van de kapel als er geen monniken aanwezig waren, zodat de zusters steevast een halfuur te laat aan hun gebeden begonnen.

Na verloop van tijd voegden meer vrouwen zich bij hen en sommigen brachten kapitaal mee, zodat er op den duur een eigen klooster met kapel kon worden gebouwd. Naast het werk op het land en het armenwerk in de parochie hadden de nonnen zich bekwaamd in het malen van pigmenten voor de kunstenaars die vanuit Toscane naar Umbrië kwamen om muurschilderingen aan te brengen in de vele nieuwe kerken die ingezegend werden.

De huidige abdis was een achternicht van een van de twee stichteressen van het klooster van Sint-Clara, en ze stond aan het hoofd van een vredige gemeenschap. In de weken die volgden op het bezoek van Bernardo van Gubbio bekroop haar een onrustig gevoel. Ze had nooit eerder ongezien een novice geaccepteerd. Ze had nu drie novicen die kalm en gedwee waren; als een vierde niet zo volgzaam bleek te zijn, was het gedaan met de rust in het Stint-Claraklooster van Giardinetto.

Angelica lag met droge ogen klaarwakker in het grote bed, waarvan ze de draperieën van gele zijde een paar maanden geleden met zo veel plezier had uitgekozen. Naast haar lag Tommaso met open mond te snurken.

Ik hou het niet meer uit, dacht ze. Heeft God me mijn schoonheid gegeven om die te verspillen aan die ongelikte beer?

Ze dacht aan de knappe jongemannen en aan het gedicht, dat ze niet helemaal begrepen had, maar dat vol stond met de mooie woorden waarvan ze hield – een roos, een wond, een kusje en hemelse sferen. Toen dacht ze aan wat er zojuist gebeurd was en één enkele dikke traan druppelde over haar gehavende wang. Het was alsof ze in twee verschillende werelden leefde, en Angelica verlangde vurig naar een kans om de ene wereld in te ruilen voor de andere.

2

Op heterdaad betrapt

Onderweg van Gubbio naar Giardinetto zat Chiara zwijgend en treurig naast haar broer Bernardo. Ze had niets anders bij zich dan de jurk die ze droeg, haar ondergoed en het gebedenboek dat van haar moeder was geweest. Bernardo wist niet dat ze ook een paar kleine sieraden had meegenomen, vastgenaaid in de zoom van haar onderjurk. Het kruisje van parels en robijnen en de gouden oorknoppen konden haar misschien ooit van pas komen als middel om zich uit het klooster vrij te kopen.

Hij wil ze natuurlijk aan Vanna geven als ik eenmaal bij de nonnen zit opgeborgen, dacht Chiara. Of ze verkopen. Met stille voldoening stelde ze zich voor hoe Bernardo haar oude kamer in zou gaan om het houten juwelenkistje op haar vensterbank open te maken en het leeg aan te treffen.

Toen ze heuvelafwaarts reden naar het dal kwam een groep gebouwen in zicht. Het was een mooie streek, met een kronkelende rivier en de klokkentoren van de kapel die oprees tussen de witgepleisterde huizen waarin de monniken en nonnen woonden, omringd door goed onderhouden tuinen. Er mochten dan meer pompoenen dan bloemen groeien, maar vanuit de verte zagen zelfs die er mooi uit in een breed perk van planten en blad, keurig geschoffeld en verzorgd.

Hier kom ik te wonen, dacht Chiara. Het idee was opeens iets minder afstotend dan ze had verwacht.

Silvano was op jacht met Celeste. Hij was de enige jongere bij de kleine jachtpartij die de baron voor een handjevol plaatselijke edelen had georganiseerd. Gervasio was niet meegevraagd. De ochtendnevel hing boven het moeras en Ettore, de jachthond, plonsde door het water om het gevogelte op te schrikken, zodat Celeste een prooi kon neerhalen.

Het was een paar dagen nadat Gervasio het gedicht voor Angelica had voorgedragen en Silvano had haar niet meer gezien. Met een plezierige rilling in de kilte van de vroege ochtend herinnerde hij zich hoe ze zijn woorden had ontvangen. De inmiddels verwelkte geranium zat nog veilig in zijn hemd, waar ze een rode vlek maakte en een zwakke, onaangename geur verspreidde.

Silvano stond bij de boom waaraan hij zijn paard had vastgebonden en keek naar de ademwolkjes die hij in de koude ochtend blies. De hemel was helderblauw en het beloofde weer een mooie dag te worden, zoals zijn leven bijna alleen maar mooie dagen kende. Hij had het gevoel dat er nooit iets zou veranderen: hij zou altijd jong blijven en zijn leven onder de blauwe hemel van zijn geboortestreek Umbrië zou zich zonder narigheid voortzetten.

Een zware klap op zijn schouder deed Silvano opschrikken uit zijn dagdromerij.

'Boeh!' zei zijn vader. 'Ik heb wel wat geld over voor jouw gedachten.'

Silvano begon zo schuldig te blozen dat het leek alsof hij een moord had staan beramen.

'Ik kan mijn scudi beter op zak houden, zie ik,' zei zijn vader veel luider dan Silvano lief was. 'Er is duidelijk een vrouw in het spel. Maar verman je... er moet thuis eend in de pan komen.'

Ook de monniken in Assisi waren vroeg opgestaan, om in de benedenkerk van de magnifieke basilica de priem te bidden, de eerste van de gebedstijden overdag. Vlak bij de plaats van hun ceremonie heerste al een grote bedrijvigheid van metselaars tot en met de beste kunstenaars uit de grote steden van Toscane.

In een zijkapel stond een van die kunstenaars bij een muur, met een in rode verf gedompelde kwast in zijn hand. De sinopia was in zekere zin het moeilijkste deel van een opdracht, wanneer hij volgens zijn schetsen het beeld dat hij voor ogen had op de muur moest overbrengen. Hij wist dat het resultaat meestal afweek van wat hij in gedachten had. En al kon de afbeelding nog zo verfraaid worden met de prachtigste kleuren en het goudreliëf waar hij beroemd om was, de sinopia was de voortekening die de contouren vastlegde voor alles wat zou volgen. Hij mocht geen fouten maken.

Hij werd in zijn gepeins gestoord door de priester die toezicht hield op de basilica. '*Ser* Simone, u hebt om meer pigmenten gevraagd, meen ik?'

De kunstenaar weekte zijn aandacht met moeite los van de storm aan vorm en kleur in zijn gedachten.

'Dat klopt, vader,' antwoordde hij. Hij had een grote voorraad pigmenten uit Siena meegebracht, maar die was inmiddels uitgeput en hij had nog veel meer nodig voor hij de muren van de Sint-Martinuskapel naar zijn ideeën kon voltooien.

'In Giardinetto staat een clarissenklooster,' zei de priester. 'Ze zijn daar heel bekwaam in de productie van kleurstoffen.

Ze hebben de schilders van *messer* Giotto's atelier hier ook van materiaal voorzien. En het gelukkige toeval wil dat de abdij naast hen nu ook pigmenten maakt. Met vereende krachten moet het ze lukken aan uw vraag te voldoen.'

'Prachtig!' zei de kunstenaar. 'En hoe ver is het van hier naar Giardinetto?'

'Een paar kilometer maar,' zei de priester. 'In de richting van Gubbio.'

'Dan kan ik er zelf heen om met de kleurenmeester te praten,' zei de kunstenaar. 'Zodra ik mijn sinopia af heb, ga ik naar hem toe.'

Op haar eerste ochtend in het klooster werd Chiara wakker van doordringend klokgelui. De nonnen stonden om drie uur 's nachts op om de lauden te bidden, en bij zonsopgang stonden ze weer op voor de priem, maar als novice mocht ze langer blijven liggen. Ze draaide zich om op haar dunne stromatras en viel weer in slaap. Het leek alsof er nog niet eens vijf minuten voorbij waren gegaan toen er aan haar schouder werd geschud, niet hardhandig, maar wel volhardend.

Het was Elisabetta, een andere novice.

'Hoe laat is het?' vroeg Chiara, maar Elisabetta schudde haar hoofd en legde haar vinger op haar lippen.

Ze stond met afgewend gezicht te wachten terwijl Chiara zich in de vormeloze grijze jurk hees die ze de vorige avond gekregen had. Toen wenkte ze Chiara dat ze haar moest volgen.

Eerst liet ze Chiara de garderobe zien en vervolgens gingen ze naar de eetzaal, waar de zusters al aan een lange houten tafel zaten. Het ontbijt verliep in diepe stilte. Het was een eenvoudige maaltijd, maar Chiara was jong en had honger. Ze had haar kom grove pap en beker geitenmelk dus in een mum van tijd leeg.

Daarna wenkte zuster Eufemia haar om mee te gaan naar de kamer van de abdis. Bij haar aankomst had Chiara de abdis niet gesproken en nu lette ze goed op dat ze alleen iets zei als haar iets gevraagd werd; ze had geen idee wanneer de nonnen wel en niet moesten zwijgen.

De abdis was lang, en het haar dat nog zichtbaar was bij de rand van haar sluier was al even grijs als haar habijt. Haar magere gezicht gaf haar de aanblik van iemand die gewend was aan een leven van vasten en gebed. Haar donkere ogen waren oplettend en intelligent, en onwillekeurig hoopte Chiara dat de abdis haar aardig zou vinden.

Wat bezielt die ellendige Bernardo? dacht de abdis, terwijl ze haar nieuwe novice bekeek. Ze leek in de verste verte niet op een meisje met roeping. Ze vergat haar ogen neer te slaan en keek de abdis recht aan met een open blik, die vol levenslust was. Haar mooie jonge gezichtje werd omlijst door donkere krullen en er was iets aan haar wat de abdis deed terugdenken aan een al even eigenzinnig meisje van zo'n dertig jaar geleden, dat geen moment had verwacht dat ze door God geroepen zou worden.

'Ga zitten, Chiara,' zei ze niet onvriendelijk. 'Hoe vind je het hier?'

'Giardinetto is mooi,' zei Chiara, die haar eigen stem vreemd schor vond klinken, 'maar ik zal er wel niet veel van te zien krijgen.'

'Waarom niet?' vroeg de abdis. 'We zijn wel een gesloten kloosterorde, maar als novice mag je buiten de grenzen van het terrein komen als het nodig is. We verwachten van je dat je werkt, en door dat werk zul je soms het klooster uit moeten.

Zolang je je netjes en met respect gedraagt tegen de mensen die je ontmoet en je roeping in ere houdt, kun je nog altijd een rol in de buitenwereld spelen.'

Dat klonk beter dan Chiara had durven hopen, maar het was toch niet genoeg om haar op te vrolijken. Een claris deed toch geen werk dat het leven een beetje spannend maakte? Het mocht dan nuttig zijn om de moestuin of zieke kinderen te verzorgen, romantisch kon je het niet noemen. En als ze eenmaal haar gelofte had afgelegd zouden die uitstapjes ook niet meer toegestaan zijn.

'Als je over een jaar de gelofte aflegt, krijg je een nieuwe naam,' zei de abdis. 'Wij hebben de naam Orsola voor je gekozen; als je wilt kun je hem nu al gaan gebruiken.'

Langzaam gleed er een traan over Chiara's wang; ze had een hekel aan de naam Orsola. Het betekende 'kleine beer'. Wie wilde er nou zo heten? Haar eigen naam betekende 'licht', en zo zag ze zichzelf ook graag: als een kaars in de duisternis, als de zon op een lentedag. Het was haar altijd gelukt om opgewekt te blijven, ook in het liefdeloze huis waarin ze was opgegroeid, en nu was ze bang dat het klooster haar vrolijkheid de grond in zou boren.

Chiara was ook nog eens de naam van de patroonheilige van de clarissen; waarom moest ze die naam dan veranderen? Maar 'zuster Orsola' voelde als haar noodlot – een grauwe, vormeloze, onvoorstelbare nieuwe gedaante.

Ze boog bedeesd haar hoofd.

'En nu moeten we je haar afknippen,' zei zuster Eufemia.

Chiara keek haar verbijsterd aan; daar had ze niet aan gedacht.

'Dat hoort hier zo,' zei de abdis vriendelijk. 'Niet te kort, zolang je nog novice bent. Maar een non mag er geen weelderige lokken op na houden. Dat moedigt de ijdelheid aan. Je hoeft je er niet voor te schamen, kind. Sint-Franciscus zelf heeft het haar geknipt van je naamgenote, de stichteres van onze orde, toen ze ervoor koos haar familie achter te laten en hem te volgen.'

Er was geen ontkomen aan. Chiara vond het al vernederend genoeg dat haar haar eraf moest en ze wilde het niet nog een graadje erger maken door zich te verzetten. Ze deed haar eenvoudige witte sluiertje af en bleef heel stil staan terwijl zuster Eufemia, die nogal klein was, omhoogreikte om haar haar in een rafelig aureool te knippen. Nu de krullen niet langer door hun eigen zwaarte in model bleven, sprongen ze wilder dan ooit om haar gezicht. Haar hoofd voelde letterlijk een stuk lichter, en ze kreeg het een beetje koud. Ze was bijna blij met het dunne sluiertje dat haar blote nek beschermde.

Arm kind, dacht de abdis, die naar het weelderige haar op de vloer keek toen zuster Eufemia haar pupil meenam om haar wegwijs te maken. Impulsief bukte ze zich en pakte handenvol glanzende donkere krullen op. Ze woog ze in haar handen en voelde aan de structuur voor ze ze uit het raam gooide. 'Laat de vogels er maar mooie nesten van bouwen,' mompelde ze.

Tommaso de schapenboer liep hijgend van de marktplaats heuvelopwaarts naar huis. Hij liep in zichzelf te neuriën; vroeg in de zomer hadden al zijn vachten een goede prijs gemaakt en nu bracht zijn groente ook veel op. En dan had hij nog een ander, duister zaakje lopen, dat ook winstgevend was. Hij zou dus een aanzienlijk fortuin aan een zoon kunnen nalaten. Nu Angelica hem weer in haar bed toeliet, had hij goede hoop dat die zoon er eindelijk van zou komen.

Het was vroeg in de middag en er waren weinig mensen op

straat; de meesten zaten nog aan tafel, of ze genoten al van hun middagslaapje. Het was geen tijdstip om op een overval verdacht te zijn en Tommaso schonk dan ook geen aandacht aan de zachte voetstappen die hij achter zich hoorde. Zelfs toen hij een por in zijn zij voelde dacht hij nog dat een of andere jonge wildebras per ongeluk tegen hem was opgebotst.

Hij draaide zich om en wilde de onvoorzichtige jongen de huid vol schelden, maar hij zag alleen iemand hard de heuvel af rennen. Zijn benen begaven het. Toen hij omlaag keek zag hij rood vocht uit zijn tuniek stromen. Verbijsterd legde hij zijn hand op de plek en zakte in elkaar. Hij voelde geen pijn, maar tussen zijn ribben stak het zilveren heft van een dolk. Op hetzelfde moment dat hij naar het mes greep, sloeg de pijn toe.

Tommaso was vlak bij huis. Hij brulde als een stier. Toen hij opkeek zag hij een gezicht dat hij meende te herkennen, een knap gezicht. Tommaso greep de arm van de jongeman vast en het kon hem niet schelen dat hij daarbij de kleren van de ander volspatte met bloed.

'Moord!' fluisterde hij en hij voelde zijn stem stokken in zijn keel.

'Moord,' echode Silvano, die verbouwereerd toekeek hoe de echtgenoot van zijn dame op straat overleed.

En toen klonk overal het geluid van hollende voetstappen en er begon een vrouw te krijsen.

'Hier malen we de pigmenten,' zei zuster Veronica. Ze was klein, bijna een hoofd kleiner dan Chiara, met de bouw van een jong meisje en bijpassende handen en voeten. Ze bewoog zich sierlijk en vlug en Chiara kon wel begrijpen waarom de schilders haar waardeerden.

De zusters zaten aan een lange houten tafel, die op de tafel in de eetzaal leek, maar in plaats van een houten bord hadden ze nu een vierkant stuk rood dooraderde steen voor zich.

'Purpersteen. We noemen het porfier,' zei zuster Veronica, die Chiara's blik volgde. 'Het is harder dan marmer en ideaal om pigmenten op te malen. Je pakt een ander stuk steen – zoals zuster Lucia daar heeft, zie je? – en je wrijft de mineralen op de porfiersteen tot een fijn poeder. Dan voeg je er vers water aan toe en meng je alles.'

Chiara keek de kamer rond en zag planken vol flesjes, die afgesloten waren met een kurk en een etiket droegen dat met een ragfijn handschrift was beschreven. Gefascineerd ging ze de flesjes van dichtbij bekijken.

'Vermiljoen,' spelde ze. '*Terra verde*, azuriet, drakenbloed. Drakenbloed?'

'Daar hebben we niet veel van, zoals je ziet,' zei zuster Veronica. 'Het is niet voor de frescoschilders in Assisi bedoeld. De monniken gebruiken het om geschriften mee te verluchten.'

'Is het écht drakenbloed?' vroeg Chiara met grote ogen.

'Er wordt beweerd,' zei zuster Veronica, 'dat je dit krijgt als een draak met een olifant heeft gevochten. Maar als je het mij vraagt, is het de hars van een struik.'

Chiara keek teleurgesteld. De verklaring met draken en olifanten sprak haar meer aan.

'In onze streken komt die struik niet voor,' zei zuster Veronica. 'Hij groeit alleen op exotische eilanden ver van hier, in het Oosten.'

Dat was dan tenminste iets, dacht Chiara. Het spul kwam in ieder geval uit spannende oorden, al had het dan niets met draken te maken.

Baron da Montacuto werd uit zijn siësta gewekt door een knecht die aan zijn mouw trok. De baron was net weggezakt in een aangename droom over de zwijnenjacht en hij was geïrriteerd omdat hij gestoord werd.

'Duizendmaal excuus, heer,' zei de knecht zenuwachtig. 'Het gaat om de jonge meester. Er wordt gezegd dat hij iemand vermoord heeft.'

De baron was op slag klaarwakker en schudde zijn hoofd alsof hij zelf een everzwijn was, dat zich wilde bevrijden van een obstakel tussen zijn slagtanden. Hij gebaarde naar een kruik water en de angstige knecht bediende zijn meester op zijn wenken door de inhoud over diens hoofd te gooien. De baron rende naar beneden, intussen zijn zwaard omgordend en de waterdruppels uit zijn grijzende baard en haar schuddend.

'Waar is Silvano?' snauwde hij tegen de knecht.

'Weg, heer. Ze zeggen dat hij weggerend is toen mensen de stervende man te hulp schoten.'

'En wie was die man?'

'Tommaso de schapenboer. Ze zeggen – vergeef me, heer – dat uw zoon verliefd is op Tommaso's vrouw.'

De baron bleef stokstijf staan in de hal en veegde de laatste druppels van zijn gezicht. De knecht deinsde achteruit.

Montacuto vermande zich snel weer. 'Daar heb ik iets over gehoord. Maar mijn zoon is geen moordenaar. Hij doet geen vlieg kwaad. Waarom krijgt hij de schuld?'

'Het was zijn dolk, heer, met het familiewapen.'

Onwillekeurig keek de baron naar het familiewapen boven de schoorsteenmantel: de puntige top van een berg tussen eikenbomen. Hij had die dolk zelf aan Silvano gegeven.

Op dat moment verscheen Silvano in eigen persoon, met een lijkwit gezicht en bloed aan zijn handen. Ook zijn dure hemd zat onder het bloed.

'Wel alle duivels, wat heeft dit te betekenen?' bulderde zijn vader, al was hij nog zo opgelucht de jongen levend terug te zien. Hij nam zijn zoon mee naar een zijkamer, waar ze niet afgeluisterd konden worden.

'Ik... ik ben door de stal gekomen,' hakkelde Silvano. 'Er zit een woedende menigte achter me aan. Ze denken dat ik... ze zeggen dat ik iemand vermoord heb.'

'Dat weet ik al,' zei de baron geërgerd. 'En? Is het waar?'

Silvano keek ongelukkig. 'Nee. Die man lag stervend op straat. Ik wilde hem juist helpen.'

'Ik hoor dat hij door jouw wapen gestorven is,' zei de baron. 'Zweer je dat jij er niet de hand in had?'

'Ik zweer het,' zei Silvano hartstochtelijk. 'U weet toch ook wel dat ik nooit iemand zou doden – tenzij ik mijn moeder of zusjes ermee kon redden. Ik weet niet wat er met mijn dolk is gebeurd. Ik weet alleen dat de dolk in het lijk me bekend voorkwam.'

'Ik geloof je,' zei de baron. 'Maar je loopt groot gevaar. Het ziet er slecht voor je uit. Rommelde je niet met de vrouw van de vermoorde man?'

Silvano keek gepijnigd. 'Dat nou ook weer niet direct,' mompelde hij. 'En waarom zou ik op klaarlichte dag met mijn eigen dolk haar man ombrengen?'

'De rechtbank zal zich het hoofd niet breken over zo'n detail,' zei de baron. 'Ze zullen je oppakken en de doodstraf geven als we de echte moordenaar niet vinden en hem tot een bekentenis kunnen dwingen.'

Er werd woedend op de grote houten voordeur gebonkt.

'Vlug,' zei de baron. 'Ga dat bloed afwassen. Geef die bebloede kleren aan de bedienden om te verbranden. Trek je daarna terug in het boudoir van je moeder.'

Op zijn hoede ging hij Silvano voor naar de hal en hij riep de wachtende knecht.

'Je moet een boodschap van mij aan de franciscanen in de stad brengen,' droeg hij op, terwijl hij snel nadacht.

De baron wendde zich tot Silvano. 'Ik laat me mijn zoon niet zonder slag of stoot afpakken,' zei hij grimmig. 'Ga, voor het te laat is.'

De abt van Giardinetto stond voor zijn raam toen hij een lid van zijn orde in vliegende vaart zag komen aanrijden. Het was ongewoon genoeg om een monnik te paard te zien; de leefregel was dat er altijd gelopen werd, tenzij het om een noodgeval ging. Deze boodschapper moest wel heel dringende berichten brengen.

De uitgeputte monnik werd naar de kamer van de abt gebracht en ontving de zegen voor hem een glas wijn werd ingeschonken. Hij wachtte tot hij alleen was met de abt voor hij met zijn nieuws voor de dag kwam.

'Ik kom van de monniken in Perugia,' zei hij. 'Mijn naam is Ambrogio en mijn abt stuurt me naar u toe. U kent baron Da Montacuto toch, vader?'

'Jazeker,' zei de abt. 'We hebben samen op de universiteit in Bologna gezeten, meer jaren geleden dan me lief is. Bartolomeo da Montacuto is ook altijd heel gul voor onze abdij.'

'En nu vraagt hij u om een gunst, vader,' zei broeder Ambrogio. 'Zijn enige zoon is in levensgevaar. Hij wordt beschuldigd van een moord waarvan hij zweert dat hij hem niet gepleegd heeft. De baron vraagt u de jongen hier in Giardinetto asiel te verlenen tot de echte schurk gevonden is.'

'Bartolo's zoon,' zei de abt, min of meer tegen zichzelf. Hij had de laatste jaren weinig contact gehad met zijn oude vriend, maar hij wist dat de tere baronessa veel kinderen had verloren vlak na de bevalling, en hij wist ook hoeveel die jongen – Silvio, Silvano? – voor de vriend uit zijn jeugdjaren betekende. Titels, bezittingen, erfenissen – van al die aardse franje had de abt afstand gedaan toen hij zijn roeping volgde, maar hij kon begrijpen hoe belangrijk de enige zoon en erfgenaam voor Bartolomeo da Montacuto moest zijn.

'We nemen hem op,' zei hij vastbesloten. 'Als Montacuto zegt dat de jongen onschuldig is, is hij ook onschuldig. We bieden hem een toevluchtsoord tot zijn onschuld bewezen kan worden.'

Chiara liep met Elisabetta terug van de kleurwerkplaats naar het woongedeelte toen ze twee mannen te paard de hof van de naburige abdij zag oprijden. Nieuwsgierig keek ze toe, al deed Elisabetta nog zo haar best om haar met wanhopige gebaren te beduiden dat ze haar ogen van de bezoekers moest afwenden. De twee waren gekleed in het grijze habijt van de monniken van Sint-Franciscus, maar Chiara had de wereld nog niet lang genoeg de rug toegekeerd om niet meteen te zien dat de jongste geen overtuigende kloosterling was.

Zijn pij leek in grote haast over meer modieuze kleding heen gegooid en hij droeg laarzen van fraai suède. Zijn paard was veel mooier dan dat van zijn metgezel en op de voorste zadelknop zat een jachtvogel. Chiara geloofde haar ogen niet en tuurde aandachtig de schemering in, maar ze had het goed gezien. Op het zadel van die zogenaamde monnik zat echt een jachtvogel, een valk zo te zien. Zoiets interessants had ze sinds haar komst in het klooster nog niet meegemaakt.

Silvano keek op, alsof hij zich ervan bewust was dat er naar hem gekeken werd. Hij zag twee clarissen, van wie de een bescheiden haar ogen had neergeslagen en geagiteerd haar best deed om de andere non mee te trekken. Die stond openlijk naar de abdij te staren en bekeek hem en zijn paard van top tot teen.

Op dat moment wist hij dat er één iemand in Giardinetto was die nooit zou geloven dat hij een franciscaner novice was. Maar hij schrok er niet van; hij vond het wel een troostrijk idee, alsof er in zijn nieuwe verblijfplaats iemand was met wie hij bevriend kon raken.

3
Het toevluchtsoord

Tommaso de schapenboer werd begraven tijdens een plechtigheid van ongewone pracht en praal voor iemand van zijn stand. Zijn weduwe Angelica verborg haar opluchting en opwinding door uit de volle geldkisten, die nu van haar alleen waren, een uitvaartmis in de kathedraal te bekostigen en elegante zwarte rouwkleding voor zichzelf, haar moeder en haar twee jongere zusjes te kopen. Zelfs haar vader droeg een nieuwe, zwartfluwelen hoed.

Na de mis ging het kleine gezelschap van nabestaanden naar de deftige stadsvilla, waar Angelica een diner had laten aanrichten. Er heerste geen rouwstemming, behalve bij Tommaso's twee neven die gehoopt hadden dat er iets noodlottigs zou gebeuren met de tweede vrouw van hun oom voor hij zelf heenging, zodat zij de boerderij en de grote kuddes schapen konden erven.

Maar het lot had zich niets van hen aangetrokken; in plaats daarvan was het de ongelukkige bruid gunstig gestemd geweest, in ieder geval voorlopig. Ondanks de abrupte en gewelddadige manier waarop Tommaso om het leven was gekomen, moest Angelica haar uiterste best doen om niet te huppelen van vreugde. Haar dikke, zwarte weduwesluier was van onschatbare waarde omdat hij haar blije gezicht kon verbergen.

38

Ook haar familie was allesbehalve ontroostbaar. Angelica's ouders hoopten binnenkort in het palazzo te gaan wonen; het huwelijk met die ongelukkige, steenrijke, veel oudere Tommaso was hun idee geweest en nadat ze hun kind als kleine investering hadden ingezet, verheugden ze zich nu op een terugbetaling met hoge rente.

Angelica dacht daar heel anders over. Ze wilde haar ouders en zusjes best een beetje helpen, maar hoe minder ze de kans had gekregen haar eigen gang te gaan, hoe meer ze erop gebrand was geraakt te doen wat ze wilde, en ze bereidde zich er al even graag op voor haar eigen geld te hebben. Als de rouwperiode voorbij was, wilde ze tevoorschijn komen als een zakenvrouw die goed bekend was met de boekhouding van haar overleden man. En dan werd het ook tijd om naar een tweede echtgenoot uit te kijken.

De abdij was een gezegende plek, vond Silvano. In dit toevluchtsoord voelde hij zich veilig. Hier was hij beschermd tegen de doodstraf, die na een kort proces zeker uitgesproken zou zijn over een man die met bloed aan zijn handen was betrapt bij zijn dode vijand terwijl zijn dolk nog in het lijk stak.

Hij woonde hier nu een week als novice, maar zijn hoofd stond niet naar gebed en boetedoening. Steeds weer zag hij voor zich hoe hij de bloedende Tommaso stervend op straat had gevonden; het beeld spookte door zijn dromen en ook bij daglicht merkte hij dat hij steeds naar zijn handen keek om te zien of er geen bloed aan kleefde. Behalve door dat gruwelijke beeld van de afgeslachte man werd hij gekweld door wat erna kwam – het gekrijs van een vrouw (was het Angelica geweest?), de hollende voeten en zijn eigen beslissing om zo snel mogelijk de plaats van de misdaad te ontvluchten.

Had hij moeten blijven om zich te verdedigen? Dat leek een onaanvaardbaar risico toen hij op heterdaad werd betrapt, met zijn dolk in Tommaso's borst. Hij had overigens niet meteen beseft dat het zijn dolk was, maar het wapen zag er bekend uit en pas na thuiskomst had hij gemerkt dat zijn eigen dolk niet meer in de schede zat.

Als hij niet aan Tommaso dacht, dwaalden zijn gedachten af naar Angelica. Wist ze dat hij voor de moordenaar van haar man werd aangezien? Haatte ze hem nu? Miste ze hem? Dacht ze eigenlijk ooit wel eens aan hem? Kon hij maar een bood-schap aan Gervasio in Perugia sturen om hem te vragen zijn zaak te bepleiten bij de mooie, jonge weduwe!

Al die personen, de hoofdrolspelers in de spannendste epi-sode in zijn leven tot nu toe, leefden meer voor hem dan de in het grijs gehulde monniken van Giardinetto. De minderbroe-ders leken allemaal op elkaar en hij vond het moeilijk al die nieuwe namen te onthouden. Maar langzamerhand begon het hem te dagen. Vader Bonsignore, de abt, was gemakkelijk te herkennen. Een vriendelijke man, met een rond gezicht en een loodgrijs tonsuur als een kransje op zijn schedel.

Broeder Ranieri, een lange magere monnik, was de novice-meester. Hij kende Silvano's ware verhaal, maar heette hem zo hartelijk welkom alsof hij echt een novice was die een roeping had om Sint-Franciscus te volgen. Voor zover Silvano wist, was geen van de andere monniken op de hoogte van het ongeluk-kige lot waarvoor hij naar Giardinetto was gevlucht.

Hij kon goed overweg met echte novicen als broeder Matteo en jongere monniken die hun kloostergeloften al hadden afge-legd, zoals broeder Taddeo, de assistent-bibliothecaris. Maar bijna alle anderen waren nog één grijs waas van namen en functies voor hem.

Chiara had een voorsprong van meer dan een week op Silvano en er waren ook minder clarissen om te leren kennen dan er monniken waren. Gaandeweg had ze zich aangepast aan de routine van het klooster en tot haar eigen verbazing merkte ze dat ze haar vorige leven in Gubbio nauwelijks miste.

Er waren natuurlijk ook dingen die haar dwarszaten. Om te beginnen waren er de karige maaltijden, en dan was er nog de zwijgplicht tussen de completen na het avondeten tot de terts na het ontbijt de volgende ochtend. Ook vergat ze steeds weer dat de clarissen hun mond niet open mochten doen in de slaapzaal, de eetzaal of de kapel, behalve wanneer ze hun gebeden zeiden.

Toch was het gemak waarmee ze zich had aangepast verbluffend voor iemand die zo spraakzaam was en zo van kletspraatjes hield als zij. Ze miste haar schoonzus Vanna en haar kleine nichtje en neefje natuurlijk wel. Maar de in het grijs gehulde nonnen waren aardig en ze mocht de andere drie novicen graag, al schokte ze Elisabetta, Cecilia en Paola voortdurend met haar vrijpostige gedrag.

'Ze leert het nog wel,' zei zuster Eufemia, wanneer een van de andere novicen Chiara's tekortkomingen bij haar aankaartte. 'Ze zal wel moeten.'

En het had er alle schijn van dat ze het leerde. Ze begon te wennen aan de routine van de gezamenlijke gang naar de kleine kapel om de gebedsgetijden te zeggen, en haar leven als jong meisje in de buitenwereld raakte langzaam in het vergeetboek.

Voor Silvano viel het hoogtepunt van de dag wanneer hij 's ochtends naar de stallen mocht om zijn paard te poetsen en met Celeste naar de hof te gaan, waar hij haar liet vliegen voor haar dagelijkse onsje vlees. Af en toe maakte hij een praatje met een vriendelijke monnik die broeder Anselmo heette. Hij was kennelijk gesteld op paarden en hij was geïnteresseerd in Silvano's valk.

'Een roofvogel moet lichaamsbeweging hebben,' vertelde Silvano hem. Intussen bond hij een stukje vlees als lokaas aan een lange lijn. 'Als Celeste niet iedere dag op het lokaas aan de loer jaagt, raken haar veren uit conditie. Ze krijgt net genoeg lichaamsbeweging als ik haar achter het lokaas aan laat vliegen. Eigenlijk moet ze vrij kunnen vliegen, en veel verder gaan.'

Van hemzelf kon hetzelfde worden gezegd. Het leven van een kloosterling was hem wezensvreemd. Dat was de keerzijde van de veiligheidsmedaille: na een week in het klooster miste hij de jacht, de ritten te paard en de regelmatige tochten met zijn vader om het werk op hun landerijen te inspecteren. Hier had hij geen andere lichaamsbeweging dan de wandeling van slaapzaal naar kapel en van kapel naar eetzaal, en hij miste de zon op zijn rug en de wind in zijn gezicht.

Hij moest voor dag en dauw opstaan om te bidden en hij kreeg sobere maaltijden zonder vlees. Hij mocht God nog op zijn blote knieën danken dat er tenminste geen tonsuur in zijn haar was geschoren. Zijn grove grijze habijt en blote voeten waren een wereld van verschil met de elegante kleding en laarzen van zacht leer die hij gewend was. In zekere zin had hij het gevoel dat hij zijn eigen verenkleed was kwijtgeraakt alsof hij een valk in de rui was.

Op een keer had hij tijdens een van zijn wandelingen binnen de begrenzing van het abdijterrein, bij de stallen, het meisje met de vrijmoedige ogen weer gezien. Ze was met twee andere novicen in de kloostertuin kruiden aan het verzamelen. De andere twee deden de pluk snel en handig in hun manden,

maar dat meisje bleef staan om aan elk blaadje en takje te ruiken. Hij ving haar blik op terwijl ze ridderblad fijnwreef en bijna verrukt de geur opsnoof.

Toen ze hem zag kijken, draaide ze zich om en liet in haar
verwarring het ridderblad en de andere kruiden vallen. De novicen knielden om ze op te rapen, onder het slaken van ver-
schrikte kreetjes als het gekoer van grijze duiven, waar ze in
hun habijt nog op leken ook, terwijl het vrijmoedige meisje afgewend bleef staan en haar schouders liet hangen. Silvano
vond het pijnlijk om haar zo mismoedig te zien, omdat hij zich
net zo voelde.

'Ik heb iets voor je te doen,' onderbrak een stem zijn gedachten. Vader Bonsignore, de abt, bracht tegen zijn gewoonte in
een bezoek aan de stallen. 'Hoe zou je het vinden om op gevogelte te jagen voor de tafel van de monniken?'

'Ik dacht dat u geen vlees at,' flapte Silvano eruit, met zijn gedachten nog bij het duifgrijze meisje met de zielige schouders,
en zo verrast door het verzoek dat hij niet nadacht bij wat hij
zei.

'Wij, broeder Silvano,' zei vader Bonsignore, 'trakteren onszelf wel degelijk af en toe op vlees, vooral op zon- en feestda-
gen. En broeder Rufino heeft in de ziekenzaal graag wat voedzame lekkernijen in voorraad voor de oudere of zieke
broeders.'

'Mag ik er echt op uit met Celeste?' vroeg Silvano. Het was
heerlijk om de vrijheid onder de blauwe hemel in te kunnen,
in vergelijking met dit veilige, maar grauwe leven tussen de
vrome monniken.

Vader Bonsignore zuchtte. 'Je bent hier te gast, Silvano, en
het is niet onze bedoeling je op te sluiten. Je mag eens in de
week uitrijden en op valkenjacht gaan om gevogelte te vangen

voor broeder Bertuccio's keuken. Maar denk erom dat je niet ver afdwaalt buiten de muren van ons huis. Je wordt nog steeds verdacht van een vreselijke misdaad. We kunnen je alleen beschermen als je op ons terrein blijft. Maar toch, één keer per week een paar uur in de vroege ochtend op pad zal niet al te riskant zijn.'

'Dank u, vader,' zei Silvano vurig. 'Ik zal voorzichtig zijn. Wanneer mag ik?'

'Begin morgen maar,' zei de abt. 'Zorg ervoor dat je voor het ontbijt terug bent. En nu lijkt het me hoog tijd om je aan het werk te zetten.'

Het grote, zilveren decoratiestuk in de vorm van twee vechtende draken stond midden op een van de fraaist gedekte eettafels in Gubbio. *Monna* Isabella zei er in stilte een dankgebed voor, zoals bij iedere maaltijd, terwijl haar echtgenoot hardop bad voor het eten. Dank u, God, dat u Ubaldo op het idee hebt gebracht dat monsterlijke gevaarte te kopen toen we trouwden, zodat me al twintig jaar het zicht op hem ontnomen wordt.

Een vroom gebed was het niet, maar ze meende het uit de grond van haar hart. Ser Ubaldo was een steenrijke koopman, die er al warmpjes bij had gezeten toen hij destijds voor het eerst de mooie Isabella zag. En hij had meteen besloten dat hij haar moest hebben, als een sieraad voor zijn huis, zo ongeveer als hij ook besloten had een groot, zilveren tafelstuk aan te schaffen ter versiering van zijn eettafel. Het maakte hem niets uit dat ze al zou trouwen met een jonge geleerde. Die belofte was gedaan door de dame zelf en niet goedgekeurd door haar familie. De geleerde was arm en Ubaldo was rijk. Daarmee was de kous af.

Isabella had al zo lang een hekel aan haar man dat het haar

tweede natuur was geworden. Het beeld van haar eerste liefde stond na al die jaren nog in haar geheugen gegrift – zijn donkerbruine ogen en slanke handen, zijn gevoelige mond die tedere woorden had gesproken en haar hartstochtelijk had gekust. Ubaldo was niet afstotelijk of lomp, maar hij was zo kil als de marmeren vloer van de eetzaal.

Na het eerste halfjaar van hun huwelijk, waarin zijn hartstocht geen enkele keer beloond was geweest met een spontane liefkozing, was hij haar gaan behandelen als zijn eigendom, niet wreed maar onverschillig. Hij had geaccepteerd dat ze nooit van hem zou houden en had zelf allang geen andere gevoelens meer voor haar dan eigendomsrecht. Hij gedroeg zich met een minimum aan beleefdheid tegen haar omdat ze nu eenmaal zijn vrouw was. Maar hij had een jonge minnares, die niet de eerste was in een lange rij, en bij haar vond hij de warmte die in zijn huwelijksbed ontbrak.

Isabella was dankbaar voor die minnaressen, die haar nu al zo veel jaren Ubaldo's aanwezigheid in haar slaapkamer bespaarden. Ze was halverwege de dertig, nog altijd mooi, met een figuur dat na de geboorte van haar vier kinderen nauwelijks was uitgedijd. Ook de kinderen zaten nu aan tafel, twee aan elke kant; naar hen kon ze in ieder geval met plezier kijken. Bij iedere geboorte had ze er versteld van gestaan hoe krachtig de liefde was die ze voelde voor een kind dat uit zo veel onverschilligheid was voortgekomen. De drie zoontjes en het ene dochtertje die ze haar echtgenoot plichtmatig had geschonken, waren de grootste bron van vreugde in haar leven.

De abt had Silvano meegetroond naar de kleurwerkplaats van de abdij.

'Dit is broeder Anselmo, onze kleurenmeester,' zei hij, toen hij de jongen voorstelde aan de monnik die Silvano al kende van hun ontmoetingen in de stallen, een man van middelbare leeftijd met bruin haar en een intelligent, benig gezicht. 'Hij is net als jij nog niet zo lang in Giardinetto. In zijn vorige klooster heeft hij ook een kleurwerkplaats geleid.'

Achter broeder Anselmo zaten vijf andere broeders aan een lange tafel met een stuk porfiersteen voor zich. Ze waren aan het malen en stampen als koks die in een keuken kruiden pletten. Maar de kleurwerkplaats hing niet vol heerlijke aroma's waarvan het water je in de mond liep. De geuren waren scherp en vrij bitter.

'Zoals we al besproken hebben, broeder,' zei de abt, 'stel ik de jonge Silvano hier te werk om je met de pigmenten te helpen.'

'Welkom,' zei Anselmo. 'Ik kan een extra paar handen goed gebruiken.' Silvano vroeg zich af of de kleurenmeester wist waarom hij in de abdij was. Wisten nog steeds alleen de abt en broeder Ranieri dat hij geen echte novice was, maar iemand die van moord werd verdacht?

'Je komt ons op een veelbelovende dag gezelschap houden,' zei broeder Anselmo. 'We verwachten hoog bezoek vandaag. De beroemde schilder Simone Martini komt naar de kleurwerkplaats om onze productie te zien. Als we voldoen aan zijn hoge maatstaven, bestelt hij veel pigmenten voor zijn werk in de basilica van de heilige Franciscus, onze stichter.'

De broeders keken op van hun werk aan de houten tafel. De drie echte novicen en twee lekenbroeders waren meer geïnteresseerd in het op handen zijnde bezoek dan in de komst van een nieuwe novice. Maar aan het einde van de ochtend voelde Silvano zich helemaal thuis in de werkplaats. Hij had smalle, vaardige handen en hij kreeg het hakken, fijnmaken en mengen snel in de vingers.

Frustrerend vond hij het wel dat het binnenwerk was. Gelukkig kon hij uitkijken naar de valkenjacht morgen.

'Vertel me alles wat je weet over mijn zoon en de vrouw van die man,' zei baron Montacuto.

Gervasio de' Oddini stond voor de baron in de grote zaal van het huis van zijn vriend. Gervasio kuchte, frunnikte aan de hoed in zijn handen en liet intussen zijn blik dwalen van de enorme schouw met het wapen van de familie Montacuto langs de felgekleurde wandtapijten met afbeeldingen van de zwijnenjacht naar de zware, bewerkte houten stoel waarin de baron had plaatsgenomen om hem uit te horen.

'Ik weet dat Silvano smoorverliefd op haar was,' hakkelde hij. 'Hij heeft een liefdesgedicht voor haar geschreven.'

De baron liet zijn grijze hoofd in zijn handen zakken. 'Een liefdesgedicht,' klonk het gesmoord. 'Waar is dat nu?' vroeg hij, zijn stem opeens weer duidelijk en zijn ogen alert toen hij zijn hoofd ophief en Gervasio aankeek.

'Dat weet ik niet, heer,' zei de jongen.

'Zijn doodvonnis is getekend als dat gedicht in verkeerde handen valt,' zei Montacuto. 'Als hij zijn verstand had gebruikt, zou hij het verbrand hebben. Maar als hij zijn verstand had gebruikt, was hij niet in deze puinhoop verzeild geraakt. Ga het zoeken, wil je? Ga die weduwe vragen of zij het heeft en zorg ervoor dat je het krijgt. Zie maar hoe je het klaarspeelt.'

Gervasio's mondhoeken krulden op, maar hij verbeet zijn lach. Silvano's vader zat hem te commanderen alsof hij een knecht was in plaats van een gelijke van adel, maar de baron gaf hem toch maar mooi zijn zegen om op de snoezige Angelica af te gaan! En intussen zat dat gedicht gewoon in zijn eigen hemd.

'We weten allemaal dat mijn zoon het niet gedaan heeft,' vervolgde Montacuto. 'Zijn moeder en zusjes gaan er kapot aan. Ze huilen de hele dag om hem. Maar het is veel te gevaarlijk voor hem om terug te komen.'

'Mag ik vragen waar hij is, heer?' vroeg Gervasio beleefd.

'Vragen staat vrij,' snoof de baron. 'Maar vergeef me dat ik geen antwoord geef. Wat niet weet, wat niet deert. Dat is wel zo veilig.'

'Welkom, maestro!' zei broeder Anselmo. Hij had zelf nog nooit een schilderij van Simone Martini gezien, maar de kunstenaar was beroemd in heel Toscane en Umbrië. Hij had kortgeleden in Siena een prachtige *Maria Majesteit* voltooid, die volgens de verhalen bijna het werk van zijn leermeester Duccio in de kathedraal daar evenaarde. En Anselmo was er zelf bij geweest toen het kunstwerk van Duccio geïnstalleerd werd.

De schilder liep tussen de monniken en novicen door en keek naar hun vaardige handen, die de mineralen vergruisden op de stukken porfiersteen. Hij was een tengere man, met een neergetrokken mond die de indruk wekte dat hij op een citroen zoog, dacht Silvano. Maar een ongelukkig mens was hij zeker niet. Zijn grijze ogen vonkten van grote intelligentie en levendige verbeeldingskracht.

'Ik heb een grote voorraad pigmenten naar Assisi meegenomen,' zei hij met een hoge, lichte stem. 'Maar dat is alweer een jaar geleden en ik kom tekort, ondanks alle leveranties die ik nog uit Siena krijg. Het komt goed van pas als ik dicht in de buurt mijn voorraad kan aanvullen.'

'Het zou ons een eer zijn,' zei broeder Anselmo. 'De meeste pigmenten die u nodig denkt te hebben, zullen we zeker kunnen leveren. Mag ik vragen waar u precies aan werkt?'

'Aan een kapel,' zei de schilder, die met zijn arm een boog van links naar rechts beschreef. 'Ik beeld het levensverhaal van Sint-Martinus uit op de muren. In fresco – de moeilijkste techniek die er bestaat. Ik heb een atelier buiten de basilica, waar mijn gezellen de *gesso* voor de ondergrond mengen. Ze hebben geen ervaring met het malen van pigmenten en bovendien heb ik ze voor eenvoudiger werk nodig, zoals het maken van marmergries. En mijn assistenten heb ik nodig om samen met mij aan de fresco's te werken, willen we op tijd klaar zijn. We zitten daar al maanden.'

Silvano pijnigde zijn hersens af of hij zich iets kon herinneren over Sint-Martinus. Was er geen verhaal over een mantel? Of ging dat over Sint-Franciscus zelf? Hij wist het niet meer.

'Roze,' zei de kunstschilder. 'Ik moet alle tinten purper hebben, oker, vermiljoen, kobaltgroen – maar vooral lazuren. Kunt u me daaraan helpen?'

'Als u me de nodige lapis lazuli kunt leveren,' zei broeder Anselmo. In Silvano's oren klonk het alsof de schilder en hij een vreemde taal spraken, waar hij niets van begreep. 'Maar u weet natuurlijk ook hoe duur dat is.'

'Geld speelt geen rol,' zei de kunstenaar. 'Wijlen kardinaal Gentile was zo goed me de nodige soldi achter te laten. Ik kan zorgen dat u het gesteente krijgt. Maar verstaan uw broeders de kunst van lazuren maken – het echte blauw?'

Zijn doordringende ogen namen de groep monniken en novicen op en bleven even rusten op het ongeschoren haar van Silvano.

'Dat kan ik ze leren, maestro,' zei broeder Anselmo.

Chiara had de zogenaamde novice na zijn aankomst één keer teruggezien, op de dag dat ze de kruiden liet vallen. Wanneer ze eraan terugdacht, brandden haar wangen weer net zo fel als toen. Ze kende niet veel jongens – en ze zou er van nu af aan vast geen meer leren kennen ook – maar ze had nog nooit zo'n knappe jongeman gezien als die weinig overtuigende broeder in de naburige abdij.

Ze vroeg zuster Cecilia, een andere novice, naar hem. Cecilia was diep geschokt.

'We kijken niet naar de monniken,' fluisterde ze. 'Alleen naar broeder Anselmo, die bij ons als priester de biecht hoort en de mis opdraagt. Voor hem hadden we broeder Filippo, die nu te oud en zwak is. En we kennen vader Bonsignore natuurlijk. Maar we mogen nooit naar de jongere monniken kijken, vooral niet naar de novicen die net als wij de gelofte nog niet hebben afgelegd.'

'Volgens mij is hij niet eens een echte novice,' zei Chiara. 'Hij heeft het paard van een edelman. En een jachtvalk! Een monnik, al is hij dan novice, mag toch niet zulke wereldse bezittingen hebben?'

Zuster Cecilia schudde haar hoofd. 'Dat weet ik ook niet, maar daar mogen we ons helemaal niet mee bezighouden. Het gaat ons niets aan, zuster Orsola.'

Er waren zo veel dingen die Chiara niet langer aangingen. Haar wereld was nooit groot geweest, maar nu was hij binnen een paar weken gekrompen tot de kleine kapel, het zusterhuis en de kloostertuin in Giardinetto.

Gelukkig was de kleurwerkplaats er nog. Ze genoot van haar werk bij zuster Veronica. Het fijnmaken van de pigmenten was wel saai, maar het was adembenemend om te zien hoe de heldere kleuren tot leven kwamen wanneer het poeder met water werd gemengd, en vanaf de eerste dag had ze de namen van de kleuren poëtisch gevonden.

'Kobaltgroen,' mompelde ze, terwijl ze met de pigmenten bezig waren. 'Wijnsteenwit, vermiljoen, alizarinerood, indigo-purper.' Het klonk haar als een litanie in de oren.

'Zuster Orsola,' zei zuster Veronica die middag verwijtend. 'Stilte onder het werk. We krijgen hoog bezoek.'

Broeder Anselmo zag de kunstenaar de korte afstand afleggen tussen de Sint-Franciscusabdij en het Sint-Claraklooster.

'Nou ja,' zei hij en hij draaide zich schouderophalend om naar Silvano. 'Het was ook wel te verwachten dat hij niet al zijn bestellingen bij ons ging doen. De zusters hebben al veel langer een kleurwerkplaats dan wij en hij heeft ongelooflijk veel verf nodig voor de kapel die hij ons beschreven heeft.'

'Ik wou dat ik die kapel eens kon zien,' zei Silvano. Toen hij naar Simone Martini's verhalen had geluisterd over de schilderijen die hij op de muren in Assisi aanbracht, had hij voor het eerst sinds hij in Giardinetto was niet meer aan de moord gedacht.

'O, dat gebeurt zeker,' zei broeder Anselmo met een glimlach. 'We moeten hem de eerste bestelling eind deze week leveren. Het leek me wel leuk voor je om met me mee te gaan.'

4

De mantel van Sint-Martinus

Silvano vond de ochtendlucht nog verkwikkender dan een klaterend beekje. Het was een heldere, zonnige dag met een vleug tintelende kou van het vroege uur. Lachend liet hij zijn schimmelhengst uitdraven. Onder het galopperen sloeg het paard briesend met zijn hoofd, al even blij als zijn meester om uit de abdij weg te zijn.

'Vrij, Manestraal, we zijn eindelijk vrij!' riep Silvano uit. Zijn novicepij wapperde op en onthulde twee wel erg onkloosterachtige bruine knieën. Zelfs Celeste, die de zadelknop omklemde met haar gele klauwen, leek te genieten van het gevoel van de wind door haar veren.

Na een tijdje steeg de weg de heuvels in en Silvano toomde zijn paard in. Hij vond een open plek bij een beekje en haalde de kap van de valk weg. 'Vlieg, Celeste,' fluisterde hij, toen hij haar riempjes losmaakte en haar omhoogwierp.

Ze flitste op een warme luchtstroom de lucht in en was al snel uit het zicht verdwenen. Voor de honderdste keer wenste Silvano dat hij Ettore ook had mogen meenemen. In een mum van tijd zou de hond een lekkere vogel voor Celeste hebben opgejaagd. Nu kon hij alleen maar hopen dat de valk weer in zicht kwam als ze op eigen houtje een prooi vond.

Hij spitste zijn oren of hij het geklingel van de twee belletjes aan haar poten kon horen en werd al snel beloond. Celeste had een wijde boog gemaakt en hoog boven zijn hoofd kon Silvano haar nog net zien zweven. En terwijl hij nog tevergeefs in het rond speurde naar een prooi, nam zijn valk, met haar scherpe zicht, al een duik naar iets wat ze op de grond had ontdekt.

Silvano rende in de richting van Celestes pijlsnelle daling en vertrapte daarbij gras en takjes onder zijn lompe monniken-sandalen. Hij zag Celeste op een dikke patrijs zitten en liet haar een hap van het warme vlees nemen voor hij de buit be-hendig verving door een stukje kippenvleugel, dat hij in zijn buidel had meegebracht.

Hij propte de nog bloedende vogel in zijn zadeltas en liet Celeste even uitrusten. Het begon warmer te worden en hij zond een welgemeend dankgebedje naar de hemel omdat hij hier in de zonneschijn van Umbrië liep, in plaats van binnen te zitten in de duistere abdijkapel bij tientallen godsdienstige mannen die allemaal ouder waren dan hij.

Er mankeerde niets aan de voorbeeldige wijze waarop monna Isabella haar huishouding leidde in Gubbio. Toen ze eenmaal geaccepteerd had dat ze haar huwelijk niet kon ontvluchten, was ze als een goed afgerichte havik geworden; gedwee keerde ze steeds weer terug naar de hand van haar meester om hem op zijn wenken te bedienen. Ze zorgde voor heerlijke maaltij-den. Van Ubaldo's geld kon ze voortreffelijk voedsel en dure kleding bestellen. Zij en haar kinderen gingen gekleed als de adel, in fluweel, zijde en kant, en het diner deed nooit onder voor dat van een bisschop.

Dit kwam doordat Isabella zelf de touwtjes in handen hield. Er werd geen keuze op de markt gemaakt of stof bij de koop-man besteld zonder haar nauwlettend toezicht. Geen kip kon in de keuken geplukt worden zonder dat zij wist waar de veren bleven, volgens haar personeel.

Zo vulde ze haar dagen, maar gelukkig was ze niet. Duizenden vrouwen vóór haar, dacht ze vaak, hadden een huwelijk moeten doorstaan met een man van wie ze niet hielden en die ze misschien zelfs verafschuwden, maar bij vlagen welde er een woede op in haar hart waar ze zelf versteld van stond. Dan kwam ze zo verschrikkelijk in opstand tegen haar lot dat ze zich in haar privézitkamer moest verschuilen tot de storm was gaan liggen.

Op zulke dagen dacht ze meer dan ooit aan de jonge geleerde met de bruine ogen. Ze koesterde een geheime dagdroom waarin ze met Domenico was getrouwd. Het was een gevaarlijke fantasie, omdat ze daarna weer moest terugkeren in de werkelijkheid. Maar ze kon zich een paar uur lang voorstellen hoe ze zich samen over een geïllustreerd boek zouden buigen, terwijl Domenico met haar over poëzie praatte.

Ze herinnerde zich de vreselijke dag waarop ze elkaar voor het laatst hadden gezien en ze hem moest vertellen dat ze met Ubaldo ging trouwen. Bij wijze van troost voor hen beiden, had Domenico haar verteld over de Umbriaanse dichter Jacopone da Todi.

'Denk je eens in, mijn liefste,' zei hij. 'Jacopone, een rijke jongeman, trouwde met de vrouw van zijn dromen, van wie hij al jaren hield. Ze beloofden elkaar eeuwige trouw. Maar ze waren nog maar pas getrouwd toen ze bij een groot feest waren, waar het podium instortte waarop zijn vrouw stond. Ze werd verpletterd.'

'Wat afschuwelijk!' zei Isabella.

Domenico nam haar handen in de zijne. 'Toen het lijk van zijn vrouw uit het puin werd opgegraven, ontdekte hij dat ze onder haar mooie jurk een pijnprikkelende riem droeg. Zelfs op die feestdag deed ze aan zelfkastijding om nederig te blijven, om het lijden van Onze-Lieve-Heer te eren en om boete te doen voor Jacopones neiging tot luxe en aards genot.'

Isabella vond het een vreemd verhaal. Kon zo'n vrome vrouw toch zo verliefd zijn op een man dat ze met hem trouwde? 'En wat deed Jacopone toen?' vroeg ze.

'Tien jaar lang zwierf hij dakloos rond,' zei Domenico. 'En toen besloot hij de rest van zijn leven aan God te wijden. Hij keerde de wereld van persoonlijke wensen en eigendommen de rug toe en stelde zich volkomen in dienst van Onze-Lieve-Heer. Hij trad toe tot de orde van de franciscanen. Voorheen had hij gedichten geschreven over de schoonheid van zijn liefste, maar na haar dood schreef hij alleen nog om God te eren.'

'En van zo'n verhaal moet ik opvrolijken?' vroeg Isabella, met een keel die pijn deed van de vele tranen die ze had vergoten.

'Van zo'n verhaal leren we dat het leven doorgaat – ook na groot verdriet,' zei Domenico. 'Jouw leven en het mijne. Jij trouwt met een ander, maar ik blijf alleen. Ik zal voor altijd jouw beeltenis in mijn hart dragen om me te troosten wanneer het leven me zwaar valt.'

En zo waren ze uit elkaar gegaan, met een kus waar ze hun hele leven op moesten teren: ze hadden elkaar nooit teruggezien. Als Domenico zijn belofte had gehouden, had hij sindsdien nooit meer iemand gekust, en Isabella moest de liefdeloze aanraking van Ubaldo dulden.

Toen haar eerste zoon geboren werd, wilde ze hem Domenico noemen, maar haar echtgenoot stak daar een stokje voor.

'Het is mijn zoon, niet de bastaard van die ellendige vrijer van je,' had hij gezegd. 'We noemen hem Federico, naar mijn vader.'

Federico werd al snel gevolgd door Giovanni en daarna volgde een doodgeboren kindje. In dat nieuwe verdriet was Ubaldo bijna teder voor haar geweest. Kwam het daardoor, of door de onverschilligheid die hij later voor haar voelde, dat ze haar derde jongen alsnog de naam Domenico mocht geven?

Isabella wist het niet en het kon haar niet schelen ook. Het was haar genoeg dat ze de naam liefkozend tegen haar zoontje kon zeggen. Ze deed haar best om het niet te laten merken, maar hij was haar lievelingskind. Haar dochtertje Francesca was een schatje en ze hield van al haar zoons, maar ze had een zwak voor Domenico.

Hij leek het minst van alle kinderen op Ubaldo, want hij had haar blozende gezicht en kastanjebruine haar, terwijl de anderen donker waren. En hij was het kind waar zijn vader het minst op gesteld was, waardoor zijn moeder des temeer van hem hield. Het was bijna alsof de kleine Domenico was voortgekomen uit haar ontrouwe dromen, al was dat een onzinnig denkbeeld; ze mocht dan niet van haar man houden, maar ze was hem wel trouw. Wanneer ze zich in een neerslachtige bui in haar zitkamer terugtrok, dacht ze aan de kleine Domenico en beeldde zich in dat hij de zoon was van de gelijknamige man van haar dromen.

Op een van die dagen werd er gebiedend op de deur geklopt. Verbaasd kwam ze overeind. Ubaldo kwam haar hier nooit opzoeken, maar het was onmiskenbaar de klop van de meester. Hij wachtte niet tot Isabella opendeed maar kwam meteen binnen, een donkere indringer die zijn schaduw wierp over de mooie ruimte die ze voor zichzelf had geschapen. Er was geen portret van haar eerste liefde en niets wat aan hem deed denken, maar in haar ogen was de kamer toch een soort heiligdom.

Blijkbaar voelde Ubaldo het ook zo, aan zijn minachtend vertrokken mond te zien. Maar hij zei geen woord over de sfeer. 'Ik ga op reis,' kondigde hij aan. 'Naar de monniken in Assisi. De franciscanen willen nog rijkere altaarkleden bestellen nu de basilica bijna klaar is. Ze vragen om de beste zijde, die ik volgens hun ontwerp moet laten borduren. Ik blijf drie dagen weg.'

'Dat is goed om te weten,' zei Isabella beleefd, inwendig jubelend omdat ze drie hele dagen van haar man verlost zou zijn. 'Wanneer vertrek je?'

'Laat in de middag,' zei Ubaldo. 'Ik rij naar het klooster in Giardinetto en overnacht daar.'

Chiara was onderweg naar de eetzaal toen ze de geur opving van geroosterd gevogelte; het water liep haar in de mond. De braadlucht kwam niet uit de kleine houtoven in het klooster. Vlees was voor de grijze zusters nog zeldzamer dan voor de broeders in de naburige abdij. En daar in de tuin werden nu patrijzen boven een vuur geroosterd, aan een spit dat rondgedraaid werd door de namaaknovice.

Chiara's maag krampte van de honger. Ze sloeg haar ogen neer en liep door naar de eetzaal, maar ze had de jongen al naar haar zien lachen. Wat keek hij blij in vergelijking met de dag dat hij hier aankwam. Ze wist zeker dat hij verre van gelukkig was geweest toen ze hem die eerste avond op zijn schimmelhengst had zien aankomen. Zij zou ook reden hebben gehad om te lachen als er in het klooster geroosterde patrijs op het menu stond, maar het enige vooruitzicht was een kom voedzame pap, grof en met klonten.

Chiara zat tijdens het eten tegenover zuster Veronica. De zusters aten zwijgend, maar de kleurenmeesteres wierp een meelevende blik op de jonge novice die lusteloos met haar houten lepel door de kleverige brij roerde. Zodra ze weer buiten waren en samen terugliepen naar de slaapvertrekken om in stilte te mediteren, sprak zuster Veronica het meisje aan.

'Wil je mee als ik de pigmenten naar ser Simone in Assisi breng?'

Chiara keek haar verbaasd aan. 'Mag u het klooster uit, zuster?' vroeg ze. 'Ik dacht dat alle nonnen die de gelofte hebben afgelegd binnen de muren moesten blijven.'

'Ik heb ontheffing van de abdis,' zei zuster Veronica. 'Ik mag naar buiten als het in dienst is van Onze-Lieve-Heer. En, wil je mee?'

Chiara knikte dankbaar. Het was een heerlijk vooruitzicht om eens verder te kunnen kijken dan het kloosterleven. 'Heel graag, zuster,' zei ze. 'Ik wil heel graag mee.'

De houten kar was beladen met dozen en tonnen vol glazen potten. Eigenlijk was er maar één monnik nodig om de lading heelhuids van Giardinetto naar Assisi te brengen, maar de abt vond het goed dat Silvano met broeder Anselmo meeging. Zijn sterke jonge armen zouden nog van pas komen bij het uitladen.

Het was geen verre reis, maar voor Silvano was het allemaal nieuw; hij was in al zijn zestien levensjaren nog nooit in Assisi geweest, al lag de stad niet ver van Perugia. Broeder Anselmo vertelde hem over de basilica en liet intussen af en toe de teugels over de rug van de paarden gaan.

'Eerst is de benedenkerk gebouwd, waar ser Simone nu werkt. Sint-Franciscus was nog geen twee jaar dood toen er al met de bouw werd begonnen, maar de hele basilica is pas veertig jaar geleden voltooid.'

'Voltooid?' zei Silvano verbaasd. 'Hij is toch nog niet klaar? Er wordt nog geschilderd.'

'Ach, in zekere zin is een grote kerk nooit helemaal af,' zei Anselmo. 'Er wordt altijd iets aangebouwd, veranderd of verfraaid. Maar de basilica is al voor mijn geboorte ingewijd. Pelgrims uit de wijde omtrek gaan al jarenlang naar de fresco's in de bovenkerk kijken.'

'Hebt u ze ook gezien?'

'O ja, vaak. Ze zijn geschilderd door Giotto di Bondone. Ser Simone spreekt met bijna net zo veel eerbied over hem als wij over Sint-Franciscus.'

'Het zal wel stom zijn,' zei Silvano, 'maar ik weet bitter weinig over de heiligen en hun leven.'

'Dat valt te begrijpen,' zei Anselmo. 'Het is nooit je bedoeling geweest om toe te treden tot een religieuze orde.'

Silvano keek naar zijn benige profiel. 'Weet u het dan van mij?' vroeg hij zacht.

'Vader Bonsignore heeft me het een en ander verteld toen hij me vroeg je aan te nemen in de kleurwerkplaats. Ik weet dat je geen echte novice bent.'

'En weet u ook waarvan ik beschuldigd word?'

Anselmo knikte.

'Ik heb het niet gedaan,' zei Silvano.

Anselmo glimlachte. 'Natuurlijk niet,' zei hij. 'Jij bent geen moordenaar.'

Silvano's hart sprong op. Dat had nog niemand tegen hem gezegd nadat hij de stervende Tommaso op straat had gevonden. Zelfs zijn vader had hem gevraagd of hij het gedaan had. Hij voelde een warme genegenheid opwellen voor broeder Anselmo, die hem zo rustig accepteerde en hem volkomen vertrouwde.

'Wie weten er nog meer waarom ik in Giardinetto ben?' vroeg hij.

'Alleen broeder Ranieri,' zei Anselmo.

'Dat wist ik al,' zei Silvano. 'Als novicemeester moest hij weten waarom ik bescherming zocht en dat ik geen roeping had.'

'Dan zijn het dus alleen hij, ik en de abt,' zei Anselmo.

'Ik vraag me af hoe lang ik hier nog moet blijven,' zei Silvano.

'Vind je het hier dan zo erg?' vroeg Anselmo.

'N-nee,' zei Silvano, die zenuwachtig werd van het idee dat hij lomp of ondankbaar overkwam. 'Helemaal niet. Ik wil alleen zo graag weten hoe het in Perugia is. Hebben ze de echte moordenaar al te pakken? Of wordt mijn naam nog door het slijk gehaald? Het lijkt zo laf om naar een klooster te vluchten als ik onschuldig ben. Ik was liever gebleven om voor mezelf op te komen, maar mijn vader vond het te gevaarlijk. Ik ben zijn enige zoon.'

'Je bent hem dierbaar,' zei Anselmo eenvoudig. 'Dat begrijp ik wel. Ik ben niet als monnik geboren, hoor.'

Silvano vroeg zich af of de kleurenmeester zo'n geestelijke was die ooit getrouwd was geweest en zijn vrouw had verloren. Misschien had hij zelfs kinderen. 'U zou een goede vader zijn, broeder,' zei hij impulsief en ze schoten allebei in de lach.

De heuvel van Assisi, met op de top het enorme fort, kwam in zicht. Zelfs vanaf die afstand zag Silvano de basilica, die op natuurlijke wijze uit de rotsen opzij van de heuvel leek te zijn gegroeid in plaats van gebouwd te zijn door mensen. Toen ze dichterbij kwamen zag Silvano veel mensen om de enorme basiliek heen zwermen.

Pelgrims op blote voeten, met een witte hoed op het hoofd, leunden op hun staf. Er werd eten en wijn verkocht en er waren kraampjes met bewerkte, houten kruisjes en afbeeldingen van Sint-Franciscus en Sint-Clara. Dan waren er nog de werklui, druk bezig met het omroeren van bakken pleisterkalk. Silvano nam aan dat ze voor de kunstschilders werkten. Hij voelde zich heel trots dat hij de pigmenten kwam brengen die de kalk tot leven moesten wekken.

Broeder Anselmo liet de paarden aan Silvano over terwijl hij op zoek ging naar Simone Martini. Hij kwam al snel terug met de schilder, die zichtbaar blij was hen te zien.

'Welkom in Assisi, broeder Silvano,' zei hij. 'Ik hoor dat je hier nog nooit bent geweest. Dan moet ik je mijn werk laten zien. Maar laten we eerst de pigmenten uitladen.'

Hij wenkte een jonge arbeider die gesso aan het maken was. 'Marco, kom onze jonge vriend hier eens helpen. Hij brengt ons de pigmenten uit Giardinetto.'

De vier mannen waren snel klaar met het uitladen van de kar en daarna bracht Marco de paarden naar een stal in de omgeving. Silvano rekte zich op een voor een monnik wel erg onbeschaamde wijze uit. Zonder op of om te kijken had hij met de tonnen lopen sjouwen en zijn armen deden pijn.

Nu draaide hij zich om en keek eens goed om zich heen. Simone stond bij een lange schraagtafel de nieuwe materialen te sorteren. Ze stonden in een zijkapel van het schip van de benedenkerk. Er zat geen glas in de ramen en het licht stroomde naar binnen. Een deel van de muren werd aan het zicht onttrokken door houten steigers en de muurschilderingen sprongen daardoor niet meteen in het oog.

Toen Silvano nauwkeurig keek, ontdekte hij dat elke afbeelding een wonder van kleur en vertelkunst was. Het plafond en de hoge stukken waren klaar. Het ronde houten podium waarop Simone stond te werken, bevond zich net boven Silvano's hoofd.

Simone zag hem naar de fresco's kijken en nodigde hem uit op het podium te komen om ze van dichtbij te zien.

'Kijk, broeder Silvano. Hier snijdt Sint-Martinus zijn mantel doormidden om de helft aan de bedelaar te geven.'

Links was de heilige, te paard, die zijn zwaard naar zijn mantel bracht. Sint-Martinus had zich omgedraaid en keek over zijn rechterschouder naar een arme, bevende man; ook het paard had zijn hoofd omgekeerd.

Het paard deed Silvano aan Manestraal denken. Dit dier was ook een schimmel, met een trotse nek en opengesperde neusgaten. De mantel verhulde zijn achterhand, maar Silvano was ervan overtuigd dat het een jachtpaard moest zijn. Het vormde een contrast met de heilige, wiens vriendelijke gezicht omkranst werd door gouden krullen en een versierd aureool.

De hele afbeelding was een zee van roze, groene en gouden tinten, afgetekend tegen de rustige achtergrond van een donkerblauwe hemel. Silvano's blik gleed omhoog en zijn adem stokte. Net zichtbaar achter de steiger was een afbeelding van het gezicht van ser Simone zelf te zien, met een uitdrukking die Silvano bij zichzelf zijn 'citroengezicht' was gaan noemen. Hij had een modieuze groen met blauwe *berettone* op zijn hoofd, een enorm verschil met de werkkleding die de schilder nu droeg.

Simone zag hem kijken en schoot in de lach. 'Je moet de afbeeldingen op volgorde zien,' zei hij. 'Niet van die daar naar boven, maar van links naar rechts. Je mag mijn lelijke gezicht nu nog niet tegenkomen.'

Hij wees naar een afbeelding van de heilige die in bed lag te dromen. Het zag er verbluffend levensecht uit en Silvano, die niets van schilderkunst wist, kon niet geloven dat hij naar een vlakke muur keek. Daar lag de heilige in bed, met een slaapmuts op; de geblokte sprei over de contouren van zijn lichaam deinde zacht op en neer op zijn ademhaling. Hij had dure, witte hoofdkussens en lakens met borduursels en om zijn slaapmuts was een goudkleurig aureool zichtbaar.

De ogen van Sint-Martinus waren dicht, maar daar in zijn kamer was Jezus zelf, omringd door engelen en gekleed in de helft van de blauwe mantel die Martinus op het andere schilderij aan de bedelaar had gegeven. Silvano was verrukt. 'De bedelaar was dus eigenlijk Jezus?' vroeg hij aan de schilder. 'En Sint-Martinus droomde over hem?'

Simone keek verheugd. 'Kende je het verhaal nog niet? Dat is mooi. Dat betekent dat ik het duidelijk heb verteld.'

'Ik heb het vast wel eens gehoord, maar ik was het vergeten,' bekende Silvano. 'Je ziet het heel duidelijk: Martinus was goed voor een arme man, die Onze-Lieve-Heer bleek te zijn.'

'Zo staat het in het evangelie,' zei broeder Anselmo met een glimlach. 'Onze-Lieve-Heer zegt: "Wanneer u goeddoet aan een van mijn armste broeders, doet u goed aan mij." Zo vertelt Mattheus het.'

Silvano voelde zich opeens veilig bij deze twee mannen, even veilig als hij zich in de abdij voelde. Ze waren wijs en goed en konden hem over wonderen vertellen. Het was een heel andere wereld dan die van bloed, moord en doodslag.

Een lichte stem onderbrak zijn gedachten. 'Ser Simone, we komen de kleurstoffen brengen.' Hij draaide zich om en zag een in het grijs gehulde non. Er stond iemand naast haar, en hij keek recht in de ogen van de mooie novice uit het klooster van Sint-Clara.

5
Een dolkstoot in het donker

Chiara was al even verbaasd als hijzelf toen ze de jonge novice van de abdij zag. Er drong geen woord tot haar door toen iedereen aan elkaar werd voorgesteld, al merkte ze wel dat de schilder, ser Simone, zowel opgelaten als geamuseerd was nu zijn beide pigmentleveranciers tegelijkertijd waren komen opdagen.

Zuster Veronica en broeder Anselmo kenden elkaar al en deden beleefd maar terughoudend, omdat ze niet tegen de deskundigheid van de ander wilden opbieden.

Daarna gingen zuster Veronica, de schilder en de jonge novice weg om toe te zien op het lossen van de kloosterkar. Chiara bleef met de oudere monnik achter in de kapel. Ze had het gevoel dat ze in een reusachtige schatkist stonden. De muren flonkerden van kleur, van geplet goud, azuurblauw, vermiljoen, dieprode tinten en malachietgroen.

Ze voelde zich opeens overmand door verdriet omdat haar leven en de voor haar uitgestippelde toekomst zo weinig kleurrijk waren. Behalve in de werkplaats leefde ze nu al weken in een zee van grijs; de enige kleuraccenten kwamen van de blauwe ogen van een andere zuster of van een illustratie in het gezangenboek van het klooster.

Gelukkig was broeder Anselmo niet verbaasd te zien dat iemand tot tranen geroerd werd door een prachtige frescoschildering.

'Schitterend, hè, zuster Orsola?' zei hij zacht.

'Wat? O ja, broeder, echt prachtig,' zei Chiara uit de grond van haar hart.

'Ser Simone heeft broeder Silvano uitgelegd in welke volgorde de taferelen bekeken moeten worden,' zei Anselmo. 'Zal ik het je laten zien?'

Hij heet dus Silvano, dacht Chiara, maar met veel tegenwoordigheid van geest zei ze hardop alleen: 'Dank u, broeder. Heel graag. Ik heb nog nooit muurschilderingen gezien.'

In het halfuur dat volgde brachten Silvano, Simone en de koetsier van het klooster onder het wakend oog van zuster Veronica de voorraad pigmenten binnen. Het waren zulke grote hoeveelheden dat ze onder de schraagtafel opgeslagen moesten worden. Toch verzekerde Simone hun dat alles weer snel op zou zijn. Steeds wanneer Silvano de kapel binnen kwam, was hij zich sterk bewust van de mooie novice die met broeder Anselmo aan de praat was. Soms bleef de schilder even staan om iets te zeggen over een detail in een van zijn afbeeldingen. Silvano, die in een van die pauzes de kans greep zijn ledematen te strekken, ontdekte in een van de taferelen een valk. De vogel bevond zich onderaan in een schildering op de rechtermuur van de kapel.

'Hier wordt de heilige geridderd,' zei de schilder op dat moment. Een gewichtig uitziende man in een weelderig gewaad met rood en goud gespte een zwaard om het middel van de heilige. 'Keizer Julianus,' zei Simone.

Silvano vond het verwarrend. Kon een heilige tegelijkertijd ridder zijn? In de korte tijd dat hij in de abdij was, had hij de indruk gekregen dat het godsdienstige leven en een leven als strijder van elkaar verschilden als de hemel en de hel. Toch was dit ontegenzeglijk de heilige, met de gouden aureool om zijn bijna even goudkleurige haar en met zijn handen in gebed geheven op het moment van zijn investituur.

Iemand bevestigde een stijgbeugel om de linkervoet van de heilige en op de achtergrond stonden kleurig geklede muzikanten en zangers. Een figuur links hield de jachtvogel vast. De vogel was prachtig geschilderd, compleet met riempjes en belletjes, de lijn en een gouden kap, en elk afzonderlijk veertje was duidelijk zichtbaar.

'Hij draagt geen handschoen,' flapte Silvano eruit voor hij er erg in had. 'Je moet een handschoen dragen, anders halen de klauwen je hand open.' Onwillekeurig hief hij zijn linkerarm; hij kon bijna het lichte gewicht van Celeste op zijn pols voelen.

'Je hebt vast gelijk,' zei Simone met een lachje. 'Ik ben geen valkenier. Het klinkt alsof jij er zelf een valk op na houdt.'

Silvano besefte dat hij op gevaarlijk terrein kwam en snel keek hij even naar broeder Anselmo. Hij zag dat de jonge novicenon aandachtig luisterde.

'Broeder Silvano jaagt één ochtend in de week met zijn valk op vlees voor de zieke en zwakke kloosterlingen,' zei Anselmo.

'Hopelijk zijn dat er niet veel,' zei Simone, en daarmee was de kous af.

Terwijl Silvano en Chiara in de ban waren van de kunst in de basilica, sloot Ubaldo de koopman een succesvolle vergadering met de abt van Assisi af. Hij ging veel geld verdienen aan de bestelling van de altaarkleden. Na zijn vertrek bestelde hij een uitgebreide maaltijd in een plaatselijke herberg, bang dat de avondmaaltijd in Giardinetto even karig zou zijn als de vorige avond. Na talloze bekers wijn hees hij zich met moeite te paard en reed stapvoets in de richting van de weg naar Gubbio. Het paard, dat de stemmingen van zijn meester goed kende, paste zich aan Ubaldo's ineengezakte houding aan en ging pas in draf over toen ze buiten de stad waren.

Op de weg naar Giardinetto haalde hij twee door paarden getrokken wagens in, een met grijze monniken en een met twee clarissen. Om de een of andere reden werkte die aanblik Ubaldo zo op de lachspieren dat hij zat te schudden in zijn zadel.

'Wat een pummel!' fluisterde zuster Veronica. 'Je zou denken dat een man die zich zulke kleren en zo'n paard kan veroorloven betere manieren had.'

Dat was geen taal voor een non, en Chiara was verrukt dat zuster Veronica zich van haar menselijke kant liet zien. Het was al met al een erg interessante dag geworden, met het uitstapje naar de basilica, de ontmoeting met de kunstschilder en het terugzien van de knappe novice.

'Ser Simone is heel sympathiek, hè?' zei Chiara. 'Ik vind hem aardig.'

Nonnen mochten er ook geen persoonlijke sympathieën en antipathieën op na houden, maar zuster Veronica liet het gaan. Kennelijk werden de regels iets soepeler als ze buiten de kloostermuren waren.

'Hij is een groot kunstenaar,' voegde Veronica eraan toe. 'Het zal prachtig zijn om de kapel te zien als alles klaar is.'

'Gaan we er dan nog eens heen?'

'Jazeker. Ik denk dat ser Simone nog veel meer leveranties van ons en de monniken nodig heeft. We krijgen het heel druk in de kleurwerkplaats.'

Broeder Landolfo was de gastenbroeder van Giardinetto. De kleine, dikke monnik met de zilverkleurige tonsuur hoefde zelden gastvrijheid aan buitenstaanders aan te bieden. Twee dagen geleden had abt Bonsignore hem opgedragen een kamer klaar te maken voor een rijke koopman, waarbij hij nog opmerkte dat de abdij een naam had hoog te houden.

De eerste nacht had hun gast zijn maaltijd op zijn kamer gekregen en hij had er merkbaar zijn neus voor opgehaald. Landolfo had dan ook besloten dat de vreemdeling vanavond in de eetzaal met de monniken moest aanzitten aan een maaltijd die rijker moest zijn dan anders. Hij had het menu besproken met Bertuccio en broeder Nardo, de keldermeester.

Franciscaner monniken mochten geen bezit hebben, maar ze kregen vaak geschenken in de vorm van eten en wijn, als wederdienst voor gebeden die ze hadden opgedragen of genezingen die ze hadden verricht, en er was niets op tegen zulke gaven te gebruiken. Omdat Giardinetto beschikte over een begaafde herborist en een ziekenbroeder, was er een grote voorraad aan dergelijke geschenken.

Broeder Landolfo maakte zich zo druk in de keuken dat de kok Bertuccio stapelgek van hem werd. Toen er buiten rumoer ontstond, vertrok hij eindelijk. Hun geëerde gast was teruggekomen – en van zijn paard gevallen. De stalmeester hielp Ubaldo weer op de been, maar aan zijn gewankel was te zien dat hij dronken was. Hij wuifde gracieus naar broeder Landolfo.

'Hé, dag broeder,' zei hij met licht slepende stem. 'Alles goed met u? Wat een prachtige dag was het, hè?'

Landolfo constateerde met plezier dat Ubaldo een vrolijke dronk over zich had en niet kwaadaardig werd van alcohol.

'Goedenavond, ser Ubaldo,' zei hij. 'We zijn blij dat u veilig en wel uit Assisi bent teruggekeerd. Mag ik aannemen dat u goede zaken hebt gedaan?'

'Geweldige zaken zelfs, hoor,' zei Ubaldo, die stond te zwaaien op zijn benen.

'Hopelijk hebt u nog niet gegeten,' zei Landolfo bezorgd. 'De monniken zouden graag het genoegen smaken u vanavond aan tafel te zien.'

'Met alle plezier,' zei Ubaldo, die niet de beroerdste wilde zijn. Hij was zo blij met het succes van die dag dat er best een tweede maaltijd in kon. En het deed hem goed dat de monniken zo veel achting en eerbied voor hem toonden. Dat was thuis wel anders; de stille vijandigheid van zijn vrouw was een altijd aanwezige onderstroom, als een voortkabbelend beekje.

Wankel zocht hij zich een weg over de hof toen de klok luidde voor de vespers en alle kloosterlingen naar de kapel schuifelden.

'Ik kom naar de eetzaal,' zei hij, 'wanneer u klaar bent met uw gebeden.'

Broeder Anselmo en Silvano waren net op tijd terug voor de vespers en de jongen vond het moeilijker dan ooit om zich op het gebed te concentreren. Waarom kon hij die jonge novice van de clarissen niet uit zijn hoofd zetten? Hoe hij het ook probeerde, hij kon zich Angelica's gezicht amper voor de geest halen nu een donkerder en jonger gezicht de plaats had ingenomen van zijn vroegere roze en witte beeld van schoonheid.

Dit was waanzin. Hij hield van Angelica. En wat zat er nou voor toekomst in de liefde voor een non? Ze had de geloften nog niet afgelegd, maar over afzienbare tijd was ze 'een bruid van Jezus' en buiten bereik van welke man ook. Dit waren erg ongodsdienstige gedachten in een kapel en Silvano worstelde met zichzelf om zijn verstand in bedwang te krijgen.

Het tochtje naar Assisi was een welkome afwisseling geweest, maar het contact met het leven buiten zijn toevluchtsoord maakte hem onrustig. Door Simones schilderijen met hun levendige kleuren en verhalen vol ridderavonturen was

Silvano zich opnieuw gaan afvragen wanneer hij weer terug kon naar zijn eigen leven. Toch voelde hij ook dat hij de monniken zou missen als hij weer in Perugia terug was, vooral broeder Anselmo.

Toen hij na de vespers in de eetzaal kwam, zag hij met een schok aan het hoofd van de tafel de rijk geklede koopman zitten die hen onderweg had ingehaald. Dus dat was de gast over wie een paar jongere monniken hadden gepraat! De man mocht dan rijk zijn, Silvano had geen hoge pet op van zijn manieren. Zelfs broeder Anselmo had nog een opmerking gemaakt over de drank waaraan de man zich overduidelijk te goed had gedaan.

Toen Silvano bij de andere novicen aan het einde van de tafel ging zitten, hoorde hij dat de man met de naam Ubaldo werd aangesproken. Hij verbaasde zich over de reactie van de kleurenmeester. Broeder Anselmo, als een van de oudere monniken, zat veel dichter bij de gast dan Silvano en het was hem aan te zien dat hij een heel sterke emotie trachtte te bedwingen. Anderen viel het misschien niet op, maar Silvano had veel tijd met broeder Anselmo doorgebracht en hij had het idee dat hij zijn stemmingen kende.

Abt Bonsignore nam plaats aan het hoofd van de tafel, met Ubaldo de koopman als zijn gast aan zijn rechterzijde. Dan volgden de lector, de bibliothecaris, de miniaturist, de gastenbroeder en de kleurenmeester. Meer in de richting van Silvano en de andere novicen zaten de assistent-bibliothecaris, de herborist, de novicemeester, de keldermeester en het tiental monniken dat wel de gelofte had afgelegd maar geen speciale verantwoordelijkheid droeg in het klooster. De ziekenbroeder was afwezig omdat hij voor een paar oude monniken zorgde. Bertuccio, de lekenbroeder, had het nog druk in de keuken.

Na het dankgebed werd iedereen aan tafel aan de gast voorgesteld en er leek geen einde aan te komen. Silvano voelde zijn maag knorren. Ubaldo was de enige die geen trek had en hij nam alle tijd om iedere monnik te vragen wie hij was en welke functie hij had, terwijl Bertuccio op de achtergrond vol ongeduld stond te wachten, bezorgd dat het eten zou verpieteren.

Eindelijk mocht hij zijn stoofpot binnenbrengen. Silvano was stomverbaasd over de verrukkelijk geurende schotels. Zijn patrijzen waren dagen geleden verorberd en hij had daarna niet meer gejaagd, maar Bertuccio was er blijkbaar in geslaagd aan nog meer gevogelte te komen en hij had er wonderen mee verricht.

Ubaldo leek meer geïnteresseerd in de inhoud van zijn wijnbeker dan in wat er op zijn bord lag, maar hij keek in ieder geval niet meer minachtend en at zelfs redelijk veel, tot opluchting van broeder Landolfo. In tegenstelling tot zuster Veronica's mening over hem, was Ubaldo geen pummel. Hij was een rijke man met een dure smaak, die gewend was zijn zin te krijgen, maar in wezen had hij wel respect voor kennis en vroomheid. Hij overnachtte liever bij de monniken dan in een gerieflijke herberg.

Enthousiast beschreef hij de altaarkleden van Assisi aan de abt, die aandachtig luisterde, evenals broeder Fazio, de miniaturist, die geïnteresseerd was in alle vormen van decoratieve kunst.

Silvano had eerst geen oog voor de gast; hij hield liever in de gaten hoeveel er nog van de stoofschotels over zou zijn tegen de tijd dat ze het eind van de tafel bereikten. Toen zijn honger eenmaal gestild was en hij zich bewust werd van het gezelschap, zag hij dat broeder Anselmo meer wijn dronk dan anders en zijn eten nauwelijks had aangeraakt. Hij mengde zich niet in het gesprek met de koopman Ubaldo, maar luisterde met intense aandacht.

Aan het einde van de maaltijd zei de abt tegen zijn gast: 'Ik heb begrepen dat u ons morgenochtend vroeg verlaat, als ik in de kapel ben voor de priem. Daarom neem ik nu vast afscheid van u. Brengt u mijn beste wensen over aan uw vrouw, monna Isabella. Moge God u beschermen op uw thuisreis naar Gubbio.'

Broeder Anselmo sprong op van zijn stoel, waarbij hij zijn wijnbeker omstootte.

'Excuseert u mij, vader abt, heer gast,' mompelde hij. 'Ik voel me niet goed.' En hij haastte zich de eetzaal uit, nagestaard door Ubaldo.

De monniken gingen vroeg naar bed omdat ze midden in de nacht op moesten staan om de getijden te bidden. Silvano was nog steeds niet gewend aan die strenge routine en hij kwam meestal slaap tekort, al mocht hij de metten en de lauden overslaan. Maar hij was jong en gezond en kon de slaap niet vatten zolang het nog licht was.

Toen het tijd werd om naar bed te gaan, bleef Silvano bij de deur van de slaapzaal staan aarzelen en draaide zich toen om in de richting van de cellen van de oudere monniken. Hij was nog nooit naar broeder Anselmo's cel gegaan, maar hij maakte zich zorgen om hem. Hij klopte zachtjes aan. Er kwam geen antwoord. Hij zag de gloed van een brandende kaars in een cel verderop in de gang. Hij wist dat daar de gastencel was.

Hij stond nog te twijfelen of hij de klink van broeder Anselmo's deur zou optillen toen de kleurenmeester aan kwam lopen. Hij schrok bij het zien van Silvano, maar hij ontspande meteen weer.

'Ik kwam kijken hoe het met u gaat, broeder,' zei Silvano.

'Aardig van je,' zei Anselmo, die hem op zijn schouder klopte. 'Het gaat al een stuk beter met me, hoor. Ik denk dat het eten me vanavond te machtig werd. Ga maar gauw naar je bed, anders zit je weer te gapen in de kapel.'

Het zat Silvano niet lekker toen hij wegging; hij wist dat broeder Anselmo amper een hap had genomen van dat machtige eten.

'Vader abt, vader abt!' Lang voor de metten bonkte de ziekenbroeder op de celdeur van Bonsignore.

De abt kwam in zijn onderhemd naar de deur, met de weinige haren van zijn grijze tonsuur in de war. 'Wat is er in vredesnaam aan de hand, broeder Rufino? Is er een broeder naar zijn Schepper gegaan?'

'Nee vader, het is geen broeder,' zei Rufino. Bij het flakkerende licht van zijn kaars zag hij eruit als een geest. 'Het is onze gast, Ubaldo, de koopman.'

'Ubaldo? Lieve moeder Maria, wat een pech! Onder ons dak! Hoe kwam het – een hartaanval?'

'Dat is het erge juist, vader,' zei Rufino. 'Ik liep van de ziekenzaal naar mijn cel toen ik zag dat de deur van de gastenkamer openstond. Ik keek even naar binnen om te zien of hij misschien niet goed was geworden of in de kleedkamer was. Toen zag ik hem languit op bed liggen.' De hand waarmee hij de kaars vasthield, trilde zo hevig dat hij hete was over zijn habijt morste. 'De koopman was dood.'

'Kom binnen, broeder,' zei de abt. 'We steken een lantaarn aan en gaan er samen heen. Misschien was hij gewoon in slaap gevallen zonder de deur dicht te doen? Hij heeft nogal diep in het glas gekeken.'

'Nee, vader,' stamelde Rufino. Hij liet zich door de abt de cel in leiden en ging op een stoel zitten. 'U begrijpt het niet. Hij is doodgestoken. De dolk steekt nog in zijn borst. Hij is mors-dood.'

Bij het kaarslicht zag Bonsignore dat Rufino's handen en habijt roodbesmeurd waren. Blijkbaar had de monnik zijn best gedaan hun gast te reanimeren.

'Laten we onze medebroeders nog maar niet wakker maken,' zei hij zacht. 'Ik ga eerst zelf kijken. Blijf jij hier.'

De abt was binnen een paar minuten terug en schonk voor zichzelf en broeder Rufino een beker wijn in. Zijn handen trilden onder het drinken. Hij had nog nooit met eigen ogen het slachtoffer van een gewelddadige dood gezien.

'Ik laat de klok luiden,' zei hij, terwijl hij zich in zijn grijze kledij worstelde. 'Een rouwklok voor Ubaldo de koopman, maar ook om alarm te slaan. De moordenaar kan nog in de abdij zijn.'

Nog terwijl hij het zei moest de abt eraan denken dat hij bescherming bood aan een jongeman die van moord beschuldigd werd. Een moord gepleegd met een dolkstoot in de ribben, net als bij de koopman. Hij zette de gedachte meteen weer van zich af.

De klok van de abdijkapel wekte de nonnen uit een diepe slaap.

'Lieve moeder Maria, sta ons bij!' zei zuster Cecilia, de novice die op een strozak naast Chiara sliep. 'De oude broeder Filippo is vast overleden in de ziekenzaal.'

'Wie is broeder Filippo?' vroeg Chiara verdwaasd, terwijl ze zich op één elleboog hees.

'Dat heb ik je toch verteld,' zei Cecilia. 'Hij was vóór broeder Anselmo onze priester. Hij is al oud – al wel vijftig – en broeder Rufino heeft hem in de ziekenzaal verpleegd vanwege zijn koortsaanvallen. Laten we bidden voor zijn ziel.'

Chiara zag niet in waarom ze onder haar warme deken vandaan moest komen en op haar knieën op de koude grond zakken voor een monnik die ze nog nooit van haar leven had gezien.

'We weten niet eens of hij het is,' protesteerde ze, maar zuster Felicita aan haar andere kant was nu ook wakker geworden en reikte al naar haar rozenkrans.

'Wie het ook is, God zal zijn naam kennen,' zei ze en ze onderdrukte een geeuw. 'We kunnen gewoon de rozenkrans bidden voor een overleden broeder.'

De drie meisjes waren nog niet ver met hun gebeden toen de abdis zelf de slaapzaal op kwam.

'Zusters in Jezus,' zei ze zo kalm als ze kon opbrengen. 'Er is een boodschapper van de abdij gekomen. Vader Bonsignore laat ons weten dat hun gast, een koopman uit Gubbio, in zijn slaap doodgestoken is. De abt heeft twee lekenbroeders gestuurd om tot zonsopgang de wacht te houden bij de kloosterpoort. We gaan zeker tot aan de terts niet naar de kapel, maar jullie mogen naar de eetzaal om te ontbijten, tenzij ik laat weten dat het niet veilig is. De jongere monniken zoeken nu de abdij en tuinen af naar de moordenaar.'

Chiara had een visioen van Silvano, de novice, die in het donker op pad was terwijl er een met messen zwaaiende moordenaar rondliep. Huiverend trok ze haar grove, grijze mantel dichter om haar schouders.

'Bidden jullie verder,' zei de abdis. 'En zeg de mis voor de doden op voor het zielenheil van de overledene. Een man is onvoorbereid en zonder het heilig oliesel gestorven. Ubaldo van Gubbio heeft onze hulp hard nodig om in de hemel te kunnen komen.'

6

Onder verdenking

Bij het ochtendgloren waren de twee religieuze huizen in rep en roer. Orde, rust en veiligheid waren ver te zoeken in de kloosters en de gewone discipline van het vroege opstaan en het koorgebed was verstoord.

Een sterfgeval was op zich niet ongewoon in het klooster. Er was ook wel eens eerder een gast doodgegaan; in de eerste jaren van de veertiende eeuw kon door talloze oorzaken een plotseling einde komen aan een mensenleven. Maar moord was ongekend. Ubaldo's bloed had niet alleen op de plavuizen een lelijke vlek achtergelaten.

Iedereen praatte over een insluiper, maar er was niets gestolen. De buitendeuren werden 's nachts niet vergrendeld, zodat een vreemdeling binnengekomen kon zijn zonder dat de monniken het hadden gemerkt, maar er heerste de onuitgesproken angst dat de moordenaar iemand van binnen het klooster was geweest. De abt riep de monniken om de beurt naar zijn cel en ondervroeg ze grondig of ze iets afwijkends hadden gezien of gehoord. Het was broeder Taddeo, de assistent-bibliothecaris, die als eerste opmerkte dat Silvano na het eten niet regelrecht naar de slaapzaal was gegaan.

De abt liet meteen de andere novicen komen; twee van hen bevestigden dat Silvano bij de deur van de slaapzaal rechtsaf was gegaan, in de richting van de privécellen. Vader Bonsignore zat daarna een tijdje te mediteren. Het wilde er bij hem niet in dat die aardige jongen, de zoon van zijn oude vriend, een moordenaar was. Hij had hem zonder aarzeling bescherming in Giardinetto geboden en had geen reden gehad daar spijt van te hebben.

Silvano was een bereidwillig, gehoorzaam lid van het huis, dat alles wat hem werd opgedragen met plezier deed. Hij maakte zich verdienstelijk in de kleurwerkplaats en kon goed met de andere monniken overweg, vooral met broeder Anselmo. Niets van wat de abt van hem wist leek te rijmen met het bebloede lijk van Ubaldo de koopman. Waarom zou die jongen zo'n misdaad plegen? Zelfs al bleek Silvano door een onwaarschijnlijke wending in de gebeurtenissen toch schuldig aan die moord in Perugia, waarom zou hij dan in vredesnaam een gast in het klooster hebben vermoord?

In dat geval moest Silvano gedreven worden door waanzin, maar de abt was ervan overtuigd dat hij daarvan eerder tekenen zou hebben gemerkt. Hij zuchtte diep en bad om raad voor hij de jongeman liet roepen.

'Wat gebeurt er toch?' vroeg Chiara, die op haar tenen ging staan in een poging over de muur van de kloostertuin te kijken. De andere novicen, nu eens niet in staat hun nieuwsgierigheid te bedwingen, waren alle drie bij haar.

De twee lekenbroeders die in de donkere uren de wacht hadden gehouden bij de deur zaten nu in de eetzaal van het nonnenklooster aan het ontbijt, en de nonnen zelf verwaarloosden hun dagelijkse plichten. In de abdij heerste een al even grote wanorde. De klok had gezwegen na het luiden voor Ubaldo, en de eerste drie getijden waren niet gebeden, behalve dan door een aantal monniken in hun eigen cel.

Het was een komen en gaan van monniken over de hof tussen de slaapzaal waar ze bijeen waren geroepen en het gebouw waarin de abt en oudste broeders hun privécellen hadden.

'Daar loopt die nieuwe novice,' zei zuster Elisabetta.

Chiara was verbaasd. Elisabetta had Silvano dus opgemerkt, al drong ze nog zo aan op neergeslagen ogen en het negeren van mannen.

'Hij lijkt helemaal ontdaan,' zei zuster Cecilia.

'Geen wonder,' zei Elisabetta. 'Het is toch ook een vreselijke gebeurtenis in een godshuis.' Ze sloeg vroom een kruisteken.

'Moord is altijd en overal vreselijk,' vond zuster Paola.

'Zou hij het lijk soms hebben gevonden?' opperde Cecilia.

'Waarom denk je dat?' wilde Chiara weten.

'Nou, kennelijk grijpt het overlijden van zomaar een gast hem meer aan dan je zou verwachten,' zei Cecilia.

'Laat mij eens kijken,' zei Chiara.

Silvano zag inderdaad bleek, dat was zelfs op deze afstand te zien. Maar het kon ook door slaapgebrek komen en bovendien had hij van nature een lichte huid. Chiara wist dat ze eigenlijk niet na mocht denken over de huid van een man, maar ze kon het niet helpen. Haar vader, broer en een paar kennissen van de familie in Gubbio waren de enige mannen die ze kende en geen van hen was zo licht als Silvano. In vergelijking met hem leek het groepje nonnen om haar heen maar donker.

'Zuster Orsola, wat doe je in vredesnaam?' klonk een scherpe stem. Zuster Eufemia, de novicemeesteres, kwam door de hof op haar pupillen af gesneld. Ze keek verontwaardigd en geschokt. 'Kom bij die muur vandaan!' beval ze. 'Je maakt onze orde te schande!'

Silvano had het zwaar bij de abt. Sinds zijn komst in Giardinetto waren de monniken altijd aardig voor hem geweest, vooral vader Bonsignore, die vaak met Silvano praatte over zijn studietijd met de baron. Het gevoel dat hij geaccepteerd was en vertrouwd werd, kwam nu in gevaar doordat een of andere gek Ubaldo de koopman met een dolk te lijf was gegaan. Silvano vervloekte zijn pech; als Ubaldo al een vijand moest hebben die hem naar Giardinetto was gevolgd, had die schurk toch een knuppel of vergif kunnen gebruiken? Alles liever dan een dolk tussen zijn ribben.

Meteen schaamde Silvano zich voor zijn gedachten.

'Je geeft toe dat je na het avondeten niet direct naar bed bent gegaan?' vroeg de abt.

'Ik ben even bij broeder Anselmo langsgegaan,' zei Silvano en hij had er meteen spijt van. Hij voelde de blos naar zijn wangen stijgen, al was het waar wat hij zei. 'Ik wilde weten of het beter met hem ging, omdat hij aan tafel zei dat hij zich niet goed voelde.'

'Broeder Anselmo zal dus bevestigen dat hij je heeft gesproken,' zei de abt.

'Ja,' zei Silvano met haperende stem. 'Hij zei dat hij weer was opgeknapt en dat ik moest gaan slapen.'

Hij vond dat hij het niet goed aanpakte en dat Bonsignore achterdochtig keek, maar dat was nog altijd beter dan de abt vertellen dat hij Anselmo niet in zijn cel had aangetroffen. Hij vroeg zich af of de kleurenmeester het zelf zou zeggen als hij werd ondervraagd. En al was het een pak van zijn hart dat hijzelf nu minder zwaar onder verdenking stond, hij wilde ook niet dat broeder Anselmo door zijn toedoen als de schuldige werd aangewezen.

Silvano wist hoe het was om verdacht te worden van een misdaad die je niet had begaan. Je raakte zo diep in de put dat je niet eens meer onschuldig kon overkomen. En omdat hij broeder Anselmo al een paar weken kende, wist hij zeker dat de monnik er de man niet naar was om iemand te vermoorden. Onderweg naar Assisi had Anselmo hetzelfde tegen hem gezegd en Silvano herinnerde zich hoeveel dat voor hem had betekend. Het liefst ging hij nu Anselmo zoeken om zijn vertrouwen te laten blijken.

De kleurenmeester had toch zeker geen reden om de koopman te vermoorden of om zelfs maar een hekel aan de man te hebben? Hij had kritiek gehad op Ubaldo's drankgebruik, maar daarom stak je iemand nog niet dood! Toen schoot het Silvano te binnen dat Anselmo zichtbaar was geschrokken toen hij de naam van de koopman hoorde. En aan tafel had hij vreemd gedaan. Silvano had hem na hun korte gesprek gisteravond bij zijn cel niet meer gezien en of hij wilde of niet, hij vroeg zich toch af waar Anselmo geweest was.

'Heb je me nog iets te vertellen?' vroeg de abt.

'Nee, vader,' zei Silvano, die zich nu rustiger voelde. Broeder Anselmo zou de abt zelf wel alles vertellen, daar was hij van overtuigd.

Isabella was niet thuis toen de boodschapper uit Giardinetto arriveerde. Het was een mooie, zonnige ochtend en hoewel het nog vroeg was, wilde ze er met haar kokkin op uit naar de markt. Ze was altijd onrustig als Ubaldo niet thuis was. Het gevoel van vrijheid was heerlijk, maar had ook een ondertoon van verdriet omdat het een illusie was. Haar man zou weer terugkomen.

Ze ging dan ook langzaam en met tegenzin naar de villa terug. De heer en meester kon nu nog niet thuis zijn, maar de wetenschap dat hij terugkwam hing als een donkere wolk over de mooie ochtend. Vooral op zulke momenten vroeg Isabella zich af hoe ze de rest van haar leven door moest komen. Ze wilde haar kinderen zien; daar vrolijkte ze altijd van op.

Thuis trof haar een vreemde sfeer. Het was onnatuurlijk stil. De kinderen hoorden allang op te zijn en lawaai te maken. De bedienden hoorden bedrijvig hun dagelijkse plichten te vervullen. De man die opendeed, keek zijn bazin meelevend aan en haar hart sloeg over. Er was iets mis.

Isabella's kamermeisje haastte zich naar haar toe. '*Madama*,' zei ze.

'Is er iets met de kinderen?' vroeg Isabella, met zulke strakke lippen dat ze de woorden er nauwelijks uit wist te persen.

'Alles is goed met ze, maakt u zich daarover geen zorgen,' zei het meisje. 'Er wacht in de salon een boodschapper uit Giardinetto op u. Hij wil u spreken.'

Het kon geen goed nieuws zijn. Isabella zette zich schrap. 'Heeft de boodschapper iets te drinken gekregen?' vroeg ze ijzig kalm.

'Ik zal er meteen voor zorgen.'

Langzaam liep Isabella naar de salon, deed intussen haar sjaal af en streek haar haar glad. Haar hoofd tolde, maar intuïtief voelde ze aan dat haar leven op het punt stond voorgoed te veranderen.

'Jullie moeten met me mee,' zei zuster Eufemia abrupt tegen Chiara en Paola. 'De abt heeft om nonnen gevraagd die het lichaam kunnen afleggen voor de begrafenis. Jullie gaan me daarbij helpen.'

Paola schrok al even merkbaar als Chiara. Een man die een warm, levend, ademend mens was geweest, was nu een lijk – en nog wel een lijk met de sporen van een gewelddadige dood.

En al schrok Chiara terug voor dat idee, het had ook iets vreemds en fascinerends. Bovendien gaf het haar de kans om de abdij van binnen te zien.

De drie nonnen legden de korte afstand naar de abdij af en zuster Eufemia meldde zich bij de wacht aan de poort. Ze werden begroet door de abt zelf.

'Eerwaarde zusters,' zei hij, met een vermoeid, grauw gezicht. 'Het is goed dat u gekomen bent. Ik hoop dat de taak u niet te zwaar zal vallen?' Zijn blik gleed even naar Chiara.

'Wij doen onze plicht, vader,' zei zuster Eufemia. 'U kent zuster Paola al, en dit is onze nieuwe novice, zuster Orsola.'

Chiara boog haar hoofd zoals van haar werd verwacht, al deed ze het vooral om de vlaag woede te verbergen die altijd oplaaide als die naam werd gebruikt. Zou ze er ooit aan wennen? De abt ging hen voor naar de bovenverdieping van het monnikenhuis, waar de privécellen van de oudere broeders waren. Een lekenbroeder stond bij een deur op wacht.

De abt gebaarde dat hij opzij moest gaan en intussen kwam er een andere monnik de gang in.

'Welkom, zusters,' zei hij. 'Ik hou u gezelschap.'

'Broeder Rufino,' zei Eufemia bij wijze van groet. 'Dit zijn mijn novicen Paola en Orsola. Broeder Rufino is de ziekenverzorger.'

'En degene die de dode gevonden heeft,' voegde Bonsignore eraan toe. 'We hebben het slachtoffer niet verplaatst. Inmiddels hebben we natuurlijk wel een bericht gezonden naar zijn vrouw in Gubbio. Zij zal haar man zeker in Gubbio willen laten begraven.'

Zijn vrouw, dacht Chiara. Natuurlijk. De man was rijk geweest, en rijke mannen trouwden altijd, al hadden ook arme mannen soms een gezin. De gedachte aan een vrouw en kinderen maakte de taak die hun te wachten stond nog moeilijker.

'En naderhand bent u welkom in mijn cel,' zei de abt. 'Ik zal u graag een glas wijn aanbieden.'

De deur van de cel ging naar binnen open en Chiara tuurde ingespannen in de duisternis naar de gedaante op het bed. De cel had geen raam.

'Laat de deur maar open voor het licht,' zei zuster Eufemia, die de leiding nam.

'Ik zorg dat u water en doeken krijgt, zusters,' zei broeder Rufino. 'Maar eerst...' Met een lap in zijn hand liep hij naar het bed. Chiara zag de flits van het mes toen de broeder het wapen uit het lichaam trok en ze hoorde een geluid als wanneer haar broer aan tafel vlees sneed. Voor ze wist wat er gebeurde, sloeg ze tegen de koude stenen van de cel.

Toen ze haar ogen opendeed, was ze weer in de gang en het eerste wat ze zag was de weinig bemoedigende aanblik van de ziekenverzorger die over haar heen gebogen stond, met in zijn hand de dolk in een witte lap die langzaam rood kleurde.

Zuster Eufemia maakte een nodeloze drukte. Chiara kwam met moeite overeind en schaamde zich dood. Paola was niet flauwgevallen.

'Er is niets met me aan de hand,' zei ze. 'Ik wil u niet ophouden.'

'Gaat het echt?' zei broeder Rufino bezorgd. Zuster Eufemia knikte naar hem en hij ging weg, met de dolk.

Zonder dolk was het lichaam veel minder griezelig. De koopman was ook maar een gewoon mens geweest, en een dode kan niemand kwaad doen, prentte Chiara zich in. Toen herkende ze met een schok de dronken man die haar en zuster Veronica de vorige dag onderweg had uitgelachen. Eens te meer besefte Chiara hoe kwetsbaar het leven was, als een vitale man in één kort moment om zeep kon worden geholpen. Ze rilde bij de gedachte.

Op aanwijzingen van zuster Eufemia hielp ze met het wassen van het lichaam, ook rond de wond, zonder zich opnieuw zwak of ziek te voelen. Ze trokken de kleren van de dode uit tot op zijn onderhemd en daarna kleedde zuster Eufemia hem in een lang wit gewaad, dat een broeder van de ziekenzaal haar bracht. Ze wasten hem en kamden zijn haar en baard, wat geen al te akelig werkje was omdat zuster Eufemia hem de ogen al had gesloten. Hij rook wel akelig: naar verschraalde wijn, zweet en een zwakke metalige geur die van het bloed moest zijn.

Zuster Eufemia had een kom water achtergehouden om hun handen te wassen toen ze klaar waren en ze liet de novicen voorgaan.

'En nu gaan we naar de abt, kinderen,' zei ze, op heel vriendelijke toon.

Chiara was blij dat ze in de veel frissere lucht van de gang kwam. Ze liepen naar een grote, houten deur en zuster Eufemia klopte aan. Toen ze naar binnen gingen, zag ze dat er nog een monnik bij de abt was, de minzame broeder Anselmo die ze in Assisi had ontmoet. Ze was blij hem te zien, al keek hij even ernstig en gespannen als vader Bonsignore.

'We zijn klaar,' zei zuster Eufemia bedaard. Maar toen ze haar beker wijn aanpakte, zag Chiara dat haar hand beefde.

Broeder Fazio, de miniaturist, vertelde iedereen die het maar horen wilde dat de koopman Ubaldo nog kerngezond en in een best humeur was toen hij bij de deur van de gastencel afscheid van de man had genomen.

'Wat maakt het uit?' vroeg broeder Taddeo. 'Of hij nu gezond of ziek was voor hij werd doodgestoken, dood als een pier is hij toch.'

Broeder Fazio keek kwaad, maar hij moest toegeven dat Taddeo wel gelijk had. De monniken waren bijeen in de eetzaal, waar de abt hun had gevraagd te wachten. Van tijd tot tijd bracht Bertuccio hun iets te eten of te drinken. De dagindeling lag overhoop en niemand wist of ze wel of niet hun middagmaal hadden gehad. In weerwil van het advies te bidden en mediteren heerste er een bijna losgeslagen stemming.

Voor het eerst sinds hij in Giardinetto was, maakte Silvano mee dat de monniken zo lang bij elkaar waren zonder iets omhanden te hebben. Er waren broeders die hij nog steeds niet bij naam kende en hij wist al helemaal niet wat iedereen deed. Omdat hij alle tijd waarin hij niet bad, at of sliep in de kleurwerkplaats doorbracht, kwam hij zelden of nooit in aanraking met broeders als Fazio de miniaturist, Monaldo de bibliothecaris, of Valentino de herborist.

Nu waren ze er allemaal en er was maar één onderwerp van gesprek denkbaar.

'Waarom blijft broeder Anselmo zo lang bij de abt?' fluisterde Matteo, een van de andere novicen die bij de kleurenmeester werkte.

'Misschien helpt hij het mysterie op te lossen,' fluisterde Silvano terug. En omdat iedereen die hem kende respect had voor broeder Anselmo, leek het ze alleen maar logisch dat hij met zijn enorme intellect kon helpen om de moordenaar van de koopman te vinden.

Silvano had het lijk niet gezien, net zo min als de andere bewoners van de abdij, op broeder Rufino en de abt na – en de moordenaar natuurlijk. Maar Silvano hoefde het ook niet te zien. Hij wist maar al te goed hoe iemand eruitzag die na een dolkstoot tussen zijn ribben was doodgebloed. Dit nieuwe sterfgeval, zo ver van Perugia, bleef hem door het hoofd spoken en verontrusten. Kon degene die Tommaso had vermoord Ubaldo vanuit Assisi naar Giardinetto zijn gevolgd? Of had de koopman vijanden die niets met de eerdere moord hadden te maken?

Hoe hij ook zijn best deed, Silvano kon geen ander verband tussen de twee moorden ontdekken dan hijzelf. Hij dankte de hemel dat hij het tweede lijk niet zelf had gevonden, maar hij vroeg zich af hoe lang het zou duren voordat anderen het verband zagen. Hij was er niet eens meer zeker van dat de abt nog in zijn onschuld geloofde.

'Van wie was de dolk?' vroeg broeder Valentino in het algemeen.

'Van de dode zelf, geloof ik,' zei Rufino, die net binnenkwam en het wapen voor zich uit hield. Ook schoongemaakt bleef de dolk een gruwelijk ding voor de mannen in de eetzaal, die er gefascineerd naar staarden. 'Kijk, de letter U is in het heft gegraveerd en vader Bonsignore meent zo'n dolk aan zijn riem te hebben gezien toen hij hier aankwam.'

'Een man met zijn eigen dolk vermoorden!' zei broeder Taddeo.

'De abt zegt dat jullie weer aan het werk kunnen,' zei broeder Rufino. 'We verzamelen ons om twaalf uur vanmiddag in de kapel voor de sext en komen daarna hier terug om te eten. Over een uur wordt de klok geluid om jullie bijeen te roepen.'

Toen Silvano als een van de eersten wegging, zag hij vader Bonsignore en broeder Anselmo met drie grijze zusters over de hof lopen. Hij herkende meteen de mooie zuster Orsola. Wat deed ze in vredesnaam in de abdij? De andere twee nonnen kende hij niet. Alsof ze zich bewust was van zijn aanwezigheid draaide ze zich bij de poort om en keek hem aan. En in die blik lag zo veel meeleven en begrip dat zijn hart begon te bonken.

Broeder Landolfo, de gastenmeester, had erop gestaan zelf naar Gubbio te rijden om de vrouw van de koopman in te lichten. Jong en slank was hij allang niet meer, maar hij was een uitstekend ruiter geweest voordat hij zich tot het sobere leven van de franciscanen geroepen had gevoeld. En hij voelde zich zo schuldig dat een gast onder zijn hoede was gestorven dat alleen een snelle rit op een van de verbaasde paarden van de abdij hem kon opluchten.

Toen Isabella hem in haar salon zag ijsberen, wist ze meteen dat hij inderdaad slecht nieuws had. Ze bad dat het slecht genoeg zou zijn. Een gewonde, verminkte, invalide man had ze kunnen verdragen als ze van hem hield, maar ze hield niet van Ubaldo. Ze vond het al een opgave om hem in blakende gezondheid te dulden; een zieke Ubaldo zou niet te harden zijn.

Ze had zich geen zorgen hoeven te maken. Haar man was dood.

Ze dronk gulzig van de wijn die ze voor de monnik had laten komen en hij keek meelevend naar haar. Mensen reageerden vreemd op een schok. Het zou hem niet verbaasd hebben als die elegante, mooie vrouw in huilen was uitgebarsten, maar in plaats daarvan liet ze haar verdriet merken door bleek te worden, aan de drank te gaan en haar hand tegen haar fraaie voorhoofd te drukken.

'Doodgestoken, zegt u?' zei ze uiteindelijk. 'Door wie?'

'Helaas, madama, dat weten we niet. De abt stelt een onderzoek in, maar ik was al weg voor hij conclusies kon trekken.'

'Ik moet erheen,' zei Isabella, kalmer dan ze zich voelde. 'Ik moet zijn stoffelijk overschot naar huis halen. Maar eerst moet ik hier van alles regelen. Ik moet een priester spreken over de uitvaart. En ik moet het de kinderen vertellen.' Haar stem brak.

'Het is niet nodig dat u op reis gaat, madama,' zei broeder Landolfo. 'Wij kunnen het zo regelen dat hij thuis wordt gebracht, als dat helpt. Ik meen dat de nonnen uit het naburige klooster zijn stoffelijk overschot al in gereedheid hebben gebracht.'

'Dat is heel vriendelijk van u, maar ik moet hem zelf ophalen met zijn eigen rijtuig.' Isabella keek neer op haar groene japon met het gele lijfje van zijde. 'En ik moet me gepast kleden.' Ze stond op. 'U kunt zo lang blijven als u wilt. Gebruik gerust de tafelbel als u iets nodig hebt. Vraag mijn bedienden u eten te brengen. Ik moet me nu excuseren. Ik heb zoveel te doen.'

En terwijl ze de trap op liep naar haar kinderen, voelde monna Isabella de last van haar verantwoordelijkheden zwaar op haar schouders rusten. Ze wilde Ubaldo niet terug; ze had vaak genoeg van dit moment gedroomd, zonder te durven hopen dat het zou aanbreken als ze nog jong genoeg was om er baat bij te hebben. Nu het zover was, kon ze niet blij zijn. Ze was bang, en ze voelde zich heel erg alleen.

7
Miniaturen

Silvano had het gevoel dat de sfeer veranderd was toen hij zich de volgende ochtend bij de monniken in de kapel voegde. Hij kon niet precies zeggen waardoor het kwam. Er hing iets vreemds in de lucht. Het leek wel alsof er nieuwsgieriger naar hem werd gekeken dan anders. Hij kreeg het onbehaaglijke gevoel dat er over hem gepraat werd. Hij werd er pas rechtstreeks op aangesproken toen ze na de priem gingen ontbijten.

Zijn medenovice Matteo fluisterde hem toe: 'Is het waar? Ben je geen echte novice?'

'Stilte in de eetzaal!' riep de novicemeester, waarmee hij Silvano een antwoord bespaarde.

Op weg naar de kleurwerkplaats haalde hij Matteo in.

'Wie zegt dat ik geen novice ben?' vroeg hij dringend.

'Iedereen,' zei Matteo niet onvriendelijk. 'We verbaasden ons er allemaal al over dat jij als novice mocht jagen en je paard bij je kon houden. Nu wordt er beweerd dat je hier bent om een moord.' Hij aarzelde. 'Een moord in Perugia, met een dolk – net als hier.'

Silvano zuchtte. Eerst dat verhoor bij de abt, en nu lag zijn geheim ook nog eens op straat. In de afgelopen weken werd hij gelukkig door niemand verdacht, maar aan die tijd was nu blijkbaar een eind gekomen.

'Ik heb niemand vermoord,' zei hij en hij zag Matteo's bezorgde gezicht opklaren. 'Die man in Perugia heb ik stervend aangetroffen, en het zag er slecht voor me uit omdat hij met mijn dolk was gedood.' Hij moest even slikken. 'En ik had aandacht aan zijn vrouw besteed. Maar ik heb hem niet vermoord. En die Ubaldo kende ik niet eens. Ik heb nog nooit een woord met hem gewisseld. Waarom zou ik die man willen doden?'

'Broeders,' waarschuwde de kleurenmeester, die vanuit het niets achter hen opdook, 'we hebben geen tijd voor geklets. We moeten alles op alles zetten om de bestelling van ser Simone op tijd klaar te hebben.'

Het was een opluchting om weer aan het werk te gaan. De meeste monniken hadden de vorige dag niets uitgevoerd, wat hen niet lekker zat en bovendien tegen de leefregels van hun stichter in ging. Het gebrek aan activiteit had speculatie en roddel gevoed, wat er ongetwijfeld de oorzaak van was dat er geruchten over Silvano waren verspreid. Hij was zich bewust van de blikken van de andere monniken in de kamer en moest zijn uiterste best doen om zich te concentreren op het pigment waaraan hij werkte.

'We hebben grote hoeveelheden terra verde nodig – groene aarde,' zei broeder Anselmo, alsof er de vorige dag geen gruwelijke moord in de abdij had plaatsgevonden. 'Ser Simone gebruikt het als ondergrond voor de huidkleur van de figuren in zijn fresco's. Het is de makkelijkste kleur om te maken. We hebben hier een vracht celadon uit Verona.' Hij wees naar een aantal zakken in de hoek. 'Het pigment is op zich niet bijzonder. Ook kan het niet gebruikt worden voor de afwerking van groentinten op de muur, zoals malachiet of *verdigris*, omdat het niet duurzaam is. Maar het is een onmisbaar pigment in de schilderkunst en we zullen ons er de hele dag mee bezighouden, omdat ze het nodig hebben in de basilica ter meerdere glorie van Sint-Franciscus.'

Voor zijn doen was het een lange toespraak. Silvano voelde dat het de bedoeling van de monnik was om zijn medebroeders weer met beide voeten letterlijk op de grond te krijgen door ze met de kleiachtige groene aarde te laten werken. En daarin leek de boodschap verscholen dat veel saai werk ook belangrijk was om een mooi, rijk versierd resultaat te krijgen. Broeder Anselmo voelde er blijkbaar niets voor de moord te bespreken, en de monniken zaten ijverig boven hun porfiersteen gebogen tot de sext, om twaalf uur 's middags.

In de werkplaats werd geen regel van stilzwijgen gehandhaafd en broeder Anselmo vond het niet erg dat er werd gepraat, zolang er maar hard werd doorgewerkt. Silvano vond het die ochtend wel erg, want hij merkte dat hij het onderwerp van gesprek was. Veel monniken keken steels in zijn richting onder het fluisteren. Gelukkig zag hij ook dat broeder Matteo op gedempte toon een betoog afstak tegen een aantal van hen, alsof hij doorvertelde dat Silvano de moorden had ontkend. Maar die hele ochtend zei niemand iets tegen hem, en hij voelde zich erg alleen.

Een bezoekje van broeder Fazio vormde een welkome afleiding. De miniaturist werkte afzonderlijk van broeder Anselmo en hij had zijn eigen novicen om hem te helpen. Hij kwam naar de werkplaats om zijn voorraden drakenbloed, *arzica*, sandrak en saffraan aan te vullen. Vóór de komst van Anselmo had hij zijn kleurstoffen bij zuster Veronica in het nonnenklooster gehaald. Eén kleur maakte hij altijd zelf: het loodwit voor de deklaag van zijn perkament.

Toen hij zijn benodigdheden bij elkaar had, zei broeder Anselmo zacht iets tegen hem. Hij wenkte Silvano om Fazio te helpen de pakketjes te dragen. Silvano was maar al te blij dat hij aan de geladen sfeer van de werkplaats kon ontsnappen.

Broeder Fazio ging hem voor naar zijn cel, de enige in de abdij die uit twee vertrekken bestond. Silvano nam aan dat de miniaturist sliep en bad in het achterkamertje. Het grote vertrek was een werkruimte, waar het druk was. Twee novicen waren dierenhuiden aan het schoonschrapen om er perkament van te kunnen maken. Midden in de kamer stond een hoge, houten werktafel met een kruk erachter en op het tafelblad lag de bladzijde waaraan broeder Fazio werkte.

'Dit is voor het Nieuwe Testament,' legde Fazio uit, toen Silvano de pakjes pigment aan een van de novicen had gegeven. 'Ik ben nu de woorden van Johannes de Evangelist aan het verluchten.'

Silvano keek naar de sierlijk bewerkte beginletter van het hoofdstuk. Broeder Fazio was op zijn manier een even begaafde kunstenaar als Simone Martini. In de glanzende, gouden letter was een complete scène uitgebeeld: tinten rood, groen en blauw toonden een wijnstok vol druiventrossen; er was zelfs een mannenfiguurtje bezig een dode tak te snoeien. Het zag er zo levensecht uit dat Silvano de druiven bijna kon proeven. Broeder Fazio, die een pakje pigmenten in zijn rechterhand hield, pakte met zijn linkerhand een pen en voegde een piepklein wit stipje toe aan de vleugel van een minuscuul vogeltje dat aan een druif pikte. Kennelijk was de miniaturist even vaardig met zijn linkerhand als met zijn rechterhand.

'Wat mooi,' zei Silvano.

Fazio keek blij. 'Het is ter meerdere glorie van God,' zei hij bescheiden. 'Wil je zien hoe we het perkament en de pigmenten prepareren?'

De novicen lieten hun werk aan Silvano zien. Intussen vroeg

hij zich af of ze de roddels over hem hadden gehoord. Broeder Fazio babbelde onbekommerd over de techniek van het miniatuurschilderen. Hij was een drukdoenerige, kleine man, heel vriendelijk en duidelijk erg trots op zijn werk. 'En we mengen de kleuren met eiwit,' besloot hij. 'Ja, dankzij mij krijg je die felgele frittata's uit Bertuccio's keuken. De dooiers gebruiken we niet.'

Silvano vond het zo leuk dat hij zijn problemen even vergat. Het was fascinerend te zien hoe een echte kunstenaar als broeder Fazio schoonheid tot leven kon wekken uit eenvoudige ingrediënten als eiwit en uit stukken steen, die door mensen als hijzelf in de kleurwerkplaats tot poeder werden gemalen.

'Kom eens mee kijken waar ik mijn wit maak,' zei Fazio. Hij liep met Silvano naar een bijgebouwtje achter op het kloosterterrein. Al op meters afstand sloeg de stank hun tegemoet, maar het scheen broeder Fazio niet te deren. Toen de miniaturist de deur opendeed werd de stank ronduit ondraaglijk. Silvano drukte zijn mouw tegen zijn neus.

'Ik ben toch zo blij met jouw paard,' zei Fazio. Het kwam er zo abrupt uit dat Silvano zich afvroeg of broeder Fazio wel goed bij zijn hoofd was.

'Blij met mijn paard?' zei hij.

'Ja. Ik maak mijn wit van lood dat in deze potten zit,' zei Fazio. Hij trok stinkend stro weg en Silvano zag rijen potten van aardewerk, die in lagen waren opgestapeld. 'Onder in elke pot zit een vakje, waar ik azijnoplossing in giet,' ging Fazio verder, zich kennelijk niet bewust van het effect dat zijn product had op de neus van de novice. 'Dan wikkel ik de potten in stro en paardenmest,' eindigde hij triomfantelijk, 'en daarbij komt jouw mooie schimmel me goed van pas.'

'Maar hoe krijgt u daardoor het witte pigment dat u nodig

hebt, broeder?' vroeg Silvano, die wanhopig graag de schuur uit wilde. Tot zijn grote opluchting pakte Fazio het stro weer om de potten heen, zo behoedzaam als een moeder die haar baby instopt, en ging hem voor de frisse lucht in.

'Na een paar maanden,' zei hij, 'staan er witte vlokken op het lood. Ik schraap ze eraf, was en droog ze. Onder mijn leiding mengen de novicen ze met lijnzaadolie. Jullie doen hetzelfde soort werk in de kleurwerkplaats. Maar loodwit – *bianco di piombo* – is niet geschikt voor het schilderen van fresco's. Jullie Simone zal het niet aanraken.'

'Waarom niet?' vroeg Silvano.

'Omdat het na verloop van tijd zwart uitslaat op een muur,' zei Fazio. 'Je ziet het al gebeuren in de bovenkerk van Assisi. Voor een muur heb je witkalk nodig, wat wij *bianco di Sangiovanni* noemen, het wit van de heilige Johannes, maar voor zijn evangelie gebruik ik het niet.' De miniaturist moest lachen om zijn grapje. 'Nee, Sint-Johanneswit is alleen voor muren.'

'Heb je daar ook paardenmest bij nodig?' vroeg Silvano, blij dat broeder Anselmo zijn hulpen in de kleurwerkplaats niet aan het maken van loodwit had gezet.

'Nee, nee, dat is een heel ander procédé,' zei broeder Fazio. Plotseling leek hij zijn belangstelling te verliezen. 'Ik moet er vandoor, broeder. Dag hoor,' zei hij verstrooid.

'Dag,' zei Silvano. 'Dank u wel dat u me uw werk hebt laten zien.' En hij ging als een haas naar de werkplaats terug, zo ver mogelijk bij broeder Fazio's stinkende schuur vandaan.

Isabella bedekte haar blonde haar en gezicht onder een zwarte sluier en keek keurend door het gaas naar zichzelf in de spiegel. Zo hoorde een weduwe eruit te zien. Ze haalde diep adem en streek de taf van haar japon glad. Hij was drie jaar geleden gemaakt, toen ze in de rouw ging voor haar vader, maar hij kon er nog wel mee door. Ze had al nieuwe rouwkleding bij de naaister besteld. En nu moest ze de trap af naar de voordeur, die al getooid was met zwartzijden linten, om plaats te nemen in haar rijtuig.

Een livreiknecht zat naast de koetsier op de bok. In de koets had Isabella het rijk alleen. Ze zag niets van de weg naar Giardinetto; ze was volledig in zichzelf gekeerd, al vanaf het moment dat broeder Landolfo haar het nieuws had verteld.

Ze voelde zich half versteend, en kon maar niet begrijpen dat de man met wie ze zo lang getrouwd was geweest nooit meer tegen haar zou praten of naar haar zou kijken. De onverwachte manier waarop hij was overleden kon ze al evenmin bevatten. Tijdens hun lange huwelijk had ze zich wel eens afgevraagd of Ubaldo eerder dan zij dood zou gaan; hij was een paar jaar ouder. Ze had dan aan een beroerte of hoge koorts gedacht, of hooguit een ongeluk met zijn paard. Nooit aan moord. En nog onbegrijpelijker en erger was het feit dat die moord had plaatsgevonden in een godshuis, waar mensen veilig hoorden te zijn. De wereld was op zijn kop gaan staan.

De kinderen hadden heel verschillend op de dood van hun vader gereageerd. De kleine Federico had niet gehuild; het leek alsof hij groeide toen hij zei: 'Maakt u zich geen zorgen, *madre*. Nu ben ik het hoofd van het gezin en ik zal voor u zorgen.'

De kleintjes waren bang en in de war. Isabella had nooit goed geweten wat ze eigenlijk voor Ubaldo voelden. Zij was degene die knuffelde, kusjes gaf en lief voor ze was. Er waren vaders denkbaar die meer tijd voor hun kinderen uittrokken, en de gedachte dat ze met Domenico misschien een heel andere band zouden hebben gehad flitste wel eens door Isabella's hoofd.

Domenico. Haar vermoeide hersens keerden voortdurend

terug bij die ene gedachte: Domenico, haar eerste liefde. Waar was hij nu? Had hij woord gehouden en was hij ongetrouwd gebleven? Wist hij wat haar overkomen was? Onder alle angsten en zorgen over de toekomst liep de stabiele stroom van haar gevoelens voor Domenico, als een ondergrondse rivier die nooit aan kracht had ingeboet. Het idee dat ze op een dag weer herenigd zouden zijn was in de loop van de tijd een steeds schimmiger droom geworden, maar het feit bleef dat ze door Ubaldo's dood weer vrij was.

Ze schudde haar hoofd; dit waren goddeloze gedachten voor een vrouw die haar man naar huis ging halen om hem te begraven. Ze moest zich onberispelijk gedragen, zoals ze altijd had gedaan in haar huwelijk. Er mocht niets ontbreken aan het vertoon van respect voor Ubaldo. En vreemd genoeg had Isabella nooit zulke warme gevoelens voor hem gehad als vandaag. Nu ze zijn aanwezigheid niet langer hoefde te dulden, was ze vastbesloten om er tot in de kleinste details voor te zorgen dat de begrafenisplechtigheid perfect zou verlopen.

Chiara was in de tuin van het klooster bezig toen het rijtuig de weg naar Giardinetto af kwam. Werken in de frisse buitenlucht was een van haar liefste bezigheden. Zuster Veronica had kaardenbol nodig voor een bijzondere kleur geel die ze maakte, en Chiara was behendig en precies bij het plukken van planten. Tijdens het werk treuzelde ze; ze hoopte altijd een glimp op te vangen van de knappe Silvano, of dat er iets zou gebeuren wat afwisseling bracht in de sleur van het kloosterleven.

Ze had verwacht dat alles zou veranderen na de moord in de abdij, maar toen het lijk van Ubaldo was gewassen, hadden de nonnen de gewone routine weer opgepakt. Chiara dacht huiverend terug aan de taak waarbij ze de vorige dag had geholpen. En op dat moment werd haar wachten beloond met de komst van een rijtuig bij de abdij.

De koets werd getrokken door twee vospaarden met rozetten van zwart lint aan hun tuig, en ze begreep meteen dat Ubaldo's weduwe was gearriveerd. Het gerucht had de ronde gedaan dat monna Isabella hem zelf naar huis wilde komen halen. Zou haar hart gebroken zijn? vroeg Chiara zich af. Ze probeerde aan het lijk van gisteren te denken als aan een levende, ademende man, die een vrouw had die van hem hield.

Er was nog iemand die het rijtuig zag komen. Moeder Elena, de abdis, keek uit haar raam en besefte even snel als haar jongste novice dat de weduwe van de koopman in aantocht was. Die arme vrouw, dacht ze. Wat een vreselijke reis heeft ze moeten maken! Ze besloot meteen dat ze de weduwe persoonlijk moest condoleren. Vader Bonsignore is een goede ziel, dacht ze, maar hij heeft geen idee hoe hij zich moet gedragen tegenover een burgerdame, vooral niet iemand van haar stand.

Toen de abdis door de hof snelde, zag ze zuster Orsola met open mond in de tuin staan, met een vergeten mand vol planten aan haar voeten. Ze had het meisje niet vaak meer gezien nadat ze in het klooster was toegelaten en impulsief besloot ze haar mee te nemen naar de abdij.

'Kom, zuster Orsola,' beval ze. 'We gaan de weduwe van Ubaldo ons medeleven betuigen. Ze wil vast een paar vrouwen om zich heen in dat gebouw vol vrijgezellen.'

Chiara kon haar geluk niet op: twee dagen achter elkaar naar de abdij! Deze keer wachtte haar daar geen akelige taak en ze brandde van nieuwsgierigheid naar de weduwe van de koopman.

Ze kwamen op tijd bij de abdij om te zien dat de knecht plechtig een elegante dame het rijtuig uit hielp en haar overdroeg aan de abt, die naar buiten was gekomen om haar te be-groeten.

Monna Isabella wilde niets drinken en zich ook niet opfris-sen voor ze het stoffelijk overschot van haar man had gezien. Hij was naar de kapel overgebracht, waar hij lag opgebaard in een eenvoudige kist. De kleine rouwstoet van abt, abdis, wedu-we en novice ging langzaam naar de schragen waarop de kist stond.

De elegante dame snakte onwillekeurig naar adem toen ze het lichaam zag en ze drukte een kanten zakdoekje tegen haar mond.

Hoe zou ze in vredesnaam gereageerd hebben als ze hem gisteren had gezien? dacht Chiara, bij de herinnering aan het bloed en de starende ogen, een aanblik die ze Ubaldo's wedu-we niet toewenste. Ze moest wel veel van haar man gehouden hebben!

'Ik ben nu wel toe aan een slokje wijn, vader,' zei Isabella. Ze had de grootste moeite zich te beheersen. Ze keek even naar de vrouwen, blij dat zij erbij waren. 'Misschien kan uw novice mij even helpen, moeder,' zei ze tegen de abdis.

Chiara bracht Isabella naar de gastencel, waar broeder Lan-dolfo een kruik, een kom water en een van de weinige spiegels die het klooster bezat had neergezet voor het damesbezoek. Isabella keek het vertrek rond en huiverde, terwijl Chiara water voor haar inschonk.

'Hier is het gebeurd, hè?' vroeg ze en ze sloeg haar zwarte sluier terug. 'Hier is hij gestorven.'

'Ja, madama,' zei Chiara, onthutst door de kalme schoon-heid van de vrouw. 'Ik heb geholpen hem te wassen.'

'O ja? En... en waren zijn wonden erg gruwelijk?'

'Niet al te erg, madama,' loog Chiara.

Isabella lachte kort. 'Je bent een lief kind, maar je hoeft me niet te sparen. Ik heb geen idee wie mijn man zo haatte dat hij hem wilde vermoorden, maar die onbekende heeft me verlost van een man van wie ik niet hield.'

Chiara was verbouwereerd. Ze maakte een aanmoedigend gebaar naar de kom, zodat de weduwe haar witte handen kon wassen en haar wangen opfrissen. Toen bood ze haar een handdoek aan, maar monna Isabella verwachtte kennelijk dat Chiara haar handen en gezicht voor haar zou drogen. Ze onderging de verzorging van de novice alsof ze een klein kind was.

'Dat vind je natuurlijk schokkend om te horen,' vervolgde Isabella. 'Met het sacrament van het huwelijk mag niet gespot worden. Toen ik zo oud was als jij dacht ik er precies zo over, maar toen had ik nog geen echte liefde ervaren, die ik weer moest opgeven.'

Ze zweeg even, haalde een borstel uit haar kleine koffer en maakte toen de spelden van haar sluier los. Bewonderend keek Chiara naar het glanzende haar dat tevoorschijn kwam.

'Ach kind, nu vergeet ik helemaal dat jij met de Kerk bent getrouwd en niet aan de wereldse liefde mag denken,' zei Isabella.

'Niet uit vrije wil,' zei Chiara, die zich niet in kon houden. Ze kon het niet hebben dat die elegante vrouw haar aanzag voor een non met roeping. Toen ze zag hoe verbaasd Isabella keek, legde ze het kort en bondig uit: 'Mijn broer heeft me tegen mijn wil hierheen gebracht. De nonnen zijn heel aardig voor me, maar ik heb geen roeping. Als het aan mij had gelegen, had ik best aan de liefde mogen denken.'

Nu was het de beurt van de weduwe om verbouwereerd te zijn. 'Denk niet dat je je eigen man had mogen kiezen, al was je bruidsschat nog zo groot geweest,' zei ze toen bitter. 'Mijn vader was degene die Ubaldo voor me koos, al had ik mijn hart aan een ander verpand. Vrouwen moeten nu eenmaal doen wat hun vader wil, of hun broer of hun... echtgenoot.' Ze spuugde het laatste woord bijna uit.

Met kalmerende halen borstelde Chiara het haar van de weduwe. Wat miste ze haar eigen lange, krullende haar!

'En wat is er met hem gebeurd?' waagde ze het om aan Isabella's achterhoofd te vragen. 'Met de man van wie u echt hield?'

'Domenico?' zei de weduwe. 'Ik weet het niet.' En terwijl ze haar hoofd in haar handen legde, huilde ze voor het eerst sinds ze had gehoord dat haar man dood was.

8

Twee weduwen

Isabella en Chiara zaten nog lang te praten voor Chiara de weduwe naar de cel van vader Bonsignore bracht. Ze dacht heel
anders over Isabella nu ze haar geheim kende. Maar al deed de
dood van de koopman zijn weduwe dan geen groot verdriet,
Chiara twijfelde er niet aan dat Isabella erdoor geschokt en verbijsterd was.

Het was al de tweede keer in twee dagen dat de novice bij de
abt wijn kwam drinken. De weduwe wilde haar niet laten gaan
en ze leunde zwaar op de arm van het meisje. Vader Bonsignore schonk gul de mooiste rode wijn die zijn keldermeester
kon verschaffen en keek opgelucht omdat Isabella iemand had
die voor haar zorgde.

Isabella voerde fluisterend een gesprek met de abdis over de
uitvaartplechtigheid voor haar man. Chiara ving de woorden
'requiemmis' en 'kathedraal' op.

Ook de abt had een dringende, praktische kwestie te bespreken.

'Vergeef me, monna Isabella,' zei hij, 'dat ik u juist nu hiermee moet lastigvallen, maar wat doen we met de eigendommen van uw man? Zijn bagage en kleren kunnen natuurlijk
mee terug in het rijtuig, maar ik dacht vooral aan zijn paard...'

Isabella keek als iemand die zojuist vanaf de bodem van een

diep meer boven water was gedoken. 'Zijn paard? O ja, ja natuurlijk. We moeten iets regelen,' zei ze verstrooid. En toen,
alsof ze dit nog maar net besefte, voegde ze er angstig aan toe:
'Moet ik bij zijn lijk in het rijtuig zitten?'

Bonsignore was onthutst. Er was ruimte genoeg in het rijtuig voor de weduwe en de kist, en het had hem vanzelfspre-
kend geleken dat het zo zou gaan. Nu begreep hij dat het idee
Isabella met afgrijzen vervulde. Vragend keek hij naar de abdis
om raad.

'Kunt u paardrijden, madama?' vroeg moeder Elena.

'Jawel,' zei Isabella aarzelend. De thuisreis was opeens een
enorme opgave voor haar geworden.

'Als ik wat zeggen mag, moeder,' zei Chiara, 'dan denk ik dat
monna Isabella niet in staat is om in haar eentje naast het rijtuig te rijden.'

'Daar heb je gelijk in, kind,' zei de abdis. 'Vader abt, er is toch
een jonge novice die kan rijden? Mag hij de dame vergezellen
en ervoor zorgen dat ze op het paard van ser Ubaldo veilig
thuiskomt?'

'Uitstekend idee,' zei de abt. 'Ik zal broeder Silvano onmiddellijk laten komen.'

Silvano was weer in de kleurwerkplaats, waar hij ijverig celadon tot een saai groen poeder zat te verpulveren. Hij keek op
van zijn porfiersteen toen broeder Ranieri binnenkwam en
iets tegen broeder Anselmo fluisterde. Hij zag de kleurenmeester wit wegtrekken. Beide broeders keken naar hem.

'Broeder Silvano, kom je even?' vroeg broeder Anselmo. 'De
groene aarde kan wel wachten.'

Hij nam de jongeman mee naar buiten en zei: 'Vader Bonsignore vraagt je iets te doen. Monna Isabella, de weduwe van

Ubaldo, is hier om het lichaam op te halen. De abt wil dat je haar te paard vergezelt naar Gubbio. Zij zal het paard van haar overleden man berijden.'

Silvano was graag bereid om te gaan. Hij wilde Gubbio zien, en een rit door de frisse lucht, al was het dan met een rouwende weduwe, was opwindender dan een middag bidden en kleurstof malen.

Bovendien moest dit toch ook betekenen dat de abt hem niet langer betrokken achtte bij de dood van Ubaldo de koopman? Iemand die van de moord werd verdacht zou hij niet opdragen de weduwe van het slachtoffer naar huis te begeleiden.

Het verbaasde hem de mooie novice van Sint-Clara te zien toen hij de cel van de abt binnen kwam. Het was maar goed dat broeder Anselmo hem al van zijn opdracht had verteld, want bij de oplettende blik van het meisje kon Silvano zich maar moeilijk concentreren op wat Bonsignore te zeggen had. Het leek wel alsof hij haar tegenwoordig overal tegenkwam en steeds vaker kreeg hij haar gezicht voor ogen als hij zich Angelica voor de geest probeerde te halen.

Hij deed zijn best niet naar haar te kijken, en al evenmin naar Ubaldo's weduwe nadat ze aan elkaar waren voorgesteld. Hij wilde haar best naar Gubbio vergezellen, maar hij dacht liever niet na over hoe ze zich moest voelen.

De abt stuurde hem weg om de paarden te zadelen. Ze konden een oud dameszadel van het Sint-Claraklooster lenen, een overblijfsel uit de tijd dat abdis Elena de wereld nog niet de rug had toegekeerd. Silvano liep dan ook mee terug met de nonnen om het zadel te halen. Hij liep zo stilletjes en eerbiedig als hij kon, maar het kostte hem moeite om voor zich te kijken in plaats van opzij naar de novice.

De abdis had haar met 'zuster Orsola' aangesproken. De weduwe van Ubaldo leek zich aan haar gehecht te hebben, want ze had gezegd: 'Kom straks nog even terug om gedag te zeggen.' En de abdis had een kort knikje van toestemming gegeven.

En zo liepen ze dan voor het eerst zonder anderen erbij samen terug naar de abdij. Silvano wist niet wat hij moest zeggen. Hij was geen echte kloosterling en had geen idee of hij de jonge non mocht aanspreken, maar hij wilde ook niet onbeschoft overkomen.

'De dame is kennelijk blij met uw gezelschap, zuster Orsola,' zei hij en hij werd beloond met een diepe zucht.

'Ik ben Orsola nog niet,' zei ze en ze keek naar hem op. 'Ik heet Chiara en die naam bevalt me veel beter.'

'Mij ook,' zei Silvano impulsief. 'Het is een prachtige naam.'

Ze glimlachte stralend naar hem.

'En hij past bij je,' flapte hij eruit.

'Heet jij echt Silvano?' vroeg ze.

'Ja, ik heb geen andere naam.'

'Je bent geen echte novice, hè?'

Hij bleef staan en keek haar aan. 'Weet iedereen dat dan, in allebei de kloosters?' vroeg hij, bang dat er geen sprake meer was van veiligheid als algemeen bekend werd dat hij in vermomming was.

'Nee, ik geloof het niet. Maar ik heb je zien aankomen, met je paard en je valk. Toen wist ik dat je geen monnik was.'

Silvano glimlachte. 'Dat weet ik nog,' zei hij. 'Ik heb jou ook gezien en – sorry dat ik het zeg, zuster Chiara – ik dacht nog bij mezelf dat jij ook geen overtuigende novice was.'

Haar gezicht betrok. 'Ik weet niet waarom jij hier bent,' zei ze. 'Maar voor jou is het een soort grap en voor mij is het ernst. Ik kan niet meer weg bij de grijze zusters en op een dag zal ik echt Orsola moeten worden... een saaie, sombere berin.'

Silvano was aangedaan door haar treurigheid.

'Het is voor mij ook geen grap,' zei hij ernstig. 'Ik ben hier omdat ik ervan word verdacht in Perugia een man te hebben neergestoken.'

Chiara schrok.

'Wees maar niet bang,' stelde hij haar gerust. 'Ik ben onschuldig en daarom heb ik mijn toevlucht bij de monniken gezocht. En ik heb ook niets te maken met de dood van de koopman.'

'Waarom denken ze dat dan?' vroeg ze. 'Dat je die andere man had vermoord, bedoel ik.'

'Omdat hij met mijn dolk is doodgestoken,' zei hij. En toen besloot hij haar de hele waarheid te vertellen. 'En ik had aandacht besteed aan Angelica, de vrouw van die man.'

Chiara voelde een steek van pure jaloezie. Ze had hem graag meer willen vragen – hoe Angelica eruitzag en of hij nog steeds iets voor haar voelde. Maar ze waren al bij de stallen, waar ze verschillende mensen tegelijkertijd tegenkwamen.

Gianni, de oudere lekenbroeder die in de stallen werkte, bracht net een van de vospaarden naar buiten om het voor het rijtuig te spannen. Hij gebaarde naar Silvano dat hij de stal in kon gaan om zijn schimmel en de bruine merrie van de koopman te halen.

De abt begeleidde de weduwe naar de stallen en achter hen aan kwamen zes monniken, die de dichtgespijkerde kist van de koopman droegen. Zonder van deze optocht te weten, kwam broeder Anselmo op dat moment de kleurwerkplaats uit en sloeg de hoek om. Hij riep: 'Wacht nog even, broeder Silvano. Ik wil nog iets zeggen voor je vertrekt.'

Chiara zag dat Isabella bij het horen van die stem stokstijf bleef staan. De dragers met de kist botsten bijna tegen haar op toen ze als versteend stond, met een hand op haar hart. 'Domenico!' De naam was niet meer dan een fluistering op haar lippen, maar Chiara hoorde haar. Ze keek meteen met nieuwe interesse naar broeder Anselmo, die ook als aan de grond genageld stilstond. Dus hij was de eerste liefde van monna Isabella!

Het was een merkwaardig tafereel, waarvan de betekenis de meeste aanwezigen volkomen ontging. Chiara ging snel naast Isabella staan, bang dat ze haar hoofd zou verliezen bij deze nieuwe schok. Hoe moest ze in zo'n gemoedstoestand veilig naar Gubbio rijden? Ze haalde de weduwe over om op een opstijgblok te gaan zitten.

'Vader abt,' zei Chiara en ze keek naar Isabella's krijtwitte gezicht. 'Ik denk dat mevrouw wat meer tijd nodig heeft. Het zien van de kist is haar misschien te veel geworden.' Ze keek Silvano aan met een blik waarmee ze hoopte uit te drukken dat hij naar broeder Anselmo moest gaan.

Silvano pakte de arm van de oudere man vast en leidde hem weg, terwijl de kist in het rijtuig werd geladen en de abt zich druk maakte om Isabella.

'Wat is er, broeder?' vroeg Silvano.

Anselmo gaf antwoord met verstijfde lippen. 'Ik... ik wilde je alleen waarschuwen voorzichtig te zijn in Gubbio,' zei hij. 'Misschien is daar iemand uit Perugia, die je herkent en beseft dat je in vermomming bent. Het is gevaarlijk voor je om daarheen te gaan en je moet zo snel mogelijk terugkomen.'

'Ik beloof u dat ik goed zal uitkijken,' zei Silvano. 'Maar we moeten nu wel vertrekken, anders ben ik niet voor donker terug. Gaat het wel goed met u? U lijkt van streek.'

Hij keek naar de weduwe, die zichzelf weer in de hand had. Broeder Anselmo keek ook naar haar, maar ze zat van hen afgekeerd.

'Ik zal goed op monna Isabella passen,' zei Silvano en verbaasd voelde hij dat Anselmo hem stevig in zijn arm kneep.

'Je bent een goede jongen,' zei Anselmo. 'Pas op haar alsof ze je eigen lieve moeder is. Haar kinderen hebben alleen haar nog.'

En Silvano vroeg zich af wat de monnik eigenlijk wist van het leven van de koopman. Hij kreeg het gevoel dat hij niet de enige was met een geheim.

Maar nu moest hij de paarden zadelen, de weduwe helpen opstijgen en haar heelhuids naar Gubbio terugbrengen. Toen de kleine stoet bij de abdij vertrok, zonk de moed Silvano in de schoenen bij het besef dat de reis uren zou gaan duren. Een rijtuig dat een stoffelijk overschot vervoerde, moest een eerbiedige slakkengang aanhouden en hij vroeg zich af hoe hij de tijd moest vullen terwijl hij erachteraan sukkelde, naast een vrouw in diepe rouw.

Angelica had gemerkt dat het niet zo gemakkelijk was om weduwe te zijn als ze had gehoopt. Ze kreeg niet eens de vrije beschikking over Tommaso's geld en bezittingen, al was ze zijn enige erfgename. Zijn neven waren erop gebrand dat ze een van hen zou aanwijzen als haar *mundualdus*, de man die bij alle financiële aangelegenheden voor haar moest optreden. Ze was fel gekant tegen zo'n gevolmachtigde, maar de wet bepaalde dat een weduwe zonder kinderen een mannelijke vertegenwoordiger moest hebben die alle zaken voor haar regelde.

Gelukkig had ze wel iets te zeggen over wie die man dan moest zijn.

Toen baron Montacuto de jonge Gervasio de' Oddini naar haar toe stuurde, leek hij een geschenk uit de hemel. Hij was te jong om zelf haar mundualdus te mogen zijn, maar er was weinig voor nodig om hem over te halen zijn vader te vragen haar zaken waar te nemen. Zo had ze een bondgenoot die om geld verlegen zat en haar op haar wenken zou bedienen zolang ze hem er voldoende voor beloonde. Hij had geen banden met haar aangetrouwde neven, en als contactpersoon kon Vincenzo de' Oddini zijn verrukkelijke jongste zoon sturen.

De regeling kwam Gervasio even goed uit als Angelica. Hij had haar niet naar Silvano's gedicht gevraagd om de doodeenvoudige reden dat het ding nog steeds in zijn eigen hemdzak zat. Aan de baron meldde hij dat zijn poging mislukt was en Montacuto zei alleen: 'Ik hoop dat ze het vernietigd heeft.' Het gedicht was een prachtig excuus geweest om die eerste keer naar Angelica toe te gaan en voortaan had hij, als boodschapper van zijn vader, geen voorwendsels meer nodig.

Hij vond Angelica mooi in haar rouwkleding van weduwe. Ze duwde de zwarte sluier vaak naar achteren zodat haar blonde krullen konden dartelen, ze had verleidelijke kuiltjes in haar wangen als ze lachte en ze was heerlijk mollig.

Vandaag escorteerde hij haar met zijn vader naar Gubbio, waar Vincenzo de volgende ochtend namens haar het verkoopcontract van een van de kleinere schapenboerderijen ging tekenen. Angelica wilde zich terugtrekken uit de vieze agrarische kant van de wolproductie en in het vervolg alleen als handelsonderneming optreden. Ze was een slimme zakenvrouw in de dop en ze had besloten met het geld van de verkochte boerderij een kleine wolfabriek in Gubbio te beginnen.

Als dat een succes werd, wilde ze in de loop van de tijd alle fokkerijen van de hand doen en de handel uitbreiden. Voor de fabrieken zou ze personeel in dienst nemen, en ze wilde haar reputatie vestigen als de eerste vrouwelijke wolhandelaar in

Umbrië – en als rijke weduwe. Gervasio twijfelde er niet aan dat haar van alle kanten het hof zou worden gemaakt zodra de voorgeschreven periode van rouw voorbij was.

Hij moest met haar en zijn vader naar een herberg in de buurt van de grote wolmarkt in de ommuurde stad, zodat ze meteen de volgende ochtend naar de notaris konden gaan en een geschikt bedrijfspand zoeken. Ze gingen in het deftige rijtuig dat Angelica's overleden man op haar aandringen had aangeschaft. Twee mooie appelschimmels trokken hen voort.

Ze haalden een kleine uitvaartstoet in en de mannen namen hun hoed af. Angelica schrok. De jonge monnik die de weduwe begeleidde, deed haar heel even denken aan de knappe jonge schurk die haar man had vermoord. Maar hij kon het onmogelijk zijn. Silvano was namelijk gevlucht op de avond van Tommaso's dood; een duidelijk bewijs van schuld.

Angelica, die met warmte aan hem dacht, had zich afgevraagd of hij Tommaso echt uit jaloezie en liefde voor haar had vermoord. Kwaad was ze niet op hem; hij had haar van dat hinderlijke huwelijk verlost.

'Wie wordt er begraven, denk je?' vroeg Vincenzo. 'Een rijk man, afgaande op zijn rijtuig en de kleding van de weduwe.'

'Dat horen we in Gubbio misschien wel. Zo te zien gaan ze daarheen,' zei Gervasio, die zich afvroeg of hij die schimmel niet eerder had gezien. Het paard kwam hem zo bekend voor.

'Dan is hij niet thuis gestorven,' zei Vincenzo. 'Wat treurig voor hem!'

'Daar weet ik alles van,' zei Angelica met een diepe zucht.

'Neemt u me niet kwalijk, madama,' zei Vincenzo, die altijd uiterst beleefd was tegen de vrouw die in afkomst zijn mindere was maar in aardse rijkdommen ver boven hem stond. 'Het was niet mijn bedoeling uw eigen verdriet weer op te rakelen.'

'Vertel eens iets over die monnik met wie jij stond te praten voor we vertrokken,' zei de weduwe tegen Silvano toen Giardinetto niet meer in zicht was.

'Broeder Anselmo?' vroeg Silvano. 'Hij is de kleurenmeester van de abdij. Ik werk voor hem. We maken pigmenten voor de kunstenaars die in Assisi bezig zijn.'

'Woont hij daar al lang?'

'Ik ben er zelf nog niet zo lang, madama, maar ik geloof dat hij er nog maar een paar maanden is.'

'Maar is hij al lang monnik?' hield ze aan. 'Heeft hij de geloften afgelegd?'

'O, ja,' zei Silvano. 'Ik geloof dat hij uit een abdij in het zuiden komt, waar hij jarenlang heeft gewoond.'

Isabella zuchtte.

'Mag ik vragen waarom u dat wilt weten?'

'Ik vond dat hij op iemand leek die ik in Gubbio heb gekend,' zei ze. 'Maar het zal wel een vergissing zijn.'

'Hij heeft nooit gezegd dat hij uit deze streek komt,' zei Silvano, al herinnerde hij zich dat broeder Anselmo heel veel wist van de basilica in Assisi. Hij vroeg zich af of hij kon zeggen dat Anselmo volgens hem de weduwe ook had herkend.

Het leek hem beter van niet. Toen de abt aan tafel de naam van monna Isabella liet vallen, op de avond voorafgaande aan de moord, was Anselmo van streek geraakt. En Anselmo was niet in zijn cel geweest op het moment dat Ubaldo werd doodgestoken.

Hij zette de gedachte van zich af. Broeder Anselmo was net zo min een moordenaar als hijzelf. Maar er was ooit iets voorgevallen tussen de monnik en monna Isabella, daar was hij van overtuigd.

'Ik vind het vervelend dat ik je van je werk houd,' zei ze en hij was opgelucht dat ze van onderwerp veranderde. 'En dat je zo langzaam moet rijden. Je hebt een prachtig paard, dat vast heel snel kan gaan.'

'Het geeft niet, madama,' zei hij. 'Ik vergezel u graag, en ik zal doen wat ik kan om uw verdriet te verzachten.'

Hij meende dat hij achter de zwarte voile haar mondhoeken zag opkrullen.

'Dat is aardig van je. Ik hoop dat je het niet erg vindt dat ik het zeg, maar je klinkt nu meer als een hoveling dan als een monnik.'

'Ik ben nog maar net novice en ik moet nog veel leren,' zei Silvano nederig.

'Dus daarom heb je nog geen tonsuur,' merkte Isabella op.

Hij wilde dat ze niet zo persoonlijk werd, maar ze was bijna oud genoeg om zijn moeder te kunnen zijn en hij kon haar vragen niet ontwijken, behalve dan door te zwijgen.

'En je mocht je eigen paard houden?' ging ze door.

Silvano wist niet wat hij moest zeggen. Chiara wist dat hij geen echte novice was en de meeste monniken in Giardinetto inmiddels ook. Hij wilde niet dat zijn geheim ook in Gubbio op straat kwam te liggen.

'Maak je geen zorgen,' zei Isabella. 'We hebben allemaal wel iets waarvan we liever niet hebben dat anderen het weten. Laten we over leukere dingen praten. Vertel me eens over de schilders in de basilica van Assisi. Ben jij er geweest?'

'Eén keer maar, madama, maar het is een wonder om te zien. Wij maken de kleuren voor Simone Martini, die een kapel in de benedenkerk beschildert. Hij gaat me de fresco's van maestro Giotto in de bovenkerk laten zien als broeder Anselmo en ik hem zijn nieuwe bestelling komen leveren.'

'Heeft hij dan zo veel pigmenten nodig?'

'Ja, zoveel zelfs dat de zusters van Sint-Clara ook voor hem aan het werk zijn. Zuster Veronica leidt al veel langer een kleurwerkplaats dan broeder Anselmo.'

'Ik heb zuster Veronica niet ontmoet, toch? Alleen de abdis – moeder Elena, meen ik – en dat lieve kind, zuster Orsola.'

'Zij helpt zuster Veronica in de werkplaats,' zei Silvano. 'We hebben hen in Assisi ontmoet.'

'Ik vind haar helemaal niet geschikt voor het kloosterleven,' zei Isabella.

'O nee?' zei Silvano. 'Waarom niet, als ik vragen mag?'

'Ze is er ongelukkig onder,' zei Isabella. 'Ik zou graag iets voor haar doen. Ze was zo lief voor me.'

Silvano zweeg. Hij besefte dat hij het heel jammer zou vinden als Chiara wegging. Maar dat was egoïstisch van hem, want zelf was hij ook niet van plan zijn hele leven in Giardinetto te blijven.

De hemel was al donkerblauw tegen de tijd dat ze in Gubbio bij het huis van de koopman waren. Het voltallige personeel kwam naar buiten om een erehaag te vormen en Isabella droeg de knechten op de eenvoudige kist met het stoffelijk overschot naar de salon te brengen, waar Ubaldo overgeplaatst werd in de veel deftiger doodskist die ze had besteld. De volgende ochtend zou ze met de kinderen gaan kijken.

Al met al was de reis nog verrassend snel verlopen, vond Silvano. Monna Isabella kon heel prettig gezelschap zijn en hij had het leuk gevonden om de fresco's van ser Simone voor haar te beschrijven. Ze had nog gezegd dat ze na haar rouwtijd graag naar Assisi zou gaan om ze met eigen ogen te zien. En ze was kennelijk een vrouw met smaak, die veel van kunst wist. Ze had hem verteld dat ze vorig jaar in Siena Simones *Maria Majesteit* had gezien.

Silvano weigerde een uitgebreide maaltijd en hield het bij een haastige slok bier en een stuk brood met kaas omdat hij weer terug wilde. De abdis had gezegd dat ze het oude zadel niet terug hoefde te hebben, zodat hij op de terugweg geen ballast had en hij verheugde zich op een pittige rijtocht.

Silvano liep de zwoele avond in om te wachten tot zijn paard gevoerd en van water voorzien was. Hij wandelde naar het hoofdplein en dook daar meteen weg achter een gebouw op de hoek. Hij had Angelica gezien! Hij wist zeker dat zij het was. Hij vocht tegen de sterke impuls naar haar toe te rennen en zich aan haar voeten te werpen.

Dat zou waanzin zijn. Hij mocht zijn vermomming niet verraden als zijn leven hem lief was. Maar het viel hem zwaar. En toen zag hij dat Angelica in het gezelschap was van een oudere man, die hij herkende. Het leek ongelooflijk, maar dat was Gervasio's vader! En terwijl hij Vincenzo de' Oddini een herberg in zag gaan, ontdekte hij dat Gervasio zelf ook bij het groepje hoorde. Wat had dat te betekenen?

En toen zag hij dat Gervasio zich naar Angelica toe boog, haar iets in het oor fluisterde en met een glimlach werd beloond.

Met bezwaard gemoed ging Silvano naar het huis van de koopman terug. Hij wilde Manestraal meteen uit de stal halen, om zo snel als hij kon terug te jakkeren naar Giardinetto.

9

Zo mooi mogelijk

Silvano had een onrustige nacht in de abdij. Hij had overal spierpijn van de ongewoon snelle rit naar huis en de storm in zijn hoofd wilde maar niet gaan liggen. Er zat geen schot in de zoektocht naar de echte moordenaar van Tommaso, en de glimp die hij van Angelica had opgevangen, had zijn oude gevoel voor haar weer aangewakkerd. Hij kon maar niet begrijpen waarom ze met Gervasio en diens vader omging. Silvano voelde zich afgesneden van zijn familie en de gebeurtenissen in Perugia. Zijn vader zou vast en zeker contact met hem hebben gezocht als de echte moordenaar was gevonden, en om geen enkele andere reden zou hij Silvano's onderduikadres verraden. Maar zonder een enkel bericht viel het wachten hem heel zwaar.

En het werd er niet beter op wanneer hij over de gang van zaken in de abdij probeerde na te denken. Ook hier was iemand vermoord. Zijn wantrouwen dat Anselmo er meer van wist werd sterker. De enige gedachten die hem niet van streek maakten waren die aan Chiara, de onvrijwillige novice.

Uiteindelijk viel hij woelend in slaap en meteen kreeg hij een nachtmerrie over twee zwartgesluierde vrouwen die beschuldigend wijzend, met handen druipend van het bloed, op hem af kwamen. Met een schreeuw werd hij wakker. De klok, die hij meestal wist te negeren, vertelde hem dat het middernacht was, tijd voor de metten.

Silvano durfde niet meer te gaan slapen en ging naar de kapel om met de monniken de getijden te bidden, al hoefden novicen niet midden in de nacht op te staan voor het gebed. Het kalmeerde hem een beetje. Hij vond dat broeder Anselmo er nog steeds gekweld uitzag.

Ze spraken niet met elkaar en Silvano ging weer naar bed om opnieuw een paar uur te liggen woelen en draaien. Toen de klok drie uur later luidde voor de lauden hield hij het voor gezien en stond evenals de monniken op. Na het gebed in de kapel ging hij naar de stal om met Manestraal en Celeste op pad te gaan. Hij wist niet meer of het een ochtend was waarop hij op jacht mocht, maar hij moest en zou er even tussenuit gaan.

Angelica was in haar nopjes met wat ze die ochtend in Gubbio hadden bereikt. Ze hadden een geschikt pand gevonden en een bedrijfsleider aangesteld. De rijkste koopman van de stad bleek kortgeleden te zijn gestorven, wat een prachtig moment was om een nieuw handelsbedrijf op te zetten. Toen ze met Gervasio en zijn vader terugliep naar de herberg zagen ze bij een huis een voordeur waarvan de klopper met leeuwenkop omkranst was met zwart lint. De deur ging dicht achter een man die net het huis verliet.

'Daar zal hij wel gewoond hebben, die koopman die overleden is,' zei ze tegen Gervasio.

'Dat klopt,' zei de man, die een condoleancebezoek had afgelegd. 'Ubaldo. In zijn slaap doodgestoken – in de abdij van Giardinetto.'

'Giardinetto,' herhaalde Angelica en ze dacht aan de langzaam rijdende koets die ze de vorige dag waren gepasseerd. 'Waar ligt dat?'

'Het is een kloosterdorp in de buurt van Assisi,' zei de man. 'Er wonen alleen franciscanen en clarissen.'

'Wat een nare dood. Had hij vrouw en kinderen?'

'Zeker. Monna Isabella is hem gisteren gaan halen. Er zijn vier kinderen.'

'Ze zal wel diepbedroefd zijn.'

De man knikte en hief zijn hoed ten groet voor hij wegliep.

'Niet alle echtgenotes zijn diepbedroefd als hun man doodgaat,' zei Gervasio, zo zacht dat zijn vader het niet kon horen.

Toch zouden ze verbaasd zijn geweest als ze hadden gezien hoe kalm en waardig Isabella haar huishoudelijke plichten afhandelde. 's Ochtends was er een niet-aflatende stroom van komende en gaande vrienden en buren die afscheid kwamen nemen van Ubaldo en haar wilden condoleren.

De dag was vreselijk begonnen, toen ze heel vroeg met de kinderen naar beneden moest om ze bij hun vader te brengen. Inmiddels was hij in zijn mooiste, met kant afgezette nachthemd gekleed en er hadden de hele nacht zoete kruiden gebrand, maar niets kon de geur van bloed en het intredende verval van het lijk verhullen.

Isabella zette er zo veel mogelijk vaart achter en nam de kinderen daarna mee naar de keuken, waar ze gebak en een slok zoete wijn kregen. Ze hield toezicht op de hoeveelheden eten en drinken voor het vele bezoek dat werd verwacht en ze moest de planning voor het begrafenisdiner maken. Hoe eerder Ubaldo onder de grond lag, hoe beter.

Voor haar geestesoog zag ze de lange, fraai gedekte eettafel vol delicatessen, met in het midden het enorme tafelstuk. Ze zou Ubaldo in grote stijl uitluiden. En daarna gaf ze dat monsterlijke bakbeest weg. Ze had het niet meer nodig. Nooit zou er nog iemand aan haar tafel zitten die ze niet kon luchten of zien. Als rijke weduwe zou ze na verloop van tijd misschien wel weer een aanzoek krijgen. Maar als Isabella ooit nog trouwde, zou het alleen uit liefde zijn.

De abt van Giardinetto was op bezoek bij de abdis. Zo'n bijeenkomst zonder dringende reden was een zeldzaamheid, maar het waren nu eenmaal buitengewone dagen.

Ze zaten een poosje te praten over de onrust die beide kloosters in de greep hield.

'Bent u de moordenaar al op het spoor?' vroeg de abdis.

De abt schudde zijn hoofd. 'Het moet een insluiper zijn geweest – iemand die een oude rekening kwam vereffenen. Een succesvol zakenman als hij zal wel vijanden hebben gemaakt. Iemand moet hem vanuit Assisi gevolgd zijn en gewacht hebben tot iedereen sliep.'

'En daarna is diegene de abdij uit gevlucht,' zei de abdis. 'Het is niet moeilijk om ongezien weg te komen.'

'Ik wil een reinigingsceremonie houden in de kapel,' zei de abt. 'Kunnen de zusters ook aanwezig zijn? Ik vind dat beide kloosters ontheiligd zijn.'

'Dat is een goed idee,' stemde de abdis in. 'Ze zijn allemaal bang en uit hun doen. Ik zal zeggen dat alles daarmee voorbij is en de bijzondere mis zal ze helpen om weer terug te keren tot de orde van de dag.'

'Ik hoop dat het ook zo uitpakt voor de monniken,' zuchtte de abt. 'Ik heb ze nog nooit zo ontwricht meegemaakt. De abdij wemelt van de geruchten.'

'Wat voor geruchten?'

'Tja, u hebt onze jonge novice toch ontmoet?'

'Broeder Silvano?'

De abt verschoof onbehaaglijk op zijn stoel. 'Eigenlijk is hij niet echt een broeder. Wij verschaffen hem bescherming op verzoek van een oude vriend van me. Tot het veilig voor hem is om naar Perugia terug te gaan, gaat hij bij ons door voor novice.'

'En waarom had hij bescherming nodig?'

'Hij wordt van moord verdacht,' bekende de abt. 'Er is op straat in Perugia een man doodgestoken en Silvano was degene die het lichaam vond.'

'Doodgestoken!' riep de abdis uit. 'En toch houdt u vol dat Ubaldo's moordenaar iemand van buiten was?'

'Silvano is geen moordenaar,' zei de abt. 'Hij is een gehoorzame, goedhartige jongen. Waarom zou hij Ubaldo vermoord hebben?'

'Waarom wordt hij van die andere moord verdacht?'

'Het praatje ging dat hij... eh... onder de bekoring van de vrouw van die man was.'

'Zo,' zei de abdis. 'Dat kan in ieder geval niet het geval zijn geweest bij de koopman.'

'Ik ben ervan overtuigd dat hij er niets mee te maken heeft,' zei de abt.

'Toch ziet het er slecht voor hem uit zolang ze niet ontdekt hebben wie de man in Perugia wél heeft doodgestoken, nietwaar?' zei de abdis. 'En hoe onschuldig hij ook mag zijn, hij kan niet eeuwig in Giardinetto blijven. Het zou vreemd overkomen als hij jarenlang novice bleef.'

De abt besloot haar niet te vertellen dat er een monnik was met een motief om Ubaldo te doden. Hij wilde net als zij geloven dat het moorden voorbij was.

De volgende ochtend was de opkomst van de nonnen en monniken zo groot dat de kapel uitpuilde. De abt ging voor in de ceremonie en reciteerde op gedragen toon troostrijke woorden.

Door het ruimtegebrek moesten de novicen achterin blijven staan. Het lukte Chiara om een blik met Silvano te wisselen. Ze wilde met hem praten over Isabella en broeder Anselmo, en ze hoopte ook dat hij haar meer over zijn leven in Perugia zou vertellen. Chiara had geraden dat Silvano van adel moest zijn omdat hij een superieur paard en een jachtvogel had. Ze wilde van hem horen dat hij niets meer gaf om de vrouw van die vermoorde man. Maar het was in de kloosterwereld praktisch onmogelijk voor twee jonge mensen die niet van hetzelfde geslacht waren om langere tijd alleen te kunnen zijn voor een gesprek, al woonden ze nog zo dicht bij elkaar.

Later die dag deed zich toch een gelegenheid voor. De twee novicen kwamen elkaar weer tegen bij Simone Martini in de basilica. De kunstenaar toonde veel meer enthousiasme dan zijzelf konden opbrengen voor de lading saaie groene verf die broeder Anselmo en zuster Veronica hem hadden gebracht.

'Maakt u uw eigen wit?' vroeg Silvano aan de schilder, bij de herinnering aan zijn gesprek met broeder Fazio.

'Dat doen mijn werklui,' zei Simone. 'Zij mengen de gesso voor de muren in een werkplaats hier bij de kathedraal en ze maken ook grote hoeveelheden pleisterkalk.'

'Het wit van Sint-Johannes,' zei Silvano.

Simone trok zijn wenkbrauwen op, onder de indruk. 'Inderdaad, al wordt het hier voor Sint-Martinus gebruikt. Het is geen geschoold werk. De werklui mengen kalk en water in emmers en moeten het acht dagen omroeren. Daarvan maken ze plakken, die ze in de zon te drogen leggen. We noemen dat *biacca*.'

'Kunnen zij uw pigmenten niet voor u maken, ser Simone?' waagde Chiara te vragen.

'Zo'n taak zou ik mijn werklui niet toevertrouwen, zuster,'

antwoordde hij. 'Mijn helpers kunnen het natuurlijk wel, maar zij zijn nu eenmaal hier nodig.'

Hij gebaarde naar de steigers waar een aantal mannen werkte aan de handen van de figuren op bijna voltooide fresco's.

'Mijn broer Donato,' zei Simone, 'en mijn vrienden Lippo en Tederigo. Ze werken in mijn *bottega* in Siena. Ik zou deze opdracht zonder hen nooit afkrijgen.' De kunstenaars keken omlaag, groetten het bezoek met een lachje en draaiden zich weer om naar hun nauwkeurige werk.

Toen de dagvoorraad kleuren de kapel in was gebracht, bood Simone zijn bezoekers aan naar de bovenkerk te gaan en hun het leven van de heilige Franciscus te laten zien. Als trouwe volgelinge van de heilige was zuster Veronica gefascineerd, en ook Silvano en Chiara raakten geboeid omdat de kunstenaar de afbeeldingen zo levensecht had gemaakt. Alleen broeder Anselmo scheen zichzelf te moeten dwingen belangstelling voor de schilderijen op te brengen.

'Zo mooi mogelijk,' zei Simone. 'Dat is onze verantwoordelijkheid hier. Wij kunstenaars moeten het huis van God zo mooi mogelijk maken. Ik doe mijn uiterste best in de benedenkerk, maar het is een enorme opgave om maestro Giotto te evenaren.'

Het schip van de kerk was al helemaal beschilderd – de muren, plafonds, kapellen, zelfs de smalle pilaren en de bogen die tot in het dakgewelf reikten. Het was een zee van levendige kleuren en het duurde even voordat hun ogen, die ingesteld waren op de schemering in de benedenkerk, eraan gewend waren. De schilder begon zijn vervolgverhaal over het leven van de heilige bij de noordkant van het schip. Daar hing een schilderij van het centrum van Assisi, met in het midden een Griekse tempel die tussen twee moderne gebouwen stond geperst.

Franciscus, getooid met een aureool, kwam gekleed in een donkere mantel van links aanlopen. Rechts spreidde een man zijn mantel uit over de grond zodat de heilige eroverheen kon lopen.

'Het is een doodgewone man,' zei Simone. 'Geen voornaam heerschap zoals die anderen daar, met hun rode, gouden en witte mantels. Maar alleen hij herkent de heiligheid van Franciscus en betuigt hem eer.'

In het volgende tafereel gaf de heilige, die zijn eigen paard had, een nog veel weelderiger, gouden mantel aan een arme ridder.

'Net als Sint-Martinus!' riep Silvano uit. 'Droomde hij daarna dat de arme man Onze-Lieve-Heer was?'

'Nee,' zei Simone. 'Franciscus' droom gaat over een paleis vol wapens, die het teken van het kruis dragen. Dat betekent dat hij een daad heeft verricht die een ridder waardig is, en de wapens zijn voor hem en zijn volgelingen.'

Hij vervolgde zijn uitleg van de fresco's en gaandeweg, toen de kleurenmeester en -meesteres meegesleept werden door het verhaal, lukte het de novicen een stukje achter te blijven.

'Prachtig zijn ze, hè?' zei Silvano.

'Nou,' beaamde Chiara. 'Ik wist niet dat zoiets bestond. Ik begrijp alleen niet waarom de kerk die aan de heilige is gewijd een feest van licht en kleur is, terwijl wij, die ons zogenaamd gewijd hebben aan de orde die hij heeft opgericht, zo somber en kleurloos moeten leven.'

'Vind je het dan zo vreselijk?' vroeg Silvano.

'Voor jou is het anders,' zei Chiara. 'Op een dag ga je weer weg, maar ik moet hier mijn hele leven blijven.'

'Ik weet niet wanneer die dag zal komen,' zei Silvano. 'En misschien gebeurt er wel iets waardoor jij ook weg kunt. Ik weet dat monna Isabella zich je lot aantrekt en iets voor je wil doen. Kun je haar niet schrijven?'

Chiara keek dankbaar naar hem op. 'Wat aardig van haar. Misschien doe ik dat wel. Hoe hield ze zich toen je haar naar huis bracht?'

'Ze was heel kalm en beheerst,' zei Silvano. 'Die dame is sterk. Ik denk dat ze wel over de dood van haar man heen zal komen.'

Hij hoorde een geluidje dat op een erg onreligieus, onderdrukt geproest leek.

'Natuurlijk komt ze eroverheen! Ze had een hekel aan hem.'

Silvano was onthutst. 'Had ze een hekel aan hem? Maar ze was helemaal van de kaart in de abdij. Volgens mij viel ze bijna flauw toen ze zijn doodskist in het rijtuig zetten.'

'Dat kwam omdat ze jullie broeder Anselmo had gezien,' zei Chiara.

'Hoezo?'

'Vroeger heette hij Domenico en ze waren verliefd op elkaar toen ze jong waren,' zei Chiara. 'Het is een heel treurig verhaal. Ubaldo heeft haar van hem afgepakt. Haar familie piekerde er niet over haar met een arme geleerde te laten trouwen toen een rijke koopman een aanzoek deed.'

'Dus daarom is broeder Anselmo monnik geworden,' zei Silvano. 'Dat verklaart veel.'

'Ja, maar Isabella wist dat niet, tot gisteren dan. En nu is ze vrij en zou ze met hem kunnen trouwen, maar hij heeft natuurlijk de gelofte van het celibaat afgelegd.'

'Kom, zuster Orsola,' riep Veronica. 'Hier zie je onze heilige Clara.'

Ze gingen snel achter de anderen aan, zodat Simone hun het schilderij kon laten zien van Sint-Clara en haar medenonnen bij de uitvaart van Sint-Franciscus. De heilige lag opge-baard onder een met goud versierd kleed en Clara boog zich treurend over hem heen, bijna alsof ze hem in haar armen wilde nemen. Op de achtergrond stonden de andere nonnen verdrietig met elkaar te fluisteren. Een van hen leek wel wat op Chiara.

Silvano kon zijn hoofd niet bij het verhaal houden. Monna Isabella en broeder Anselmo waren verliefd op elkaar geweest! En Ubaldo had hen uit elkaar gedreven. Anselmo moest hem wel gehaat hebben. Toch kon Silvano de vriendelijke, vrome man die hij kende niet zien als iemand die uit jaloezie tot moord in staat was. Hij probeerde zich voor te stellen hoe hij zich zou voelen als een ander hem Angelica had afgepakt, maar riep zichzelf toen tot de orde. Dat lag heel anders. Hij had amper een woord met haar gewisseld; ze was de zijne niet. Ze was al met een ander getrouwd voor hij haar leerde kennen. En hij had die man niet vermoord.

Ze waren nu bij de laatste schilderingen aan de zuidzijde ge-komen en stonden bijna weer bij de trap naar de benedenkerk. Simone legde uit dat hier de wonderen te zien waren die na de dood van Franciscus hadden plaatsgevonden. Zuster Veronica zag erop toe dat Chiara elk detail in zich opnam en niet weer achterbleef met die knappe novice.

Toen ze in de benedenkerk terug waren en de schilder aan de nonnen liet zien waar er nog meer schilderingen moesten ko-men, besloot Silvano met de kleurenmeester te praten over wat hij gehoord had. Hij kon zijn nieuwsgierigheid domweg niet langer bedwingen.

'Broeder Anselmo, is het waar dat u... dat u monna Isabella vroeger hebt gekend?'

Misschien was dit het enige wat Anselmo wakker wist te

schudden uit zijn overpeinzingen. Geschrokken zei hij: 'Hoe...?' Toen veranderde hij zuchtend van gedachte. 'Dat is waar,' zei hij. 'Ik had haar in bijna twintig jaar niet meer gezien, tot ze gisteren naar de abdij kwam. Ik heb gebeden en tegen mijn gevoelens gevochten, maar alleen al het zien van Isabella heeft al die jaren van toewijding in dienst van Onze-Lieve-Heer ongedaan gemaakt. Ik ben schuldig.'

'Maar toch niet schuldig aan moord?' fluisterde Silvano.

Broeder Anselmo keek hem verwijtend aan.

'Ik bedoel, ik weet zeker dat u Ubaldo niet hebt vermoord,' zei Silvano snel. 'Weten de andere monniken van uw geschiedenis met monna Isabella?'

'Abt Bonsignore wel,' zei Anselmo. 'Ik heb hem verteld waarom ik monnik ben geworden toen ik naar Giardinetto kwam. Maar hij kende niet de namen van de vrouw die ik liefhad en de man die met haar trouwde. Die heb ik hem gisteren pas verteld, toen hij me ondervroeg. Hij wilde weten hoe het in zijn werk ging toen ik jou op de avond van de moord sprak, en ik vertelde hem dat ik een frisse neus was gaan halen. Hij vroeg me op de man af of ik naar Ubaldo's cel was gegaan.'

Silvano hield zijn adem in.

'Ik zei dat die gedachte wel in me was opgekomen,' vervolgde Anselmo. 'De verleiding was wel heel sterk om uit te zoeken hoe hij haar door de jaren heen had behandeld. Het zou alleen al een zoete kwelling zijn geweest om hem haar naam te horen uitspreken. Maar ik heb die verleiding weerstaan en ben in plaats daarvan een wandeling in de tuin gaan maken.'

'Ze had een hekel aan hem,' zei Silvano. 'Ze is altijd van u blijven houden. Dat heeft ze Chiara verteld, zuster Orsola bedoel ik.'

Anselmo ging plotseling op een traptrede zitten en verborg zijn hoofd in zijn handen.

'Het is een nachtmerrie,' zei hij. 'Ik heb de abt gisteren over mijn oude band met Ubaldo verteld en hij gelooft in mijn on-schuld. Maar als het verhaal bekend wordt in de abdij, kan ik er niet op hopen dat de andere broeders net zo veel vertrouwen in me hebben. Ik ben hier nog maar zo kort.'

'Ik hou mijn mond,' beloofde Silvano. 'Kunnen we niet pro-beren uit te zoeken wie de echte moordenaar is?'

Voor het eerst in dagen kon er bij Anselmo een glimlach af. Silvano's vertrouwen in hem was balsem voor zijn gekwetste gevoelens.

'Ja, natuurlijk. Alleen... hoe pakken we dat aan? Jij zit in de-zelfde situatie als ik, nietwaar, met die man in Perugia?'

'Jawel, maar ik ben uit die stad weg en kan daar niets begin-nen,' zei Silvano. 'We zijn wél allebei hier. We kunnen niet toe-laten dat u onder verdenking komt te staan, en een van de an-dere monniken trouwens ook niet.'

'Tenzij een van ons schuldig is,' zei Anselmo.

Simone was blijven staan om met een lange, roodharige man te praten die aan een muur in de zuidelijke dwarsbeuk be-zig was. Hij had de zusters aan hem voorgesteld en wenkte nu de franciscanen. Silvano vond dat het lange gezicht van de man vaag bekend leek, maar hij had geen idee waar hij hem eerder gezien kon hebben.

'Dit is mijn oude vriend en rivaal Pietro Lorenzetti,' zei Si-mone. 'Ik ken hem en zijn broertje Ambrogio al vanaf dat we jonge jongens waren in Siena. We zijn al jaren elkaars concur-rent als het om opdrachten gaat. Wat een bof dat ik hem nu weer hier in Assisi tref.'

Pietro boog hoffelijk voor ieder van hen.

'Simone zegt dat u en de eerwaarde zusters hem van pig-menten voorzien,' zei hij. 'Wilt u dat ook voor mij doen? Nu ik gezien heb op welke grote schaal ik hier moet schilderen, betwijfel ik of ik lang toekan met de voorraad die ik bij me heb.'

'Het is me een eer u van dienst te zijn,' zei broeder Anselmo, die zijn zelfbeheersing had teruggevonden.

'Ik denk wel dat het ons zal lukken u beiden aan kleuren te helpen,' zei zuster Veronica. 'We moeten nóg harder aan de slag in de kleurwerkplaats, zuster Orsola. Moeder Elena zal er blij mee zijn, want het is allemaal ter meerdere glorie van Sint-Franciscus.'

'Hoe vond u de schilderingen van maestro Giotto?' vroeg Pietro. 'Simone heeft me verteld dat u ze nog niet eerder had gezien.'

'Ik heb er geen woorden voor,' zei broeder Anselmo. 'Hij is een genie op uw vakgebied.'

'Hebt u hem wel eens ontmoet?' vroeg Silvano.

De Siënese schilders schudden hun hoofd. 'Onze leermeester was Duccio di Buoninsegna,' lichtte Simone toe. 'We bewonderen het werk van de grote Giotto, maar we zijn in de leer geweest bij Duccio.'

'Hij was degene die de *Maestà* heeft geschilderd voor de kathedraal in Siena,' zei Anselmo tegen Silvano. 'Het leven van Maria.'

'Hebt u het werk gezien?' vroeg Pietro gretig.

Anselmo knikte. 'Ik was erbij toen het de kathedraal in werd gedragen.'

'Ach ja,' zei Simone. 'Dat was me een feestdag! Het is nu vijf jaar geleden, maar ik weet het nog als de dag van gisteren. Het was een grote optocht van het atelier van de maestro door de straten van Siena omhoog naar de kathedraal van de Maagd op de heuvel. Het hele stadsbestuur was er, en alle andere edelen en notabelen waren er ook.'

'En vergeet het volk niet,' voegde Pietro eraan toe. 'Iedereen kwam toegestroomd en droeg een kaars mee. Het was één grote, kerkelijke feestdag en naderhand hebben we in het atelier nog lang doorgefeest. Weet je nog, Simone?'

'Reken maar,' lachte de schilder. 'Ik weet ook nog heel goed wat een vreselijke koppijn ik de volgende dag had, met excuus, zusters!'

'We waren toen natuurlijk Duccio's leerlingen niet meer, al volgde Ambrogio nog wel wat lessen bij hem,' zei Pietro. 'Simone en ik hadden onze eigen bottega's. Maar we zijn nog steeds met hem bevriend.'

'Leeft hij dan nog?' vroeg Chiara.

'Ja, maar hij is al wel stokoud,' zei Simone ernstig. 'Hij schildert niet veel meer. Maar hij en Giotto di Bondone blijven de grootste kunstenaars van Italië. Wij kunnen er alleen naar streven even goed te worden.'

'En toch hebt u uw eigen Madonna met Kind in Siena geschilderd, meen ik,' zei zuster Veronica.

Simone maakte een elegante hoofdbeweging. 'Ik voel me vereerd dat u ervan hebt gehoord,' zei hij. 'Maar nu moet ik naar mijn Sint-Martinus terug, anders krijg ik de kapel nooit op tijd af.'

En het bezoek uit Giardinetto vertrok.

'De volgende keer kunnen we net zo goed samen reizen, zuster Veronica,' zei broeder Anselmo. 'Eén wagen is genoeg en we hoeven geen onnodig beslag te leggen op de tijd van uw koetsier.'

Silvano en Chiara keken elkaar even aan. Dan konden zij meer tijd samen doorbrengen en de kans krijgen nog wat te praten. Dat was voor hen allebei belangrijk geworden.

10

De mundualdus

'Dus broeder Fazio heeft je over zijn miniatuurkunst verteld?'
vroeg Anselmo toen hij en Silvano naar de abdij teruggingen.

'Hij is echt goed,' zei Silvano. 'Ik heb het evangelie gezien
waaraan hij werkt.'

'Zijn evangelie van Johannes?' zei Anselmo. 'Het is een
meesterwerk, hè?'

'Schitterend,' zei Silvano. 'Dat beviel me veel beter dan toen
hij me liet zien waar hij zijn loodwit maakt.'

'Ah,' glimlachte Anselmo. 'De stinkschuur. De broeders geloven dat Fazio geen reukvermogen heeft. Dat komt mooi uit
bij dat aspect van zijn werk.'

'Het is wel een apart figuur,' zei Silvano.

'Toen ik hier pas was, vond ik dat hij argwanend deed,' zei
Anselmo. 'Hij is tenslotte een expert als het op kleuren aan-
komt. Maar de pigmenten die wij leveren aan kunstenaars als
Simone Martini zijn helemaal niet geschikt voor miniatuur-
werk, en omgekeerd. Fazio en ik zijn inmiddels aan elkaar gewend, hebben ons eigen specialisme en ik geloof dat hij me
niet meer als een bedreiging ziet.'

'Iedereen in de abdij gaat wel goed met elkaar om, hè?' zei
Silvano. 'Het is me opgevallen dat de broeders het goed met elkaar kunnen vinden.'

'Over het algemeen wel,' zei Anselmo. 'Ieder heeft zijn eigen bezigheden en dat maakt veel uit. Maar soms voelt een broeder zich wel eens door een ander op de teentjes getrapt. Zo meen ik dat broeder Valentino en broeder Rufino het lang niet altijd met elkaar eens zijn.'

'Broeder Rufino is hoofd van de ziekenzaal, dat weet ik,' zei Silvano. 'Maar Valentino?'

'Hij is de herborist, die geneeskrachtige kruiden verzamelt. Je begrijpt dat hij en broeder Rufino grotendeels met hetzelfde werk bezig zijn.'

'In Assisi zei u dat een van de broeders de moordenaar zou kunnen zijn...'

'Ik wil dat liever niet geloven,' zei Anselmo snel.

'Zullen we een poging doen erachter te komen?' vroeg Silvano. 'Ik zou het vreselijk vinden als iemand u gaat verdenken.'

'Dat gebeurt niet,' zei Anselmo. 'Je weet toch dat ik alleen jou en abt Bonsignore over monna Isabella heb verteld.'

'Maar toch,' drong Silvano aan. 'Het zou toch fijn zijn als we de echte schurk konden vinden?'

'Je bent een beste jongen,' zei Anselmo. 'En ik denk dat het een pak van je hart zou zijn als je een onschuldige kon vrijpleiten. Maar hoe moeten we zoiets aanpakken? De abt heeft alle broeders ondervraagd en blijkbaar geen schijn van bewijs gevonden dat de moordenaar van binnen de kloostermuren kwam.'

'Is er dan niets wat we kunnen doen?'

'Nu niet meer, helaas. De moordenaar is allang gevlucht.'

'We kunnen het aan monna Isabella vragen,' stelde Silvano aarzelend voor. 'Of liever, zuster Orsola kan het doen. Die ziet haar vast wel terug. Zij kan naar vijanden van Ubaldo vragen.'

Anselmo's voorhoofd plooide zich in rimpels van oud verdriet.

'Ik wil haar niet onnodig van streek maken,' zei hij zacht.

Silvano bleef een tijdje stil en vroeg zich af wanneer hij de mooie Chiara weer zou zien.

'Wanneer gaan we weer naar ser Simone?' vroeg hij. 'En nu natuurlijk ook ser Pietro.'

'Er is nog niets afgesproken,' zei Anselmo. 'Ze komen eerst weer bij ons in de abdij. Simone wil met ons over ultramarijn praten. We verwachten ze overmorgen.'

Het was de dag van Ubaldo's begrafenis. De familiekring bestond uit Isabella, haar vier kinderen en Umberto, de jongere broer van de koopman. Hij was een lange, grimmig kijkende man met een afschrikwekkende houding en Isabella had altijd het gevoel gehad dat hij niets van haar moest hebben. Voor het eerst was ze dankbaar dat haar man niet thuis was overleden. Het zou echt iets voor haar zwager zijn om haar er dan van te verdenken dat ze zelf de hand in zijn dood had gehad.

Dat was oneerlijk, want ze was al die jaren een toegewijde echtgenote geweest, die haar eigen gevoelens had onderdrukt om het Ubaldo naar de zin te maken en zijn huiselijk leven zo behaaglijk mogelijk te laten verlopen. Ze had het alleen niet kunnen opbrengen van hem te houden; daar kon ze niet toe gedwongen worden. Maar dat kon Umberto toch niet weten? Ze had zich in zijn bijzijn altijd onberispelijk gedragen.

Ook nu was er niets aan te merken op haar gedrag en rouwkleding bij de requiemmis. De kinderen waren zo overstuur dat ze uit medelijden met hen zelfs een traantje plengde. Maar Umberto, die haar vanonder zijn kap in de gaten hield, leek regelrecht in haar ziel te kijken en ze voelde zich een bedriegster.

Bij het diner werd veelvuldig gedronken, om op gepaste wijze eer te betuigen aan de herinneringen aan de koopman. Van de gasten bleef alleen Umberto achter. Hij vroeg Isabella om wijn voor hen beiden in te laten schenken in Ubaldo's werkkamer. Ze liet de kinderen aan een bediende over en ging met lood in de schoenen met hem mee. Ze wist zeker dat ze niet graag wilde horen wat hij te zeggen had.

'Zo, schoonzuster,' begon hij. 'We moeten praten over de zaken van mijn broer. Om te beginnen moet je natuurlijk een mundualdus aanstellen. Ik stel me beschikbaar.'

Daar was Isabella al bang voor geweest.

'Dank je, zwager,' dwong ze zich te zeggen, zo luchtig als ze maar kon. 'Dat is heel attent van je. Maar ik heb tijd nodig om beslissingen te nemen. Ik heb het zo druk gehad met de voorbereidingen voor de begrafenis.'

'Tja, je hebt mijn broer zeker een mooie uitvaart bezorgd,' zei Umberto wrevelig. 'Wacht niet te lang met je beslissing. Ik wil binnen een week je antwoord weten.'

Bij zijn vertrek was het alsof er een dreigende donderwolk uit het huis verdween. Isabella ging naar bed en sliep tien uur lang aan een stuk door.

Ze werd wakker gemaakt door haar kamenier, die meedeelde dat er een jonge vrouw was om haar te spreken. 'Een weduwe, madama, net als u, en ook nog niet zo lang, aan haar rouwkleding te zien. De jongeheer die haar vergezelt gaf de naam Angelica van Perugia.'

Isabella begreep er niets van, maar ze maakte haast om naar haar onverwachte gast te kunnen gaan. Op weg naar haar privésalon merkte ze dat ze opmonterde. Voortaan kon ze haar gasten in die mooie kamer ontvangen zonder bang te zijn voor de afkeuring van Ubaldo. De zon scheen door het raam en buiten zongen de vogels alsof ze vrijgelaten waren uit een kooi.

De naam die haar kamenier had genoemd, zei Isabella niets en ze kende de mollige, mooie blondine die opstond toen ze binnenkwam niet. Haar rouwkleren waren even zwart als die van Isabella en de gastvrouw zag meteen aan de materialen en de modestijl dat ze duur waren.

'Madama,' begroette ze haar gast met een knikje.

'Neemt u mij niet kwalijk dat ik u kom storen in uw tijd van verdriet, madama,' antwoordde de jonge vrouw.

'Ik zie dat u onlangs eenzelfde verlies hebt geleden,' zei Isabella droog. Haar intuïtie zei haar dat Angelica net zo min verdrietig was als zijzelf. Bij het raam stond een jongeman, die voor haar boog. Hij was buitengewoon knap om te zien, al vond ze hem wat overdreven fatterig, en tussen die twee hing een onmiskenbare sfeer van samenzwering.

'Zeker,' zei Angelica. 'Mijn man is nog maar een maand geleden overleden – in dezelfde omstandigheden als die van u.'

Onwillekeurig vloog Isabella's hand naar haar mond.

'Is hij vermoord?' vroeg ze.

'Ja, op straat doodgestoken,' zei Angelica kalm. 'Maar ik ben over de schok heen. Ik kom niet over zijn dood praten. Ik kom u vertellen dat ik me als wolhandelaar wil vestigen in Gubbio.'

Dat was wel het laatste wat Isabella verwacht had. Ze wist geen antwoord.

'Ik kom het u vertellen omdat me dat wel zo eerlijk leek als we concurrenten worden,' zei Angelica.

'En wie is dat?' vroeg Isabella, wijzend op de jongeman bij het raam. 'Gaat hij de zaak voor u leiden?'

'Gervasio de' Oddini, tot uw dienst,' zei de jongeman zwierig. 'En nee. Ik ben hier slechts als begeleider van monna Angelica.'

'Zijn vader is mijn mundualdus,' legde Angelica uit. 'We

hebben niet hem maar een ander als bedrijfsleider aangesteld in Gubbio. Mag ik weten wat uw plannen zijn? Gaat u de wolhandel van uw overleden man voortzetten?'

Isabella moest wel bewondering voelen voor die jonge vrouw, die haar zo zelfverzekerd benaderde. Ook was het duidelijk dat ze haar mundualdus om haar vinger kon winden, als hij toestond dat zijn knappe zoon haar escorteerde. Ze kon zich niet voorstellen dat Umberto in haar situatie even welwillend zou zijn.

'Hoe oud bent u?' vroeg ze opeens.

'Nog geen twintig, madama,' antwoordde Angelica, die haar ogen neersloeg in een veelvuldig beoefende schijn van fatsoen.

'Wilt u ons even alleen laten, messer Gervasio?' vroeg Isabella, die opstond om de bel te luiden. 'Ik heb onder vier ogen het een en ander met monna Angelica te bespreken. Mijn bediende brengt u naar de werkkamer van wijlen mijn man en zal u daar van een verfrissing voorzien.'

Toen de twee weduwen alleen achterbleven, werd de sfeer meteen vertrouwelijker.

'We worden nu eenmaal elkaars concurrenten als we allebei in Gubbio in wol handelen,' zei Angelica. 'Maar ook zijn we allebei vrouwen die zich willen waarmaken in een mannenwereld. Zou het geen idee zijn om onze krachten te bundelen?'

'Laten we niets overhaast doen,' zei Isabella. 'Je vraagt me naar mijn plannen, maar die kan ik pas bekendmaken als ik weet wie mijn mundualdus wordt. Mijn zwager wil dat ik hem benoem, maar ik weet dat hij me niet mag.'

'Zou hij wel voor de belangen van je kinderen opkomen?'

'Ja, dat wel. Het zijn tenslotte ook de kinderen van zijn broer. Ik geloof niet dat hij ons zou bedriegen. Maar hij zou het nooit eens zijn met wat ik wil.'

'En dat is?' vroeg Angelica.

'Nou, het zou wel eens kunnen...' zei Isabella, 'dat ik... ik bedoel, na verloop van tijd... heel misschien zou ik nog wel eens kunnen hertrouwen.'

Angelica lachte, een hoog, tinkelend en verre van bedroefd lachje. Isabella benijdde haar die jeugdige luchthartigheid.

'Daar twijfel ik niet aan,' zei Angelica. 'Je bent mooi, monna Isabella, en bovendien steenrijk. Ik koester zelf ook zulke gedachten.' Haar blik gleed naar de deur waardoor Gervasio verdwenen was. 'En hoe zou je zwager dat vinden? Vooral als hij ook nog eens je wettelijke vertegenwoordiger was?'

Isabella zweeg. Sinds ze Domenico had teruggezien bij de abdij was haar hart in rep en roer. Ze had haar best gedaan niet aan hem te denken terwijl ze regelingen trof voor de uitvaart van haar man. Dat zou gebrek aan respect voor Ubaldo betekenen en ze wilde haar fatsoensnormen hooghouden. Maar op de momenten waarin ze niet aan haar eigen hoge maatstaven had voldaan, was ze tegen het onomstotelijke feit aangelopen dat Domenico nu een monnik was die de geloften had afgelegd.

Dat hield twee tegenstrijdigheden in: Domenico had zich aan zijn woord gehouden en was niet met een ander getrouwd, maar hij was nu even onbereikbaar voor haar als toen Ubaldo nog leefde. En toch kon ze niet geloven dat het lot hen bij de dood van haar man weer bij elkaar had gebracht als het niet de bedoeling was dat ze een manier zouden vinden om samen te zijn.

'Monna Isabella,' zei Angelica en ze schrok op uit haar overpeinzingen. 'Vind je het niet al te brutaal van me als ik je een goede raad geef?'

'Natuurlijk niet,' zei Isabella. 'Ik heb het advies van een andere vrouw hard nodig. En jij lijkt erg zeker van je koers.'

'Voor jou lag het misschien anders,' zei Angelica, met een schrandere blik naar Isabella, 'maar ik hield niet van mijn man. Het was een huwelijk dat mijn ouders hadden gearrangeerd en hij was veel ouder dan ik. Het is een opluchting dat hij dood is. Ik raad je het volgende aan: kies als je zaakgelastigde de vader van de man van wie je echt houdt, als hij nog leeft. Dan sta je onder bescherming van de vader en heb je het gezelschap van de zoon. En met het fortuin dat je van je man erft, hoef je weinig weerstand tegen je plannen te verwachten.'

Isabella glimlachte treurig. Die vrijpostige jonge vrouw, die bruiste van onbehouwen vitaliteit, zag het leven met de ogen van iemand die nog geen twintig jaar had rondgekeken. Het was twijfelachtig dat Domenico's vader nog leefde.

Ze wilde net een opmerking in die richting maken, toen ze een ingeving kreeg.

'Daar kon je wel eens gelijk in hebben,' zei ze. 'Dank je voor je advies. Ik zal een manier vinden om het op te volgen.'

Baron Montacuto was geen gelukkig mens. Hij had talloze ongemakkelijke gesprekken gevoerd met afgezanten van de Raad van Perugia, maar ze bleven op zoek naar zijn zoon voor de moord op Tommaso de schapenboer.

'Ik zou het niet weten,' was zijn onbeschaamde antwoord op de vraag waar Silvano kon zijn.

'Dat is op zich toch al een duidelijke schuldbekentenis?' vroeg de *capitano*. 'Alleen iemand die schuldig is vlucht de stad uit zonder zelfs zijn ouders te vertellen waar hij naartoe is.'

'Hoe zou een onschuldige zich dan gedragen?' vroeg Montacuto woedend. 'Was die soms wel gebleven om gearresteerd te worden voor een moord die met zijn dolk was gepleegd? De echte moordenaar heeft die dolk gestolen.'

'Weet u wel zeker dat zijn dolk is gestolen?' vroeg de capitano.

'Zo zeker als ik hier zit,' zei de baron gedecideerd. 'Mijn zoon is geen moordenaar.'

Hij verweerde zich met hand en tand, maar hij wenste vurig dat hij een bewijs had om Silvano van de aanklacht te kunnen verlossen. Hij miste zijn zoon elke dag en wilde hem uit Giardinetto terughalen. Maar het was zonneklaar dat de kust nog niet veilig was.

Zijn eigen onderzoek had één belangrijk nieuwtje opgeleverd. Tommaso was niet alleen een succesvolle schapenboer geweest, hij had nog een tweede handel opgezet als geheime geldverstrekker. Er waren geen documenten gevonden met de namen van degenen die bij hem in het krijt stonden; het kon goed zijn dat hij die bij zich had gedragen en dat zijn moordenaar ze meegenomen had.

De baron had twee mensen gevonden die tegen een hoge rente geld van Tommaso hadden geleend en van de lening was geen cent meer over. Beiden hadden getuigen die konden bevestigen dat ze elders waren geweest toen de dodelijke steekpartij plaatsvond, zodat ze niet van de moord werden verdacht. Onnodig te zeggen dat ze maar al te blij waren dat Tommaso naar de andere wereld was geholpen.

Montacuto was ervan overtuigd dat er veel meer schuldenaren rondliepen en als hij ze allemaal kon vinden, zou de moordenaar erbij zijn. Maar voorlopig bleef Silvano de enige die van de misdaad werd verdacht en overal in Perugia hingen opsporingsbevelen met zijn naam erop. Baron Montacuto liep knarsetandend langs zo'n bevel, dat aan een boom gespijkerd zat op een plein bij het gerechtsgebouw. De schuldenaar met de dolk had niet alleen Tommaso van het leven beroofd en de baron van zijn zoon, maar ook nog eens het huis Montacuto van zijn eer en goede naam.

Als hij die kerel ooit vond, zou hij voor alle drie die wandaden zwaar moeten boeten.

Silvano voelde zich slecht op zijn gemak in de abdij. Overal waar hij ging merkte hij dat monniken naar hem keken of abrupt hun mond hielden als hij eraan kwam. Wat broeder Matteo ook over hem gezegd had, het had geen einde aan de geruchten gemaakt. Als Silvano had kunnen horen wat de monniken zeiden, had hij zich zeker geruster gevoeld. Voor de monniken van Giardinetto was het zo ongewoon dat hun routine van gebed, preken en dienstbaarheid onderbroken werd, dat de komst van iemand die van moord werd verdacht, waarna er ook nog eens een moord onder hun eigen dak was gepleegd, een effect had alsof een vos een kippenhok was binnengedrongen. Ze voelden zich opgejaagd en dan kon je gekakel verwachten. Maar ook waren de monniken gesteld geraakt op die bescheiden, bereidwillige jongen uit de stad en geen van hen geloofde eigenlijk echt dat hij in staat was tot zoiets gruwelijks als moord, laat staan tot twee moorden.

De novicemeester, broeder Ranieri, liet de praatjes een tijdje op hun beloop en vond het toen tijd om onder vier ogen met ieder van zijn postulanten te spreken. Hij betrok Silvano er niet in, zodat de jonge edelman er geen idee van had dat er pogingen werden gedaan de geruchten de kop in te drukken.

Later die dag besloot hij met de abt te gaan praten.

'Kom binnen, kom binnen,' verwelkomde vader Bonsignore hem. 'Hoe staat het ermee?'

'Ik voel me ellendig, vader,' zei Silvano.

'Het spijt me dat te horen,' zei de abt. 'Kun je me vertellen waarom?'

'Blijkbaar weet iedereen inmiddels waarom ik hier ben. En ik denk dat de broeders geloven dat ik iets met Ubaldo's dood te maken heb.'

'Nee toch?' zei de abt, oprecht geschokt. 'Dan moet ik met ze praten. Ik weet niet hoe ze erachter gekomen zijn – broeder Ranieri had de uitdrukkelijke opdracht het voor zich te houden.'

'Ik kan hier niet blijven als ik verdacht word,' zei Silvano. 'Het was al erg genoeg om uit Perugia weg te moeten. Ik wil dat niet nog eens meemaken.'

'Geen sprake van,' zei de abt vastbesloten. 'Je bent hier thuis tot het veilig is om terug te gaan naar je familie.'

'Er is zeker geen nieuws uit Perugia?' vroeg Silvano, zonder veel hoop.

'Nee, nog niet,' zei de abt. 'Volgende week ga ik er zelf heen om de bisschop te spreken, en het is logisch dat ik dan ook bij mijn oude vriend Montacuto langsga. Als je wilt, kan ik hem een boodschap overbrengen.'

'Gaat u naar mijn ouders?' vroeg Silvano gretig. 'Mijn vader kan u dan meteen vertellen hoe het ervoor staat in de stad.'

Er werd geklopt. Broeder Gregorio, de lector, kwam binnen met een rol perkament in zijn hand.

'Dan ga ik maar, vader,' zei Silvano. 'Dank u voor uw tijd.'

Toen hij langs Gregorio liep, klopte de lector hem onhandig op zijn schouder. 'Hou goede moed,' zei hij zacht en Silvano ging met een beter gevoel de cel van de abt uit dan hij gekomen was.

'Dat is een bezorgde ziel,' zei Bonsignore hoofdschuddend.

'Zeg dat wel,' zei broeder Gregorio. 'Konden we de moordenaar van de koopman Ubaldo maar vinden. Tot die tijd drukt er een zware last op Silvano.'

'Ik merk aan je dat je al weet dat hij bij ons is omdat hij al onder zo'n last gebukt ging.'

'Er gaan praatjes,' zei Gregorio. 'Maar ik let er niet op. Ik mag die jongen.'

'We mogen hem allemaal,' zei de abt. 'Enfin, wat kan ik voor je doen?'

'Ik heb een brief uit Gubbio voor u,' zei Gregorio.

Bonsignore keek naar het zegel van lak. 'Dat is het wapen van Ubaldo,' zei hij. 'De brief zal van zijn weduwe zijn.'

'Misschien om u te bedanken?'

'Wie weet.'

De abt trok het lakzegel van het touw en rolde het perkament uit.

'Bij alle heiligen!' zei hij. 'Monna Isabella vraagt me haar wettelijk te gaan vertegenwoordigen. Ze wil dat ik haar mundualdus word.'

11

Van ver overzee

Landolfo, de gastenbroeder, raakte geagiteerd toen broeder Anselmo hem vertelde dat er twee beroemde schilders naar de abdij kwamen.

'Ze blijven niet overnachten,' legde Anselmo uit. 'Ze komen de kleurwerkplaats bekijken en onze productie van de eerste lading ultramarijn bespreken. Ze willen de werkplaats van zuster Veronica ook zien.'

'Ze eten toch wel mee tussen de middag?' zei Landolfo. 'Ik moet met Bertuccio praten. Kan die leerjongen van jou eropuit met zijn valk om een paar hazen te vangen?'

'Die novice van mij,' verbeterde Anselmo hem. 'Ik zal zien wat ik kan doen.'

Het was verbluffend hoe regelmatig Bertuccio en broeder Rufino om een vogel of konijn voor de pot aanklopten bij Silvano. Hij was dan ook vaker dan één keer per week op jacht en de abt kneep een oogje dicht. Celeste moest bovendien elke dag kunnen vliegen en het was beter voor haar en Manestraal als ze buiten het kloosterterrein konden trainen.

Nog voor de twee schilders kwamen, was alles alweer bij het oude in de kleurwerkplaats. Er werd niet meer over Silvano geroddeld en de monniken waren de eerste uren van de dag druk bezig met het maken van *giallorino*.

'Het is een mineraal dat je bij grote vulkanen vindt,' legde broeder Anselmo uit aan Silvano. 'Deze partij komt uit de buurt van de Vesuvius. Het is veel te hard om op porfiersteen klein te krijgen en daarom stampen we het kapot in een vijzel.'

De monniken haalden de grote vijzels van brons en gingen hard aan het werk om de geelgekleurde steen kapot te krijgen. Broeder Fazio stak zijn vogelachtige hoofd om de hoek van de deur van de kleurwerkplaats.

'Sorry dat ik stoor,' zei hij. 'Mijn verdigris is op.'

Broeder Anselmo ging naar een van de lange planken en pakte er een pot met blauwgroene brokjes af.

'Wat maken jullie vandaag?' vroeg Fazio aan niemand in het bijzonder.

'Een soort geel, broeder,' zei Silvano bereidwillig. 'Van de vulkanen.'

'Ach, giallorino,' zei Fazio. 'Goed voor op muren, meen ik, maar ik gebruik liever koningsgeel. Alleen de koninklijke tint is goed genoeg voor het woord van God.' En hij vertrok met zijn pot verdigris.

'Wat bedoelde hij?' vroeg Silvano. 'Wat is koningsgeel?'

'Dat is operment, een goudkleur,' zei Anselmo. 'Dat en zijn broertje, realgar of robijnzwavel, noemen wij "de twee koningen". Overigens niet geschikt voor op muren.'

'Waarom niet?'

'Dan slaan ze zwart uit. Ik maak kleine hoeveelheden voor broeder Fazio en zijn assistenten om op perkament te gebruiken, maar je moet er heel voorzichtig en zuinig mee omgaan. De oude Grieken noemden operment "arsenikon" en het is erg giftig.'

Er werd op de deur geklopt en de twee schilders uit Siena kwamen binnen. De monniken kenden Simone Martini al en nu werden ze voorgesteld aan Pietro Lorenzetti. Net als bij hun eerste ontmoeting had Silvano sterk de indruk dat hij de lange, roodharige schilder ergens van kende. Hij merkte dat Simone naar hem lachte.

'Herken je onze Pietro?' vroeg hij. En toen schoot het Silvano te binnen waar hij dat lange, mooie gezicht eerder had gezien. 'Onze-Lieve-Heer!' riep hij uit.

Pietro lachte. 'Ja, ik ben bang dat mijn vrienden uit Siena zich die vrijheid hebben gepermitteerd.'

'Dat hebben mijn assistenten gedaan – de mannen die je laatst in Assisi hebt ontmoet,' zei Simone. 'Ze hebben God tussen de engelen geschilderd op het schilderij dat ik je liet zien van de droom van Sint-Martinus. En ze besloten hem het gezicht van Pietro te geven.'

'Dat is toch heiligschennis?' flapte Silvano eruit voor hij er erg in had.

'Nee hoor,' zei Simone. 'Mensen zijn naar Gods beeld en gelijkenis geschapen, en ik denk dat hij hier op aarde liever Pietro's gezicht zou hebben dan dat van mij.' Hij lachte zijn bekende droevige lach. 'Maar laten we het niet hebben over werk dat al af is. Ik heb er een opdracht bij in de basilica. Zodra ik klaar ben met de kapel, moet ik vijf heiligen en Onze-Lieve-Vrouw schilderen in de noordelijke dwarsbeuk.'

'Hij loopt me weer eens in de weg,' zei Pietro. 'Zo gaat het altijd. Waar ik ook ga of sta, Simone zit me in het vaarwater.' Hij gaf de ander een klap op zijn schouder en Silvano zag wel dat ze dikke vrienden waren.

'Ik zit je helemaal niet in je vaarwater,' gaf Simone terug. 'Ik ga aan de andere kant van het middenpad aan het werk. Dan kan ik je wel mooi in de gaten houden en je af en toe bijsturen als ik zie dat je er weer eens een potje van maakt.'

'En vice versa,' zei Pietro. 'Kan ik dat gesmijt met goud van jou beteugelen.'

'Goud?' zei Silvano. 'Moeten we dat ook leveren?'

'Nee,' zei Simone. 'In een huis van de franciscanen is geen goud te vinden. Maar we hebben het nu over iets wat bijna even kostbaar is.'

'Ultramarijn,' zei Anselmo.

'Het blauw van overzee,' zei Simone. Hij haalde een steentje uit zijn rugzak dat in Silvano's ogen niet uitzonderlijker was dan andere mineralen waarmee de broeders werkten. 'Dit is het echte blauw, de enige juiste kleur voor de mantel van Onze-Lieve-Vrouw. De gewone voorbijgangers of omstanders mogen een mantel van azuriet dragen, maar voor Maria moet het lapis lazuli zijn. Ik heb deze zending uit Venetië laten komen.'

'Er ligt toch geen zee tussen ons en Venetië?' vroeg Silvano.

'Nee,' zei Pietro. 'Venetië ligt wel in zee, maar lapis moet van veel verder komen voor het in Venetië is. Het wordt gehouwen uit de rotsen in de valleien van Khóresan, in een heel ver land, ver in de richting van waar de zon opgaat.'

Silvano was er stil van. Hij was Perugia niet vaak uit geweest en hij voelde zich klein en dom, met problemen die nietig waren vergeleken bij een wereld die grote wonderen bevatte. De vreemde plaatsnamen die de beroemde kunstenaars zo moeiteloos uitspraken, gingen zijn bevattingsvermogen te boven. In zijn oren klonk zelfs de handelsstad Venetië, beroemd om haar schoonheid en rijkdommen, als een ver land.

'Kijk uw novice nu toch, broeder Anselmo,' zei Pietro. 'We betoveren hem met ons gepraat over exotische oorden. Kom eens dichterbij, Silvano. Sommige mensen beweren dat dit een stukje is van de sterrenhemel hoog boven ons, dat op aarde is gevallen. Maar wie ermee werkt, weet dat het net als elk ander kostbaar mineraal uit rots moet worden gehouwen.'

Silvano kon de donkere, fonkelend blauwe kristallen in de grauwe steen zien. Hij snakte ernaar om de schitterende kleur te maken die Simone en Pietro voor hun schilderijen wilden gebruiken. Hij kon zich voorstellen hoe rijk en weelderig de mantel zou zijn die Simone aan de Heilige Maagd wilde geven.

'Mag ik gaan stampen?' vroeg hij.

'Dat is het begin nog maar,' zei Anselmo. 'Als we het in vijzels kapotgeslagen hebben en gemalen op onze porfiersteen, houden we grijs poeder over. Je denkt dan dat het mislukt is. Maar wacht tot we het hebben gemengd met hars en mastiek, het gezeefd hebben en met loog gekneed. Het loog neemt het blauw op. We gieten het blauwe loog over in een andere bak en herhalen die handeling tot al het blauw in het loog is getrokken. Het blauw zinkt en het loog wordt afgegoten. Dan hoeft het blauw alleen nog te drogen en zie je het echte ultramarijn verschijnen.'

Silvano schrok terug voor de vracht werk die nodig was om van de nu al mooie blauwe steen het nog mooiere pigment te maken.

De twee kunstschilders knikten goedkeurend. 'We twijfelen niet aan uw deskundigheid, broeder Anselmo,' zei Simone. 'En ik ben ervan overtuigd dat u die aanwendt om de beste kwaliteit ultramarijn te maken.'

Ook de nonnen verwachtten bezoek van de schilders uit Siena. Chiara constateerde tot haar verbazing dat er bijna iedere dag iets interessants was om naar uit te kijken. Intussen was ze de gewone routine van het kloosterleven heel rustgevend gaan vinden. Zelfs de regelmatige gang om de paar uur naar de kapel om de getijden te bidden, waarvan ze eerst had gedacht dat ze er nooit aan zou wennen, voelde nu als een natuurlijke dag-indeling. Ze had haar broer en zijn gezin uit haar hoofd gezet en was erg gesteld geraakt op zuster Veronica, al bleef moeder Elena haar ontzag inboezemen. En ze genoot van het werken met kleur.

Wel dwaalden haar gedachten vaak af naar de abdij, en niet alleen vanwege Silvano. Een man was daar op gruwelijke wijze om het leven gekomen, zo vlak naast de deur dat zijn dood door haar dromen spookte. En het was alleen maar erger ge-worden nadat ze het lijk had gezien en geholpen had hem te wassen.

'Waar zit je over te dagdromen, kind?' vroeg zuster Veronica. 'We moeten flink doorwerken, anders hebben we niet genoeg materiaal voor de schilders.'

'Het spijt me, zuster,' zei Chiara. 'Ik moet steeds aan de moord hiernaast denken.'

'Dat is logisch,' zei zuster Veronica. 'Maar je hoeft nergens bang voor te zijn. Vader Bonsignore is ervan overtuigd dat de moordenaar allang ver uit de buurt van Giardinetto is.'

Chiara was niet bang, maar het was een goed excuus voor haar verstrooidheid. Ze boog zich over haar porfiersteen en wilde zich voor honderd procent concentreren op het azuriet dat ze moest malen. Het mocht niet té fijn worden, had zuster Veronica gezegd; hoe grover de korrels, hoe dieper het blauw werd. Maar niet zo intens blauw als het onbetaalbare ultrama-rijn dat de Siënese schilders voor het gewaad van Onze-Lieve-Vrouw nodig hadden.

Zuster Lucia kwam de kamer binnen en fluisterde iets tegen de kleurenmeesteres. De twee grijze zusters draaiden zich om naar Chiara, die haar nieuwsgierigheid nog niet had afgeleerd en al naar hen zat te kijken. Zuster Veronica wenkte haar.

'Zuster Lucia heeft een boodschap van de abdis. Ze wil je spreken in haar kamer.'

Chiara veegde haar vingers met blauwgrijs stof af aan haar schort, waarop het gruis onzichtbaar werd, trok haar sluier recht en maakte zich klaar om de abdis onder ogen te komen. Ze hoopte vurig dat ze niets verkeerds had gedaan.

Simone en Pietro zaten aan een goedgevulde tafel bij de monniken; Bertuccio stommelde met een bezweet gezicht rond en haalde het ene gerecht na het andere uit de keuken. Nerveus glimlachend stond broeder Landolfo op de achtergrond af te wachten. De schilders waren niet uitbundig gekleed, maar tussen de grijze monniken leken ze nog altijd pauwen in een duiventil.

Gewoonlijk aten de monniken zwijgend, terwijl de lector, broeder Gregorio, uit de heilige schrift voorlas. Die regel werd niet streng gehandhaafd als er gasten waren. Er werd nu druk gepraat en de dood van Ubaldo vormde nog steeds het belangrijkste gespreksonderwerp.

'Dus uw vorige gast is vermoord?' zei Pietro. 'Moeten we ons ongerust maken?'

'Nee, nee,' zei Landolfo haastig. 'Het was een uitzonderlijk incident. We hebben nooit eerder een insluiper in de abdij gehad en het zal vast ook nooit meer gebeuren.'

'Laat u niet op de kast jagen, broeder,' zei Simone, met een fronsende blik naar Pietro. 'Mijn vriend meent het niet. We voelen ons volkomen op ons gemak in de abdij en zijn u dankbaar voor uw gastvrijheid.'

'Gaat u straks naar de clarissen?' vroeg Landolfo. 'Komt u dan daarna hier eten? Zij hebben niets om u voor te zetten.'

'Na dit feestmaal zullen we er helemaal geen behoefte aan

hebben dat ze ons iets voorzetten,' zei Pietro, en Landolfo keek gevleid. Eindelijk ging hij zelf op zijn gebruikelijke plaats naast broeder Fazio aan tafel zitten en nam een bescheiden portie.

'Ik hoor van broeder Anselmo dat uw schilderijen in Assisi van onovertroffen pracht zijn,' zei vader Bonsignore.

'Dat is veel te vriendelijk van hem,' zei Simone en het gesprek aan het hoofd van de tafel ging over op kunst en grote meesterwerken die de monniken hadden gezien voor ze hun roeping volgden. Broeder Fazio was welbespraakt over Cimabue, die ook muren in de basilica had beschilderd.

Aan het einde van de tafel spitste Silvano zijn oren om het gesprek te volgen, maar hij werd afgeleid door een thema dat elders werd besproken. Broeder Taddeo, de assistent-bibliothecaris, zat tegen Matteo over broeder Anselmo te fluisteren. Silvano hoorde de namen Isabella en Domenico en zijn hart draaide zich om. Anselmo's geheim was aan het licht gekomen.

Toen de novice haar kamer in kwam, bekeek moeder Elena haar schattend. Chiara was wel veranderd sinds de dag waarop ze de krullen van het meisje naar de vogels had gegooid. Ze keek mensen nog altijd te vrijmoedig aan, maar bedacht zich tegenwoordig meteen en sloeg alsnog haar ogen neer. Ze bewoog zich langzamer en was minder onbezonnen. De abdis meende dat Chiara na verloop van tijd een goede non in haar kloostergemeenschap kon worden. Ze was bereidwillig en gehoorzaam, maar moeder Elena wist dat ze zich nog steeds niet door God tot dit leven geroepen voelde. En ze betwijfelde of die roeping ooit zou komen.

'Zuster Orsola,' zei ze. 'Ik heb een interessante brief over je gekregen. Uit Gubbio.'

'Van mijn broer?' vroeg Chiara verbaasd.

'Nee, van een rijke dame,' zei de abdis.

'Monna Isabella?'

'Ze schrijft me met het verzoek je te ontslaan uit je noviciaat,' zei de abdis ernstig. 'Wat vind je van dat idee?'

Chiara had er geen antwoord op. Een paar weken geleden zou ze wild enthousiast hebben gereageerd op het vooruitzicht te kunnen ontsnappen. Nu wist ze niet meer of ze wel weg wilde. Silvano was zo dichtbij en ze had de kans hem hier en in Assisi te zien. En dan was het werk zelf er nog, dat haar de ogen had geopend voor de wonderen van de kunst. En haar nieuwsgierigheid maakte dat ze wilde blijven om te weten hoe het drama rond de moord op Ubaldo zou aflopen.

En toch... Isabella bood haar een uitweg uit een leven dat ze vreesde. Op een dag zou Silvano zeker weggaan en ooit kwam het werk in de basilica af. Over een jaar of twee zou Chiara volkomen opgaan in de grijze wereld van de nonnen, om ouder te worden zonder liefde of avontuur te kennen. Kon ze niet beter de gezelschapsdame worden van een rijke weduwe in Gubbio, als dat het tenminste was wat haar nu werd aangeboden?

'Je bent er stil van, zuster,' zei de abdis.

'Het verzoek overrompelt me, moeder,' zei Chiara. 'Wat schrijft monna Isabella nog meer?'

'Dat ze, als jij weg wilt, het klooster een schenking doet die gelijk is aan die van je broer toen je hier kwam. Ze is bereid je in haar huis in Gubbio op te nemen en in je levensonderhoud te voorzien. Je zou licht werk moeten doen, denk ik, meer als haar gezelschapsdame dan als bediende.'

'En stemt u daarmee in, moeder?' vroeg Chiara.

'Als jij dat wilt wel,' zei de abdis. 'Als je ervan overtuigd bent dat je geen roeping hebt.'

Chiara was tot tranen toe bewogen door die goedheid. Aan de ene kant wilde ze de abdis plezier doen door te zeggen dat ze heel graag haar leven aan God zou wijden en haar dagen slijten in het kleine nonnenklooster van Giardinetto. Aan de andere kant voelde ze een enorme drang de tralies van de kooi open te breken, uit te vliegen – al was het dan niet verder dan Gubbio – en het leven te leiden van een zo goed als vrije vrouw. Isabella kon toch geen veeleisende werkgeefster zijn? En op een dag zou Chiara toch zeker iemand vinden om haar leven mee te delen?

Hier gaf haar fantasie het op. Als ze zich in haar toekomst een man probeerde voor te stellen, kwam alleen het knappe gezicht van Silvano haar voor ogen. Hij mocht dan geen echte monnik zijn, hij was en bleef van adel; voor een non was hij even onbereikbaar als voor de ondergeschikte van monna Isabella in Gubbio. Ze kon een beslissing over haar toekomst niet laten afhangen van een aantrekkelijke jongen die toevallig tijdelijk een deur verderop woonde.

'Mag ik erover nadenken, moeder?' vroeg ze.

De abdis was verrast. Ze had gedacht dat de novice de kans om weg te komen met beide handen zou aangrijpen. 'Natuurlijk,' zei ze. 'Ik zal monna Isabella over ons gesprek berichten. Ze denkt hier regelmatig te komen, omdat ze veel te bespreken heeft met vader Bonsignore. De volgende keer dat ze hier is, kun je zelf met haar praten.'

'Goed,' zei Simone. 'Dan wordt het nu tijd om uw heerlijke maaltijd af te sluiten en naar zuster Veronica te gaan. We hebben dezelfde hoeveelheid lapis lazuli meegenomen voor de grijze zusters,' vervolgde hij tegen Anselmo. 'Gaan de kloosterordes soms wedijveren in de productie?'

'Nogmaals bedankt voor het eten,' zei Pietro tegen de abt.

De twee schilders wilden gedag zeggen tegen de kok en de gastenbroeder, maar Landolfo was niet in staat op te staan. Zijn gezicht was vertrokken en lijkwit van kleur en hij greep naar zijn hoofd. Broeder Rufino schoot naar hem toe.

'Wat heb je, man?' snauwde hij, terwijl hij de andere monniken opzij duwde. Hij was dik bevriend met Landolfo en de gastenbroeder joeg hem de stuipen op het lijf.

Landolfo keek de ziekenbroeder aan alsof hij een vreemde voor zich had. 'Silvano,' zei hij. 'Waar is de jonge valkenier?'

'Hier, broeder,' zei Silvano, die snel naast hem ging staan. 'Kan ik iets voor u doen?'

'Haal je valk,' brabbelde Landolfo verward. 'Je moet hazen vangen. Er komen artiesten uit Siena.'

Silvano keek hulpeloos naar de abt.

Simone boog zich naar de gastenbroeder toe. 'We zijn er al, broeder,' zei hij. 'En we hebben heerlijk gegeten.'

'Bent u er al?' ijlde Landolfo. 'De hazen moeten nog gebraden worden. Schiet toch op, Bertuccio.' Toen viel hij over de tafel heen en begon te snurken.

Silvano en de andere broeders wisten niet hoe ze het hadden. Landolfo leek dronken, maar hij was een matig mens en hij had nauwelijks iets gedronken bij het eten. In de war was hij zeker. Alleen Anselmo scheen een idee te hebben van wat er mis kon zijn. Hij ging naar Rufino toe en zei zachtjes iets tegen hem en de abt.

'We brengen broeder Landolfo naar de ziekenzaal,' kondigde vader Bonsignore aan. 'Met excuses aan onze geëerde gasten, maar u ziet hoe ziek onze medebroeder is.'

Hij beval Taddeo, Matteo en Silvano, de drie jongste leden van de gemeenschap, om Landolfo de eetzaal uit te dragen.

Broeder Anselmo ging achter hen aan, zich ervan bewust dat sommige monniken bevreemd naar hem keken. Omdat ze niet wisten of ze moesten gaan of blijven, liepen ook de twee Siënese schilders mee met het groepje, dat op een kleine optocht begon te lijken.

De jonge monniken legden de broeder op een bed in de ziekenzaal en nog meer mensen dromden het vertrek in. Het lichaam op het bed leek niet langer op dat van Landolfo, het begon stuiptrekkingen te vertonen en er sijpelde een geel straaltje slijm uit zijn mond. Rufino en Anselmo wisselden een wanhopige blik.

'Hou hem rustig,' commandeerde Rufino, die zijn helpers om lappen en water stuurde.

Landolfo lag om zich heen te slaan, met wild rollende ogen.

'Is het een beroerte?' vroeg Simone aan Silvano.

'Ik weet het niet,' zei Silvano hulpeloos. 'Ik heb nog nooit zoiets meegemaakt.'

'Komt het door iets wat hij heeft gegeten?' vroeg Pietro, die heimelijk over zijn eigen goed gevulde maag streek.

'Dat kan,' zei Rufino grimmig.

Broeder Anselmo pakte een van Landolfo's rondmaaiende handen en wees de ziekenbroeder op de nagels. Ze werden paarsblauw.

Landolfo's rug kromde zich in een nieuwe stuip en daarna zakte hij snurkend in een diepe slaap.

'Als het is wat we denken,' zei Rufino, 'kunnen we één ding proberen. Anselmo, heb je zwavel in je werkplaats?'

Anselmo begon zijn hoofd te schudden toen broeder Fazio opeens zei: 'Ik wel, broeder. Ik gebruik het bij het maken van *oro musivo* – het goud voor perkament. Dat is natuurlijk niet het enige bestanddeel...'

'Goeie genade, man, bespaar ons een verhandeling over hoe jij je goud maakt!' zei Rufino. 'Haal het, en snel een beetje, ja?'

'Nou zeg,' zei Fazio beledigd, maar hij maakte zich uit de voeten.

'Slaapt hij?' vroeg Silvano aan Anselmo, terwijl hij Landolfo gadesloeg.

De kleurenmeester schudde zijn hoofd. 'Nee,' zei hij zacht. 'Ik denk dat hij stervende is. Broeder Landolfo is vergiftigd.'

12

Het gif van de tweedracht

Toen Chiara bij de abdis wegging en de kloosterhof overstak, zag ze twee broeders die haastig een doodskist het hoofdgebouw in droegen. Ze bleef even staan en sloeg een kruisteken, met een voorgevoel dat haar koude rillingen bezorgde.

Maar ze schudde haar angsten van zich af. Het kon niet bestaan dat er alweer een dode was gevallen. Intussen zag ze de schilder Simone en zijn vriend Pietro, met dodelijk bezorgde gezichten, snel in de richting van het nonnenklooster komen.

'Ach, zuster Orsola,' zei Simone. 'Dat treft. Brengt u ons even naar moeder-overste?'

'Natuurlijk. Wilt u haar spreken voor u naar de werkplaats gaat?' vroeg Chiara, die zich al omdraaide om met hen terug te lopen.

'Onze opdracht voor het ultramarijn moet maar even wachten,' zei Pietro. 'We hebben slecht nieuws van de abdij.'

Chiara bleef weer staan. 'Er is toch niet weer iemand dood?'

De kunstschilders keken elkaar aan. 'Zulk nieuws moet de abdis als eerste horen,' zei Simone vriendelijk.

'Toe!' drong Chiara aan. 'Vertel me of het een van de monniken is. Ik heb daar vrienden.'

Pietro haalde zijn schouders op. 'Het is broeder Landolfo.'

Opluchting sloeg door Chiara heen, gevolgd door schaamte. Ze kende broeder Landolfo niet, maar dat maakte het niet minder erg dat hij zo plotseling was gestorven en het dus zonder de laatste sacramenten moest stellen. Wat vreselijk om zonder biecht en vergiffenis dood te gaan, dacht ze, vooral voor een monnik. Of had hij als monnik weinig zonden begaan die hem vergeven moesten worden?

'Hoe is het gebeurd?' vroeg ze.

'We denken dat hij vergiftigd is,' zei Simone, en op dat moment begon de klok van de abdij te luiden.

'Alweer een moord?' vroeg Chiara.

'We moeten nu echt naar de abdis,' zei Simone.

'Ja,' zei Chiara. 'Ik breng u meteen naar haar toe.'

Haar gedachten waren een warboel. Nog een moord betekende nog een moordenaar – tenzij het dezelfde was die Ubaldo de koopman had doodgestoken. In dat geval moest toch een monnik de dader zijn – en dat was ondenkbaar! Kon ze er maar met Silvano en Anselmo over praten.

Ze liet de schilders achter bij de cel van de abdis en holde naar zuster Veronica om haar te vertellen wat er gebeurd was. De zusters in de kleurwerkplaats hadden de doodsklok al gehoord en zaten er met witte gezichten bij, in afwachting van meer nieuws.

'Vergiftiging?' herhaalde zuster Veronica, alsof ze het woord niet kon bevatten. 'Hij moet iets verkeerds hebben gegeten.'

Chiara sloeg haar ogen neer en fluisterde: 'Ik denk dat het weer moord was.'

De monniken van Giardinetto waren verdoofd door de schok. Broeder Fazio was nog met zwavel gekomen, maar het was al te laat. Broeder Landolfo was niet meer bij bewustzijn geweest en algauw stokte zijn ademhaling voorgoed. Voor Silvano was het de tweede keer dat hij iemand zag sterven en het was de derde gewelddadige dood die hij in een paar weken tijd in zijn omgeving had meegemaakt. Zijn hersens konden er niet bij. Een stemmetje in zijn achterhoofd fluisterde dat het tenminste niet met een dolk was gebeurd; in dat geval zou de verdenking weer op hem zijn gevallen.

Intussen was er iets gaande wat minstens zo erg was. De monniken waren elkaar vol twijfel en achterdocht gaan bekijken. En de geruchten over broeder Anselmo zwollen aan. De romance met monna Isabella in zijn jonge jaren was algemeen bekend geworden, waardoor hij de hoofdverdachte was voor de moord op haar man.

Niemand kon een reden bedenken waarom hij de gastenbroeder zou willen vermoorden, maar Silvano hoorde meerdere monniken zeggen dat Anselmo de enige was geweest die wist wat Landolfo mankeerde.

'Dat slaat nergens op,' protesteerde hij. 'Broeder Anselmo heeft Rufino geholpen toen hij probeerde Landolfo te redden. Zou hij dat gedaan hebben als hij hem vergiftigd had?'

Silvano ging op zoek naar Anselmo en trof hem uiteindelijk biddend aan in de kapel, waar Landolfo lag opgebaard. Silvano gleed in de bank naast hem en wachtte. Hij schrok enorm toen Anselmo zijn handen liet zakken en hij het gezicht van de monnik zag; zijn mentor leek in het afgelopen halfuur jaren ouder te zijn geworden.

Zwijgend gingen ze de kapel uit, tot Silvano het waagde te vragen: 'Hoe gaat het met u, broeder?'

'Ik ben de zonde van de wanhoop nabij,' zei Anselmo. 'Er is een kwade geest in ons huis gevaren, die iedereen dreigt te overmannen.'

'Denkt u dat het dezelfde was die Ubaldo heeft vermoord?'

'Dat kan toch niet anders?' zei Anselmo vermoeid. 'De gedachte dat Satan bezit heeft genomen van een van ons is al verschrikkelijk genoeg. Ik kan niet geloven dat twee van ons in de greep van de duivel zijn.'

Toen ze de hof overstaken, viel het Anselmo voor het eerst op dat andere monniken, die in groepjes van twee of drie bij elkaar stonden, naar hem keken en hem de rug toekeerden.

'Wat hebben ze?' vroeg hij aan Silvano.

'Ik geloof dat ze van uw geschiedenis met monna Isabella weten,' zei Silvano opgelaten.

Anselmo bleef staan en keek hem aan.

'En hoe kan dat?' vroeg hij. 'Ik heb er alleen met vader Bonsignore en jou over gepraat.'

Silvano voelde zich ellendig. 'Ik heb niets gezegd, broeder, dat zweer ik.'

'Ik twijfel niet aan je, Silvano,' zei Anselmo. 'En op mijn beurt zou ik zweren dat het de abt ook niet geweest kan zijn. Dat betekent dat er nog iemand is die het weet.'

'Ik heb tegen iedereen gezegd dat u geen reden had om broeder Landolfo te vermoorden,' zei Silvano hulpeloos.

'Geen enkele reden,' zei Anselmo en hij streek met zijn hand over zijn voorhoofd. 'Hij was mijn medebroeder en ik hield van hem. Maar ze kunnen natuurlijk altijd nog beweren dat Landolfo van mijn verleden wist en ik hem het zwijgen wilde opleggen.'

Opeens draaide hij zich om en greep Silvano's mouw.

'We gaan naar moeder Elena,' zei hij. 'De abt zal niet aan me twijfelen, maar ik wil zelf met de abdis praten voor ze de geruchten opvangt.'

De schilders waren nog bij de abdis in haar cel, samen met zuster Veronica en Chiara, toen de monniken kwamen. Ondanks de ernst van de situatie viel het Silvano op hoe mooi Chiara was. Haar haar, dat weer aangroeide, ontsnapte aan haar sluier en omlijstte haar gezichtje als een glanzende aureool geschilderd door Simone. Hij merkte dat ook Simone af en toe heimelijk naar de jonge novice keek en voor het eerst vroeg hij zich af of de kunstenaar getrouwd was.

'Het is dus waar,' zei moeder Elena. 'De gastenbroeder is met opzet vergiftigd.'

'Dat denk ik, moeder,' zei broeder Anselmo. 'Nog vanochtend – ja toch, Silvano? – heb ik uitgelegd waarom ik bepaalde pigmenten heel zelden maak in de werkplaats. Ze bevatten namelijk arsenikon. Ik heb de verschijnselen al eens eerder gezien in een andere werkplaats waar ik met kleurstoffen werkte, en ik herkende ze bij Landolfo.'

'Had broeder Rufino daarom zwavel nodig?' vroeg Pietro.

'Ja, maar ik kon zien dat het al te laat was. Landolfo moet een enorme dosis gif hebben binnengekregen om er zo snel aan te sterven.'

'Zat het dan in zijn eten?' vroeg de abdis.

'In zijn eten of in zijn drinken,' zei Anselmo. 'Maar hij dronk altijd heel weinig – dat wisten de monniken allemaal.'

'De monniken?' herhaalde de abdis. 'U denkt dus dat het iemand van binnen de abdij was die hem heeft vermoord?'

Anselmo gaf geen antwoord.

'Neem me niet kwalijk, maar broeder Landolfo zou toch geproefd hebben dat er iets in zijn eten zat?' vroeg Chiara.

'We hadden vandaag machtig eten met veel kruiden,' zei Anselmo.

'Dus het vergif zat alleen in Landolfo's eten?' vroeg de abdis.

'Het arsenikon zat niet in de schotels die uit de keuken kwamen?'

De mannen probeerden zich te herinneren hoe het was toegegaan bij het eten.

'Niemand anders is ziek geworden,' zei Simone. 'Ook niet degenen die zich te buiten zijn gegaan,' voegde hij eraan toe, met een blik naar Pietro.

'Ik moet u zeggen dat ik onder verdenking sta,' zei broeder Anselmo bedaard, terwijl hij de kleine groep aanwezigen rondkeek. 'En ik moet u vragen het aan niemand buiten deze muren door te vertellen.'

'Maar waarom u, broeder?' vroeg zuster Veronica ontzet.

'Waarom sowieso een van ons?' vroeg Anselmo. Berustend hief hij zijn handpalmen. 'Niemand wil een volgeling van Onze-Lieve-Heer en de heilige Franciscus aanzien voor een schurk die koelbloedig moordplannen smeedt. Maar er zijn medebroeders die menen een motief te hebben gevonden waarom ik de koopman zou hebben vermoord.'

Silvano en Chiara keken elkaar even aan. Broeder Anselmo noemde het motief niet, maar vervolgde: 'En nu er weer iemand onder verdachte omstandigheden is gestorven, wordt mijn naam in beide gevallen genoemd.'

'Dat is onzin,' zei moeder Elena onmiddellijk. 'U bent onze priester en geestelijk raadsman en ik steek er mijn handen voor in het vuur dat u geen moordenaar bent.'

'Dank u,' zei Anselmo. 'De komende dagen zal ik veel steun nodig hebben tegenover degenen die me beschuldigen.'

'Lopen wij ook gevaar, broeder?' vroeg de abdis.

'Ik ben bang dat we allemaal gevaar lopen,' zei Anselmo. 'Landolfo was een vroom man met een zacht karakter. Hij had geen vijanden. We kunnen alleen maar aannemen dat zijn moordenaar krankzinnig is. En als er hier een krankzinnige rondloopt, kan hij ieder van ons kwaad doen.'

'Dit is een ramp,' zei Simone. 'Hoe moeten we ter ere van God blijven schilderen in Assisi, als dicht bij ons de duivel heimelijk aan het werk is?'

'We hebben er allemaal baat bij dat we de misdadiger zo snel mogelijk vinden,' zei Anselmo. 'Intussen zal ik vader Bonsignore voorstellen dat we hier bij het klooster van Sint-Clara een bewaker neerzetten.'

Isabella moest een onaangenaam gesprek met haar zwager Umberto doorstaan. Hij was woedend dat ze als haar wettelijke vertegenwoordiger de abt had aangesteld van de abdij waar Ubaldo was gestorven.

'Het is een belediging aan de nagedachtenis van mijn broer,' brieste hij. 'Wie weet is die man wel betrokken geweest bij zijn dood.'

'Welnee,' zei Isabella. 'Hij is een geestelijke.'

'Dat zijn ze daar allemaal,' zei Umberto. 'En toch heeft een van hen mijn broer met zijn eigen dolk aan mootjes gehakt.'

Isabella huiverde. 'Het was een inbreker,' zei ze.

'Dat beweren ze, ja. Maar er is niets gestolen – geen geld of andere kostbaarheden. Dat klinkt mij niet in de oren als het werk van zomaar een inbreker.'

'Ik heb geen vader of broer die me kan vertegenwoordigen,' zei ze, zo kalm mogelijk.

'Je hebt een aangetrouwde broer,' zei Umberto. 'En ik had je mijn diensten al aangeboden.'

'Ik dacht niet dat je mijn belangen voorop zou stellen,' zei Isabella.

'Dat klopt,' snauwde Umberto. 'Het gaat mij om de kinderen van mijn broer.'

'Daarover zijn we het dan in ieder geval eens,' zei Isabella. 'Maar na de kinderen moet ik ook beslissingen nemen over mijn eigen leven. En vader Bonsignore is heel vriendelijk voor me.'

'Dus je geeft de voorkeur aan een suffe oude monnik die een beetje aardig doet boven een familielid?'

'Alsof jij ooit aardig tegen me doet,' zei Isabella.

'Waarom zou ik? Je bent een ijdele, verwaande, koppige vrouw, die een man in haar netten heeft weten te strikken omdat ze mooi was, en daarom denk je je hele leven je zin te krijgen. Geloof me, schoonheid vergaat.'

'Je wilt toch niet beweren dat ik de abt van Giardinetto heb verleid?' zei Isabella kil, al kookte ze inwendig van woede.

'Ik acht jou tot alles in staat,' zei Umberto bitter. 'Ik ga die abt en monniken in ieder geval eens grondig doorlichten, nu jij je zaken in hun handen hebt gegeven.'

Isabella voelde tot haar schrik dat ze wit wegtrok. En Umberto zag het.

'Blijkbaar heb je écht iets te verbergen in Giardinetto,' zei hij met wrange voldoening. 'Reken maar dat ik erachter zal komen wat het is.' En met die woorden stormde hij de kamer uit.

Vader Bonsignore stemde in met Anselmo's voorstel bewakers bij het klooster van Sint-Clara te zetten en hij vroeg hem en Silvano de eerste wacht op zich te nemen.

De kunstenaars reden terug naar Assisi, diep in gesprek.

'We hoeven binnenkort niet te rekenen op een grote levering ultramarijn uit Giardinetto,' zei Pietro.

'Nee, ze zullen sowieso weinig pigmenten maken,' zei Simone. 'In ieder geval niet tot ze de moordenaar hebben.'

'Ik durf te wedden dat het de kleurenmeester niet is,' zei Pietro. 'Daarin ben ik het helemaal eens met moeder Elena.'

'Ik ook,' zei Simone.

Ze reden een tijd zwijgend verder.

'Ik zag je naar die kleine novice kijken,' zei Pietro toen.

'Ze is prachtig, hè?' vroeg Simone.

Pietro kende zijn vriend al heel lang en hij wist dat Simone een doorgewinterde vrijgezel was, die alleen om een beroepsmatige reden belangstelling had voor vrouwen.

'En voor wie zou ze kunnen staan in jouw cyclus?' vroeg hij.

Simone lachte. 'Je kent me te goed. Ik moet de muur van de entree vullen, in de boog van de kapel. Ik wil daar heiligen schilderen, en zij is het ideale model voor Sint-Clara.'

'Ze is te mooi voor een heilige,' zei Pietro. 'Vooral voor een heilige die zo sober heeft geleefd als de trouwe volgelinge van Franciscus.'

'Daar ben ik het niet mee eens,' zei Simone. 'Clara kwam uit een familie van machtige rijken. En ze koos ervoor de wereld vaarwel te zeggen. Dan kan ze toch nog wel mooi zijn geweest? Als ze niet mooi was, zou het toch een minder groot offer zijn om het leven van een non te kiezen?'

'Maar een heilige hoeft niet mooi te zijn om een mooie ziel te hebben,' opperde Pietro.

'Maar het tegengestelde is ook waar,' vond Simone.

'Zoals achter een mooi gezicht ook een slecht karakter schuil kan gaan.'

'Nu denken we weer aan de abdij, Pietro,' zei Simone. 'Waar we ook over praten om die moordpartijen te vermijden, we komen er steeds weer op terug. Het is een etterende wond en we moeten de monniken helpen die te genezen.'

Anselmo en Silvano hielden de wacht bij de poort van het klooster, al beseften ze allebei dat ze het gevaar voor de nonnen niet zouden herkennen als de moordenaar iemand van binnen de abdijmuren was en er een medebroeder om toegang kwam vragen.

Ze gebruikten de stille tijd om alle leden van de gemeenschap onder de loep te nemen en alle gegevens die enig licht op de moord konden werpen op een rijtje te zetten.

'We kunnen de abt wel buiten beschouwing laten, toch?' zei Silvano.

'Nee. We mogen niemand buiten beschouwing laten, niet eens onszelf,' zei Anselmo gedecideerd. 'We moeten zo objectief mogelijk kijken naar wat we van een broeder weten. De feiten van onze gevoelens scheiden.'

'Nou goed, ik weet dat vader Bonsignore een oude vriend van mijn vader is,' zei Silvano. 'En hij is heel aardig voor me. Hij heeft er geen moment aan getwijfeld dat ik onschuldig ben aan de moord in Perugia.'

'Dat is ook iets om rekening mee te houden, of die moord verband houdt met de moorden hier,' zei Anselmo. 'Maar om op de abt terug te komen, hij kende jouw situatie en ook mijn geschiedenis, al wist hij alle details pas na de dood van Ubaldo de koopman. Dat zijn de feiten. Maar net als jij heb ik nooit iets anders dan goedheid van hem ervaren.'

'Zou hij het misschien aan iemand verteld hebben? Of heeft iemand ons soms afgeluisterd toen hij met mij praatte, of met u?'

'Dat kan. Maar laten we het eens over onszelf hebben. Ik heb een motief om de koopman te vermoorden en ik kan aan arsenikon komen. Ik gebruik het namelijk wel eens in de kleurwerkplaats om pigmenten voor broeder Fazio te maken. Dat pleit allemaal tegen me.'

'En ik ben hierheen gevlucht als verdachte van een eerdere steekmoord, waardoor ik in aanmerking kom voor de moord op Ubaldo. Maar niet voor die op broeder Landolfo. Waarom zou ik de gastenbroeder vermoorden?'

'Waarom zou wie dan ook hem willen vermoorden? Ik heb er ook geen motief voor, al kan ik dan aan het gif komen.'

'En broeder Fazio dan? Hij gebruikt koningsgeel en robijnzwavel,' zei Silvano.

'Hij kan inderdaad net zo gemakkelijk aan arsenikon komen als ik,' zei Anselmo. 'Misschien nog wel makkelijker. Maar ook hij heeft geen enkel motief voor de moorden hier.'

'Voor zover we weten,' zei Silvano.

'Juist,' zei Anselmo. 'Misschien ligt het motief van de moordenaar wel in het verleden verborgen. Of zoals ik al eerder zei, misschien was het een daad zonder reden, van een zwaar gestoord iemand.'

'Nou, laten we verder kijken,' zei Silvano. 'Broeder Rufino? Hij heeft de koopman gevonden en broeder Landolfo verzorgd. Kan hij het zijn geweest?'

'Als we naar de feiten blijven kijken wél. Maar je hebt gezien hoe hij zijn best deed Landolfo te redden. Ik kan niet geloven dat het de ziekenbroeder is.'

'De herborist dan. Valentino,' opperde Silvano. 'Hij kan toch aan giftige planten komen?'

'Ja, maar niet aan arsenikon. Hij zou eerder belladonna hebben gebruikt.'

'Wat weet u nog meer van hem?'

'Niet veel. Hij is rustig, prettig gezelschap en naar mijn mening is hij een vrome monnik.'

'Dit haalt niets uit,' zei Silvano. 'Ze – we – zijn allemaal vrome monniken en goedhartige mensen. Kunnen we niet beter met de minder aardige broeders beginnen?'

'Tja, broeder Nardo kan nog wel eens wat nors doen,' zei Anselmo aarzelend.

'De keldermeester? Ja, dat is me opgevallen. En broeder Gregorio, de lector, is een strenge man. Maar hij is ook aardig voor me.'

'Ik denk dat Monaldo, de bibliothecaris, wrok tegen mij koesterde toen ik hier kwam,' zei Anselmo. 'Hij is een geleerde, net als Gregorio, en ik denk dat ze allebei bang waren dat ik ze naar de kroon zou steken. Maar we hebben geen problemen gekregen.'

'We hebben broeder Ranieri overgeslagen,' zei Silvano. 'Maar het wil er bij mij niet in dat de novicemeester een moordenaar is.'

'Zo draaien we in een kringetje rond,' zei Anselmo. 'De dader moet een van ons zijn, maar niemand lijkt een moordenaar.'

'Dan moeten we het anders aanpakken,' zei Silvano. 'We zijn het er al over eens dat we van niemand het motief kennen om Ubaldo of Landolfo te willen vermoorden...'

'Behalve ik dan, in het eerste geval,' sprak Anselmo hem tegen.

'Goed, behalve u dan... Volgens mij moeten we nu kijken wie er gelegenheid toe had. Te beginnen bij de moord op Ubaldo.'

'Tja, dat ben ik weer,' zei Anselmo. 'Ik was een wandeling aan het maken in de tuin. Maar misschien is dat een leugen.'

'Ik lag ook niet in bed, want ik zocht u. Dan hebben we Rufino nog.'

'Bijna iedere monnik kan zijn cel uit zijn geweest.'

'Op de slaapzaal was ik de enige die ontbrak,' zei Silvano verhit. 'Dus de jongere broeders en de novicen gaan vrijuit.'

'We waren nog niet eens aan hen toegekomen,' zei Anselmo. 'En dan blijven er nog meer dan tien verdachten over, jij, ik en de abt meegerekend.'

'Laten we ons drieën even buiten beschouwing laten. Dan houden we een man of acht, negen over. We kunnen proberen hun gangen na te gaan.'

'En de moord op broeder Landolfo dan? Wie had daarvoor de gelegenheid?'

'U, broeder Fazio, en misschien broeder Valentino, als het om plantengif ging in plaats van arsenikon,' zei Silvano. 'Dat zijn de enige drie van wie we weten dat ze aan vergif kunnen komen. Maar hoe is het in Landolfo's eten terechtgekomen?'

'Dan ligt Bertuccio voor de hand,' zei Anselmo. 'Als kok had hij volop de gelegenheid.'

'Broeder Nardo kon het in zijn wijn doen,' zei Silvano. 'En broeder Fazio zat naast Landolfo, dus hij had zijn eten kunnen vergiftigen.'

Ze waren zo verdiept in hun bespreking van de misdaden dat ze Chiara niet opmerkten, die met een mandje eten naar hen toe kwam.

'Dit moest ik u van moeder Elena brengen,' zei ze, en ze pakte brood, kaas en wijn uit.

'Dank je, zuster Orsola,' zei Anselmo. 'Je zult ons wel slechte bewakers vinden, want we hebben je helemaal niet horen aankomen.'

'U had het over de moorden, hè?' zei Chiara. 'Dat is het gesprek van de avond in de kloostergemeenschap. Denkt u echt dat we hier gevaar lopen?'

'We zijn alle monniken nagegaan en we zijn geen steek verder gekomen,' zei Silvano en hij lachte naar haar, al was de kwestie weinig vrolijk. 'We weten alleen dat Nardo chagrijnig kan doen en dat Gregorio en Monaldo dol zijn op hun boeken.'

Hij was niet van plan haar te vertellen dat Anselmo de meeste bewijzen tegen zich had.

'Ik vind het vervelend om te zeggen,' zei Anselmo, 'maar hoe waakzaam we ook zijn, er is misschien wel een derde moord voor nodig voor we de moordenaar kunnen vinden.'

13
De toeschouwer

Na de twee moorden kon de abt van Giardinetto niets anders meer bedenken dan het hoofd van de orde der franciscanen erbij betrekken. Hij gruwde van de gebeurtenissen en schaamde zich dat zoiets kon plaatsvinden in een huis dat onder zijn verantwoordelijkheid viel. Hoe hij ook bad om steun, hij zag geen uitweg uit de poel van zonde waarin de abdij ondergedompeld leek.

Een aantal broeders was hem komen vragen of hij Silvano of Anselmo of beiden niet weg kon sturen. De een werd al verdacht van een eerdere moord en de ander was ooit de geliefde van de echtgenote van het tweede slachtoffer geweest. Het mochten dan aardige kerels zijn, die welkom waren geweest in de orde, maar de algemene opinie was dat zij eerder in aanmerking kwamen als de dader dan welke medebroeder ook.

Vader Bonsignore zuchtte diep. En nu moest hij ook nog de extra werklast op zich nemen die zijn nieuwe taak als zakelijk adviseur van de koopmansweduwe met zich meebracht. Strikt genomen had hij kunnen weigeren, maar dat was uitgesloten omdat de abt zich schuldig voelde nu de koopman was gestorven terwijl hij onder zijn bescherming had gestaan.

Het was alsof zijn gedachten vlees werden toen Ubaldo's broer bij de abdij arriveerde. Umberto leek op zijn oudere broer, maar hij was grimmiger. Hij weigerde op botte toon iets te drinken en zei dat hij op doorreis was naar een herberg in Assisi. 'U moet begrijpen, vader abt,' zei hij, 'dat ik me niet veilig voel bij het soort gastvrijheid dat de abdij van Giardinetto biedt. Ik hoor dat er na mijn broer nog iemand is gestorven. Aan vergif, meen ik?'

Bonsignore kon het niet ontkennen. 'Ik ben ervan overtuigd dat er geen verband is tussen de sterfgevallen,' zei hij, met alle zelfbeheersing die hij wist op te brengen.

'O nee?' zei Umberto, die zijn wenkbrauwen zo hoog optrok dat ze bijna tot zijn haargrens reikten. 'Wordt hier zo vaak gemoord dat u zich zo'n opmerking kunt veroorloven? Giardinetto moet wel een waar lijkenhuis zijn!'

'De manier waarop was nu eenmaal heel verschillend,' zei de abt. 'Ik geloof nog steeds dat uw broer door een inbreker is overvallen. En wanneer een van de monniken vergiftigd wordt, zet dat ze natuurlijk allemaal in een kwaad daglicht, maar dat is een kwestie die we binnenshuis moeten aanpakken. Het hoofd van onze orde, de priorgeneraal, komt de zaak onderzoeken. Voorlopig kan ik alleen maar herhalen dat ik ervan overtuigd ben dat uw broer niet door een monnik is omgebracht.'

'Wat weet u eigenlijk van uw monniken?' vroeg Umberto. 'Ik bedoel van het leven voor ze in het klooster intraden?'

Bonsignore dacht meteen aan wat hij kortgeleden had ontdekt over broeder Anselmo, maar hij antwoordde met zo veel zelfvertrouwen als hij maar kon. 'Ik ben niet degene die ze in de orde heeft opgenomen,' zei hij. 'De toenmalige priorgeneraal heeft zich een oordeel gevormd over het leven en de roeping van de monniken voor ze konden intraden.'

'Dan ziet het ernaar uit dat uw priorgeneraal minstens één moordenaar over het hoofd heen gezien,' zei Umberto spottend.

De abt gaf geen antwoord.

'Ik ben er niet gerust op dat u de zaak ernstig genoeg opvat,' zei Umberto. 'Het zal me een zorg zijn of uw monniken elkaar tot op de laatste man afmaken. Mij gaat het om de moord op mijn broer. Maar afgezien daarvan, wat is het voor een flauwekul dat u de mundualdus van mijn schoonzuster wordt?'

'Monna Isabella heeft me het eervolle verzoek gedaan haar te vertegenwoordigen in zakelijke aangelegenheden,' zei de abt. 'Ik zie het als een daad van vertrouwen, een bewijs dat ze de abdij niet verantwoordelijk houdt voor de dood van haar man.'

'Dat mens is gek,' zei Umberto.

'De dame lijkt mij volkomen bij haar verstand,' zei vader Bonsignore.

Umberto keek hem kwaad aan. 'En u aanvaardt dat verzoek?'

'Ik zie niet in waarom niet.'

'Dan heb ik hier verder niets te zoeken. Ik merk wel dat ik geen steek verder kom met u. Misschien zal uw priorgeneraal mij met meer belangstelling aanhoren.'

Hij vertrok abrupt. De abt haalde diep adem en liep naar het raam. Hij zag zijn onwelkome bezoeker naar de stal lopen. Umberto bleef onderweg staan om met een monnik te praten. De abt fronste zijn wenkbrauwen. Zijn ogen waren niet scherp meer en hij kon niet onderscheiden welke minderbroeder daar met Ubaldo's boze broer sprak. Het maakte niet uit, want alle monniken kenden de roddels die er over de kleurenmeester gingen en Bonsignore had een nieuw probleem om zich zorgen over te maken.

Met verbazing las monna Isabella wat de abdis haar over Chiara schreef – ofwel over zuster Orsola, zoals ze in de brief werd genoemd. Isabella had verwacht dat Chiara onmiddellijk op haar aanbod zou ingaan. Ze had navraag gedaan in de stad en was erachter gekomen dat Bernardo, de broer van het meisje, slordig omsprong met het weinige dat er van zijn erfdeel restte. Volgens de geruchten maakte hij veel schulden.

Ook hoorde ze dat de mensen vol lof waren over de rijke weduwe uit Perugia, die een wolhandel aan het opzetten was in Gubbio. Het werd als een gedurfde onderneming gezien, al had Angelica volgens de wet een man aangesteld om haar bedrijf te leiden. De mensen waren beleefd, hartelijk en vol respect tegen Isabella; ze was geliefder dan haar man ooit geweest was. Maar ze praatten liever niet openlijk over Angelica met haar, omdat ze haar niet wilden kwetsen met verhalen over de concurrentie.

Isabella had zich nog geen idee gevormd over hoe het verder moest na de dood van haar man, al had ze vage dagdromen gehad over het terugvinden van Domenico. Nu ze hem inderdaad gevonden had, durfde ze niet meer te dromen. Ze moest een toekomstplan uitstippelen waar hij geen rol in speelde. En waarom zou ze niet hetzelfde doen als die jonge weduwe uit Perugia? Als zo'n jong ding, van nog geen twintig, in een andere stad een bedrijf kon opzetten, kon Isabella toch Ubaldo's succesvolle handel hier in Gubbio voortzetten? Ze had al een zaakgelastigde aan abt Bonsignore, die haar verzoek had aanvaard. Nu hoefde ze alleen nog een bedrijfsleider aan te stellen.

Dan had ze in ieder geval iets anders om over na te denken dan een monnik van middelbare leeftijd die in Giardinetto woonde. Maar ze moest daar binnenkort wel weer heen om de abt te spreken en ze wilde ook proberen een gesprek onder vier ogen te hebben met de man die nu broeder Anselmo heette. Aan die kwestie moest voor eens en altijd een einde komen. Ze wilde maar dat ze een vriendin had die ze in vertrouwen kon nemen; het was jammer dat Chiara niet wilde komen, tenminste: voorlopig nog niet.

In afwachting van het bezoek van Michele da Cesena, de nieuwe priorgeneraal, hielden de monniken zich net als anders bezig met hun dagelijkse plichtplegingen. Ze hielden zich aan de gebedstijden, werkten in de tuin en op het land, bezochten de zieken, preekten in naburige parochies en hoorden de biecht. Broeder Anselmo leidde de kleurwerkplaats net als altijd en algauw hadden ze hun eerste partij ultramarijn geproduceerd. Ondanks de druk van al zijn zorgen en lasten werd Silvano betoverd door de hemelse kleur. Die leek betere tijden te beloven.

Ook zuster Veronica en de grijze nonnen van Sint-Clara hadden hun eerste productie klaar en Anselmo stelde voor dat ze gezamenlijk met paard en wagen van de abdij naar Assisi zouden gaan. Daar hadden Silvano en Chiara allebei op gehoopt, maar ze werden er verlegen van toen ze eindelijk samen achter in de wagen zaten. Anselmo voerde de teugels, met zuster Veronica naast hem. Ze was een beetje doof, zodat de jongeren veilig konden praten. Silvano dacht dat Anselmo het niet erg zou vinden, maar hij nam het zekere voor het onzekere en praatte met gedempte stem.

'Hoe gaat het met je, Chiara?' vroeg hij zacht. 'Zijn de zusters nog bang?'

'Ikzelf niet, broeder,' zei Chiara, die niet goed wist hoe ze hem moest aanspreken maar het heerlijk vond dat hij haar echte naam had gebruikt. 'Het maakt de meeste nonnen wel zenuwachtig om naast een huis te wonen waar zo veel vreselijks gebeurt. Als ikzelf bang zou worden, kan ik weggaan.'

'Kan dat?' vroeg Silvano. 'En ga je?'

'Misschien,' zei Chiara. 'Monna Isabella heeft gevraagd of ik bij haar in Gubbio wil komen wonen, als haar gezelschapsdame. Moeder Elena vindt het goed.'

'Twijfel je dan nog?'

'Ik moet erover nadenken,' zei Chiara, op een toon die een einde maakte aan het onderwerp.

'Heb je gehoord dat we inspectie krijgen van de priorgeneraal?' vroeg Silvano.

Chiara knikte. 'De abdis verwacht dat hij ook bij ons komt. In gewone omstandigheden zou dat al spanning geven, geloof ik. Nu heeft iedereen helemaal de schrik in de benen. Stel dat hij de abdij wil sluiten? Hoe moet het dan met de clarissen?'

'De abdij sluiten!' riep Silvano uit. 'Zover zal het toch niet komen?'

Broeder Anselmo draaide zich even om en legde zijn vinger op zijn lippen.

'Alle monniken zijn bang,' zei Silvano zacht. 'En sommigen zijn nog het bangst voor Anselmo en mij. Je merkt het aan hoe ze kijken.'

De rest van de tocht werd zwijgend afgelegd, maar gaandeweg werden ze zich meer en meer bewust van elkaars nabijheid. Voor het fatsoen zaten ze niet naast, maar tegenover elkaar. Het was al ongewoon genoeg dat dat werd toegestaan. Het gaf hun overigens mooi de kans naar elkaar te kijken.

Steeds weer ontmoetten hun blikken elkaar en een van hen keek dan snel weg, opgelaten, zogenaamd erg geïnteresseerd in het landschap. Intussen kon de ander de ronding van een wang of de lange wimpers bestuderen. Dat bevestigde wat ze allebei al eerder bedacht hadden: het studieobject was echt erg plezierig om te zien.

En nu viel het Silvano in dat Chiara misschien toch niet zo onbereikbaar zou zijn als hij eerst had gedacht. Ze was niet rijk, maar ze was van goede komaf en ze zou in een voornaam huis wonen als ze besloot om in Gubbio bij Isabella in te trekken. Zijn vader zou vast geen bezwaar maken als hij zei dat hij de beschermelinge van de weduwe het hof wilde maken. Hij betrapte zich erop dat zijn gedachten met hem op de loop gingen. Nog maar een paar weken geleden was hij wanhopig verliefd geweest op een heel andere vrouw.

In zijn hart moest hij toegeven dat hij alleen nog gekwetste trots voelde als hij aan Angelica dacht. Als hij eerlijk was, vond hij Chiara veel mooier. En hij leerde haar beter kennen; ze hadden al veel meer gepraat dan hij ooit gedaan had met de weduwe uit Perugia, die hij eigenlijk nog nooit gesproken had.

Voor Chiara lag het minder ingewikkeld. Behalve Silvano had ze nooit een man ontmoet die haar aantrok; zijn gezicht was haar vertrouwd geworden en hij was bovendien het type dat ze zich had voorgesteld als ze aan liefde en romantiek dacht. Daar mocht ze eigenlijk helemaal niet aan denken, maar ze had nooit geloofd dat ze voor non in de wieg was gelegd en nu ze niet langer hoefde te berusten in dat lot, mocht ze van zichzelf weer fantaseren.

Er was nog iets wat haar bezighield. In tegenstelling tot haar verwachtingen had het kloosterleven haar wereld groter en ruimer gemaakt. Ze was in de ban geraakt van de ongekende weelde aan kleur en vorm in de basilica, en de ontmoeting met de schilders had haar de ogen nog verder geopend. In haar geboortestad was ze nooit in aanraking gekomen met kunst, afgezien van wat er in de parochiekerk was te zien, en ze had er nooit over nagedacht hoe dat daar was gekomen.

En dan waren de moorden er nog. Die waren natuurlijk gruwelijk, maar het besef dat het gevaar zo dicht op de loer lag was ook opwindend. Daardoor was de sleur in beide huizen doorbroken; niemand wist wat de volgende dag in petto had. Ze was niet echt bang dat haar iets kon overkomen en ze wilde niet uit het klooster weg zolang het mysterie niet was opgelost.

Simone was blij verrast hen te zien en hij was opgetogen over het ultramarijn. Toen ze bij hem kwamen in de kapel die aan Sint-Martinus was gewijd, snakte Chiara naar adem. Vanuit de boog in de entree keek haar eigen gezicht op haar neer! Het haar was van bruin in goud veranderd, maar het was absoluut haar gezicht. Het was een heilige, van wie de aureool al geschetst was in afwachting van Simones beroemde goudafwerking. Ze hield een lelie in haar hand en ze was afgezonderd van een andere vrouwelijke heilige door een smalle, spiraalvormige pilaar die zo levensecht tegen de blauwe achtergrond stond dat Chiara amper kon geloven dat hij geschilderd was.

'Neem me maar niet kwalijk, zuster Orsola,' zei Simone, 'dat ik je beeltenis als model heb gebruikt voor je patroonheilige, Sint-Clara.'

'Ze is niet alleen de stichteres van onze orde,' zei Chiara. 'Ik ben naar haar genoemd. Mijn echte naam is Chiara.' En die zal ik weer gaan dragen, dacht ze bij zichzelf.

'Die naam past bij je,' zei Simone eenvoudig.

Silvano lachte naar de schilder; dus daarom had hij de mooie novice zo nauwlettend bestudeerd! Hij had graag een kopie van Simones portret van Chiara gehad. Als het een miniatuur was geweest, zou hij het bij zich kunnen dragen.

En terwijl hij zo stond te mijmeren, legde Simone aan broeder Anselmo en zuster Veronica uit dat de andere heilige, die in groen en wit minder weelderig gekleed ging dan de vrouw die op Chiara leek, Elizabeth van Hongarije was.

Zuster Veronica knikte goedkeurend. 'Ze was een prinses,' vertelde ze aan Chiara. 'Ze trouwde op haar veertiende. Toen haar man stierf, stichtte ze een van de eerste vrouwenhuizen voor de volgelingen van Sint-Franciscus. En ze gaf al haar geld weg aan de armen.'

Getrouwd op haar veertiende! dacht Chiara. Toen was ze nog jonger dan ik nu!

Simone had de linkermuur af en hij werkte nu aan de laatste schildering op de rechtermuur.

'Hier werpt Sint-Martinus voorgoed de wapens af,' legde hij uit, toen ze dichterbij kwamen om zijn werk te bekijken. 'Hij doet afstand van het aardse ridderschap dat hij in de eerdere afbeelding heeft aanvaard.'

Silvano bewonderde het talent waarmee de schilder de verschillende personages in het tafereel had uitgebeeld. Hij vond dat de heilige maar een moeilijke weg had gekozen toen hij besloot geen militair meer te zijn en in plaats daarvan een religieus leven te leiden. Hij keek naar de blote voeten van Sint-Martinus, ontdaan van de laarzen en sporen van zijn ridderschap.

Voor hem geen jachtvogel en paard meer, dacht hij.

Chiara stond naar het plafond te kijken. Simone had het zo beschilderd dat het de hemel zelf leek, diepblauw en bezaaid met gouden sterren.

'Is dat ultramarijn?' vroeg ze.

'Nee,' zei Simone. 'Dat is azuriet, maar grof gemalen om de kleur intens te maken.'

Chiara moest denken aan zuster Veronica's advies toen ze zelf in het klooster bezig was geweest met het malen van het helderblauwe pigment.

Toen Silvano de blik van Chiara volgde en hij zijn ogen vervolgens langs de linkermuur omlaag liet glijden, zag hij het gezicht dat hem al bij zijn eerste bezoek was opgevallen, het gezicht met de mondhoeken naar beneden dat van Simone zelf was.

'Toch gek om u daar zo te zien, ser Simone,' merkte hij op.

'Ja, dat valt jou steeds op, hè? Soms heb ik zo'n tekort aan modellen dat ik mezelf maar gebruik. Als laatste redmiddel,' lachte de schilder. 'Enfin, voor die schildering had ik een scepticus nodig en ik vond dat mijn uiterlijk dat wel uitstraalde.'

'Welk verhaal zit erachter?' vroeg Silvano.

'Sint-Martinus wekt een dood kind tot leven omdat de radeloze ouders hem gesmeekt hebben hun kind te redden,' zei Simone. 'De toeschouwers kunnen hun ogen niet geloven.'

'En daar is iemand van onze orde.' Zuster Veronica wees Chiara op een non in grijs gewaad.

'U zei toch dat Sint-Martinus honderden jaren geleden leefde?' protesteerde Silvano. 'Lang voor Franciscus en Clara?'

'Hij werd bijna duizend jaar geleden geboren,' zei Simone. 'Daarom moet de kapel klaar zijn voor zijn millenniumviering. Ik geef toe dat ik me een artistieke vrijheid heb gepermitteerd door er een claris bij te zetten. Er is ook een franciscaner monnik, zoals jij en broeder Anselmo. Kijk, hij staat daar achteraan en kijkt omhoog naar die boom. Dat is de wonderboom die door toedoen van Sint-Franciscus in Siena is gegroeid toen hij zijn staf in de grond plantte.'

'Sint-Martinus heeft volgens het verhaal het kind toch midden in een veld tot leven gewekt?' vroeg Anselmo, met twinkelende ogen. 'Hier gebeurt het midden in de stad – uw stad, zo te zien.'

Simone spreidde zijn handen in een gebaar van berusting. 'Ik heb heimwee,' zei hij eenvoudig. 'U bent in Siena geweest, broeder, dus u weet hoe mooi mijn stad is. Ik ben nu al een jaar weg en ik mis mijn geboortestad meer dan ooit nu Pietro ook hier is. Ik wil de kapel en de figuren in de boog binnen een paar maanden af hebben, zodat ik naar huis kan.'

Silvano was stil en dacht aan thuis, en hij zag broeder Anselmo ook peinzend kijken. Wat was thuis in de gedachtewereld van de monnik? Was het Giardinetto, of verlangde hij nog wel eens terug naar Gubbio, waar hij jong en verliefd was geweest? Silvano besefte dat hij eigenlijk niet veel van de kleurenmeester wist.

'Waarom hebt u uzelf genomen als de man die het wonder niet vertrouwt, ser Simone?' vroeg Chiara. 'Gelooft u niet in wonderen?'

'Natuurlijk wel,' zei Simone, nu weer opgewekt. 'Maar een schilder is en blijft nu eenmaal een kritische toeschouwer, een buitenstaander, die wat afstand houdt tot de gebeurtenis. Dus als ik mezelf erbij zet, blijf ik sceptisch kijken.'

'In Giardinetto kunnen we ook wel een onpartijdige toeschouwer gebruiken,' zei Anselmo zacht, zodat zuster Veronica het niet kon horen.

'Zijn er nog steeds geen ontwikkelingen?' vroeg Simone al even zacht.

'Nee,' zei Anselmo. 'We hebben nog geen flauw idee wie de dader is. Sommige monniken fluisteren over Silvano en mijzelf. Ik weet niet of wij het onderzoek van de priorgeneraal zullen overleven.'

'Wat vreselijk,' zei Simone. 'Ik kan niet zonder mijn beste pigmentmakers als ik de fresco's wil voltooien. Nou ja, dat is natuurlijk maar een grapje. We moeten doen wat we kunnen om de echte moordenaar te vinden.'

'We doen al wat we kunnen,' zei Silvano. 'We zijn alle monniken nagegaan en konden voor niemand een motief bedenken om de koopman en broeder Landolfo te vermoorden.'

'Dan zijn er maar twee mogelijkheden,' zei Simone. 'Of er zijn twee verschillende moordenaars en Giardinetto is slachtoffer geworden van een gruwelijk toeval...'

'Zo denkt abt Bonsignore erover,' zei Silvano.

'...of we zitten helemaal fout als we motief en verband zoeken en de moordenaar is krankzinnig. Dan wordt er willekeurig gemoord door iemand zonder motief of reden.'

'Dan kan iedereen het volgende slachtoffer worden,' zei Chiara, die voor het eerst bang werd.

'Daarom moeten we zorgen dat er geen volgend slachtoffer komt,' zei Simone. 'Dat is zelfs nog belangrijker dan mijn schilderijen. Vertel me wat jullie van iedere monnik in de abdij weten.'

Twee straten verderop van de plaats waar de schilder en de volgelingen van Sint-Franciscus over de moord praatten, zat Umberto in een herberg. Hij dronk stevig van de rode wijn die steeds werd bijgeschonken. Hij piekerde over wat hem was verteld in de abdij van Giardinetto.

'Broeder Anselmo,' zei hij met slepende stem zacht voor zich heen. 'Of zal ik je Domenico noemen? Dacht je nou echt dat je ongestraft je gang kon gaan? Je vermoordt mijn broer en haalt zijn domme weduwe over je marionet Bonsignore aan te stellen als haar mundualdus. En dan? Ontdek je dan opeens dat je van je geloof bent gevallen? Je treedt uit de orde en na een fatsoenlijke wachttijd – ha! wat heet fatsoenlijk voor een moordenaar en zijn lellebel! – vraag je de weduwe van mijn broer ten huwelijk. En wie is haar voogd en beschermer? Die oude dwaas van een abt! En zo krijg je alles wat van Ubaldo is geweest – zijn huis, zijn land, zijn zaak, zijn vrouw. Maar met één ding heb je geen rekening gehouden. Umberto zal alles op alles zetten om zijn broer te wreken. Niets krijg jij – nog geen scudo!'

14

De priorgeneraal

Baron Montacuto zat met tegenzin aan het middageten. Zijn vrouw Margarethe, die evenals hun zoon van nature al een lichte huid had, zat tegenover hem aan tafel met een gezicht waaruit al het bloed leek weggetrokken. Ze lachte nooit meer. Hun dochtertjes Margaretha en Vittoria, aan wie hij gewoonlijk zo veel plezier beleefde, zaten al even stil als hun ouders aan tafel en prikten wat in hun eten.

Montacuto vervloekte de dag waarop Silvano zijn zinnen op de bevallige vrouw van de schapenboer had gezet. Zijn gezin was in één klap onderuitgehaald door de dood van de schapenboer. Nog steeds hing het vonnis boven Silvano's hoofd; de doodstraf was een uitgemaakte zaak als hij één voet in Perugia durfde te zetten voordat de echte moordenaar was gevonden. En tot Silvano kon terugkomen was het gezin Montacuto een schim van wat het geweest was.

Er kwam een knecht binnen, die de komst van de abt van Giardinetto aankondigde. Even lichtten de ogen van de baron op, maar hij onderdrukte zijn blijdschap meteen.

'Breng hem naar mijn werkkamer en geef hem iets te drinken,' beval hij. 'Ik moet me verontschuldigen, liefste,' zei hij tegen Margarethe. 'Ik heb genoeg gegeten, en Bonsignore is een van mijn oudste vrienden.'

'Natuurlijk,' zei zijn vrouw lusteloos. 'Het zal je goeddoen hem te zien.'

De blijdschap die Bartolomeo voelde toen hij de beschermheer van zijn zoon omarmde, sloeg algauw om in schrik.

'Het gaat goed met hem en hij is veilig – tot nu toe,' zei Bonsignore voorzichtig.

'Hoe bedoel je, tot nu toe? Is zijn geheim bekend geworden?'

Bonsignore zuchtte. 'Dat is de minste van onze zorgen, al is het waar. Silvano's geschiedenis is op de een of andere manier bekend geraakt in de abdij.'

'Vertel me alles,' zei de baron.

In huize De' Oddini vond intussen een veel bevredigender gesprek plaats. Vincenzo had een zeer ongebruikelijke boodschap over te brengen aan zijn zoon.

Gervasio was hem altijd een raadsel geweest. Het gezin bestond uit zo veel kinderen dat hun vader ze niet allemaal even goed kende, maar hij begreep meer van zijn andere zoons en dochters dan hij ooit van zijn jongste begrepen had. 'Je bent de afgelopen weken goed bevriend geraakt met de weduwe Angelica?' begon hij.

'Ja, vader,' zei Gervasio mak, en hij trachtte niets te verraden van zijn opwinding. Hij wist wat er komen ging. 'We zijn graag bij elkaar.'

'Blijkbaar wil monna Angelica dat jullie nog vaker bij elkaar zijn,' zei Vincenzo droog. 'Ze heeft me gevraagd te polsen of een huwelijk bij je in de smaak zou vallen.'

'Of ik met haar wil trouwen?'

'Ja, met wie anders! Dacht je soms dat ze koppelaarster van beroep is?' zei Vincenzo.

'Hoe denkt u daarover, vader?'

Vincenzo onderdrukte een huivering. Hij vond het een erbarmelijke stap achteruit voor een zoon uit een adellijke familie, hoe verarmd ook, om te trouwen met een doodgewone boerin, hoe rijk ook. Maar hij kon het de jongen niet afraden. Na Vincenzo's dood zou Gervasio's erfdeel te schamel zijn om van te leven en dit was een geweldige kans om een groot fortuin in handen te krijgen. En de weduwe was mooi, dat zeker, al was ze een beetje ordinair. Zolang Gervasio haar mocht, kon zijn vader geen bezwaar maken. Hij verdiende met zijn adviseursfunctie zelf ook goed aan de weduwe; hij kon het zich niet veroorloven haar te beledigen.

'Tja, als jij de dame graag mag, geef ik je met plezier mijn zegen voor zo'n verbintenis,' zei hij knarsetandend.

'Dank u, vader,' zei Gervasio. 'Dan word ik met plezier haar tweede echtgenoot. Laten we de verloving meteen bekendmaken. We willen de plechtigheid zo gauw mogelijk voltrekken, binnen de grenzen van fatsoen, gezien haar status als weduwe.'

'Zoals je wilt. Zal ik naar haar toe gaan of breng je haar zelf je antwoord?'

'Ik ga zelf, vader, als u het goedvindt,' zei Gervasio.

'Dat vind ik goed,' zei Vincenzo. 'Ik zal het je moeder vertellen.'

En zodra zijn zoon de kamer uit was had hij het ondefinieerbare gevoel dat hij het slachtoffer was geworden van een samenzwering.

'Nog twee moorden!' donderde Bartolomeo da Montacuto. 'Onder hetzelfde dak als mijn zoon!'

'Dat wel,' zei de abt, 'maar ik geloof niet dat er verband is met de moord in Perugia.'

'Wat ben ik begonnen?' kreunde de baron en hij greep naar

zijn hoofd. 'Het enige wat ik wilde was mijn zoon beschermen, en nu heeft het er alle schijn van dat ik hem de leeuwenkuil in heb gestuurd.'

'We doen wat we kunnen om onze hele gemeenschap te beschermen,' zei Bonsignore en zijn oude vriend merkte voor het eerst hoe afgetobd hij eruitzag. 'De priorgeneraal komt een onderzoek instellen en zal alle monniken ondervragen.'

'Maar intussen wordt Silvano weer verdacht?' vroeg Bartolomeo. 'Als zijn verhaal bekend is geworden en het eerste slachtoffer is neergestoken, zien de andere monniken hem zeker aan voor de meest voor de hand liggende moordenaar?'

'Dat kan ik niet ontkennen,' zei Bonsignore. 'Maar zijn mentor, broeder Anselmo, is ook verdacht, omdat hij in zijn jonge jaren de weduwe van het eerste slachtoffer het hof heeft gemaakt.'

'En die man moet voor mijn zoon zorgen?'

'Hij is onze kleurenmeester. Silvano werkt onder hem in de werkplaats. Ze malen pigmenten voor de schilders in Assisi. Blijkbaar vindt hij het fijn werk.'

'Denk jij dat die broeder Anselmo de moordenaar is?'

'Nee,' zei Bonsignore. 'Ik steek mijn hand voor hem in het vuur. Maar het moet wel iemand van mijn orde zijn en ik kan de gedachte niet verdragen dat een van mijn monniken zoiets zou doen.'

De baron kalmeerde wat en leunde achterover in zijn stoel. 'Is Silvano nog wel veilig bij jullie?' vroeg hij. 'Moet ik proberen hem ergens anders onder te brengen?'

'Het lijkt me nog veel gevaarlijker als je hem nu laat reizen. Maar ik kan niet beloven dat ik hem zo goed kan beschermen als ik zou willen. Tenslotte heb ik ook broeder Landolfo niet kunnen redden.'

De mannen bleven even stil.

'Dat zou ik bijna vergeten,' zei Bonsignore toen. 'Ik heb brieven van Silvano bij me, voor jou en voor de baronessa.' Hij haalde twee perkamentrollen uit het tasje aan zijn riem.

De baron pakte de rollen gretig aan. 'De brief voor Margarethe geef ik haar later wel,' zei hij. 'Ze mag niet weten dat jij hem hebt gebracht. Het is heel belangrijk dat ze niet weet waar Silvano zich schuilhoudt. Ik kan hem maar beter eerst zelf lezen, voor het geval hij iets verraadt.'

'Zal ik met Celeste op jacht gaan naar vlees voor de priorgeneraal?' vroeg Silvano aan de kok Bertuccio.

'Geen sprake van,' zei Bertuccio. 'Ik heb strikte instructies van de abt. Michele da Cesena is een groot voorstander van soberheid. Hij heeft pas nog een decreet geschreven waarin stond dat alle franciscanen terug moeten keren naar de oorspronkelijke leefregel van de heilige – geen luxe, bezit of genotzucht. Dat zal niet iedereen hem in dank afnemen, let op mijn woorden.'

Bertuccio was een lekenbroeder en Silvano wist niet hoe hij tegenover de principes van de franciscanen stond. Sinds zijn komst in Giardinetto had Silvano gemerkt dat de regels voor hemzelf niet streng waren, maar hij zag ook dat de ene monnik eenvoudiger leefde dan de andere. Zo had broeder Landolfo ondanks zijn vrolijk voorkomen en rol als gastheer altijd karig geleefd, terwijl een andere broeder zich weer zichtbaar tegoed kon doen aan de genietingen van de tafel.

Hij kwam er niet goed achter hoe de monniken over bezit dachten. Iedereen droeg hetzelfde, grove grijze habijt en had meestal een psalmen- of gebedenboek bij zich. De abt was de enige die daarnaast een eenvoudig kruis op zijn borst droeg.

De broeders liepen alleen op sandalen als ze een lange tocht moesten afleggen; meestal gingen ze blootsvoets.

Silvano had alleen de privécellen van de abt en broeder Anselmo vanbinnen gezien. Was het mogelijk dat andere oudere monniken in hun cel een kist vol kostbare kleden en juwelen hadden? Het leek hem onwaarschijnlijk, want het strookte niet met de gelofte van armoede. Silvano kende het verhaal van de rijke jonge Franciscus die al zijn bezit had afgezworen, tot en met de kleren die hij droeg, en zich van zijn adellijke familie had afgekeerd om een orde te stichten die gebaseerd was op eenvoud en armoede, in de voetsporen van Jezus.

Hij herinnerde zich dat zijn oude vriend Gervasio bang was geweest voor een toekomst als monnik, maar zelf had hij zich zonder moeite aangepast. Het hielp natuurlijk wel dat hij hier tijdelijk was en naar een ander leven kon terugkeren. Het zou een groot verschil hebben gemaakt als zijn hele toekomst in de abdij had gelegen.

Silvano merkte dat hij opzag tegen het bezoek van de priorgeneraal met zijn strenge reputatie. Ook wachtte hij gespannen de terugkomst van abt Bonsignore uit Perugia af. Niet alleen zou hij Silvano's vader hebben gesproken en de brieven hebben afgegeven, hij had misschien ook nieuws over de moordenaar van de schapenboer, iets waardoor zijn naam in Giardinetto gezuiverd kon worden.

Anselmo en Silvano werkten nu in stilte in de kleurwerkplaats. De sfeer was zwaar van achterdocht. Simone had hun aangeraden goed op te letten of ze tekenen van waanzin konden ontdekken bij andere monniken, waardoor ze nu even terughoudend waren tegen hun medebroeders als omgekeerd. Silvano voelde zich daardoor nog dichter bij de kleurenmeester staan, maar hoe kritischer ze de anderen bekeken, hoe moeilijker het ze viel om te bepalen wie vreemd deed en wie niet.

Broeder Fazio was een excentriekeling, zeker gezien de manier waarop hij omging met de kleurstoffen voor zijn miniaturen, maar dat maakte hem nog niet gek. Gregorio de lector was streng – Silvano vond hem het type monnik dat in de smaak zou vallen bij de priorgeneraal – maar hij was rechtvaardig en zeker niet geestelijk ontwricht. Rufino de ziekenbroeder en Valentino de herborist waren het vaak niet met elkaars geneeskundige opvattingen eens. Maar in wezen konden Silvano en Anselmo bij geen van de monniken meer gekte ontdekken dan bij willekeurig wie buiten de kloostergemeenschap. Iedereen had wel zo zijn grillen en nukken; zolang het de spuigaten niet uit liep bleef het idee dat er een dolgedraaide moordenaar onder hen was ongelooflijk.

'Het is geregeld!' zei Gervasio en hij tilde de opgelucht lachende Angelica op en draaide haar rond. Toen hij haar neerzette was hij enigszins buiten adem. Werd ze niet een beetje al te zwaar?

'We kunnen trouwen wanneer je eraan toe bent, mijn schat,' zei hij.

Voldaan bekeek ze hem. Zo hoorde een echtgenoot te zijn! Jong, slank, knap – en van adel. Hij zou niet met ongeschoren wangen langs haar gezicht schuren of boven zijn bord zitten te boeren. Gervasio zou een al even grote aanwinst in haar huis zijn als het fraaiste tafelkleed of de duurste vaas die ze kon kopen.

Ze wist heus wel dat hij verliefder was op haar geld dan op haarzelf, maar ze wist ook dat ze hem kon behagen. Dat moest genoeg zijn. Zij was ook niet verliefd op hem, maar hij kon in het huwelijk inbrengen wat zij in haar eerste huwelijk had ingebracht – jeugd, een mooi uiterlijk en goede manieren – en ze was graag bereid de overeenkomst aan te gaan.

Op zijn beurt was ook Gervasio uitgelaten van opluchting. Hij hoefde niet langer bang te zijn voor het leven van een blootsvoetse minderbroeder; zijn kostje was gekocht. En Angelica was een mooi schepsel. Een beetje aan de mollige kant, wat er niet minder op was geworden sinds ze weduwe was, maar het stond haar goed. Ze was blond en blozend en hij had zijn armen vol aan haar lieftalligheid. De huwelijkse plichten zouden verre van vervelend zijn.

Maar het mooist van alles was haar rijkdom! Voorbij waren zijn zorgen over zijn geldgebrek, zijn oplopende rekening bij de herberg, zijn gokschulden. Angelica hoefde maar haar pen te pakken om daar een eind aan te maken.

In het vuur van hun opluchting kusten ze elkaar hartstochtelijk.

'Mijn schat,' mompelde Gervasio, die haar schouders streelde, verrast door de warmte van zijn gevoelens.

'Liefste,' antwoordde ze, haar ogen gesloten in vervoering. Wat was zijn aanraking teder en opwindend! O, voor hem kon ze wél een echte echtgenote zijn! Even ging de herinnering aan een ander door haar hoofd, een jongeman met grote grijze ogen en een gedicht. Ze zette de gedachte meteen uit haar hoofd.

Ook Gervasio dacht aan Silvano. Het gedicht zat nog in zijn hemd. Hij wist niet waar zijn vriend nu was, maar hij hoopte dat hij veilig was. Het was niet bewust zijn bedoeling geweest om Silvano ervoor te laten opdraaien toen hij Angelica's man doodstak. Maar het was wel heel goed uitgekomen dat Silvano juist toen door de straat liep.

·

'Hij is er, hij is er!' zei broeder Matteo opgewonden. Hij stond bij de deur van de kleurwerkplaats toen de priorgeneraal en zijn kapelaan de hof van Giardinetto op reden.

'Hij is zijn paarden aan het stallen,' vervolgde Matteo zijn verslag. 'En nu wijst de oude Gianni hem de weg naar de cel van de abt. O nee, dat is te erg. Een van ons moet erheen om hem te begeleiden. Nee, laat maar, het komt al goed. Vader abt heeft hem kennelijk zien komen – hij is er al heen om hem welkom te heten.'

'Is hij dan al terug?' vroeg Silvano verbaasd.

'O ja, gisteravond al,' zei Matteo. 'Hij zal wel erg moe zijn.'

De abt was inderdaad veel te uitgeput om het bezoek van de priorgeneraal in zulke goede banen te leiden als eigenlijk zou moeten. Michele da Cesena was een angstaanjagend mens om mee om te gaan. Zijn ascetische, uitgeteerde gezicht werd beheerst door fanatieke zwarte ogen en hij had geen boodschap aan kletspraatjes.

Hij groette afgemeten en sloeg een aangeboden drankje af, ongeacht het feit dat zijn kapelaan keek alsof hij er best zin in had. De priorgeneraal wilde op staande voet de plaats van de misdaad zien. De kapelaan besprenkelde de gastencel en de eetzaal met wijwater en intussen knielde de priorgeneraal op de kale stenen vloer om lang en fervent te bidden.

'We hebben een reinigingsceremonie in de kapel gehouden,' zei Bonsignore, toen Michele da Cesena eindelijk opstond.

'Goed,' knikte de priorgeneraal. 'Ik heb uw cel nodig om iedereen om de beurt te verhoren – van uzelf tot en met de jongste novice, inclusief de lekenbroeders en knechten. Ik zal iedereen de biecht afnemen.'

Alsof iemand dan van schrik meteen de moorden opbiecht, dacht de abt bij zichzelf, maar hij zei alleen: 'Ik heb na de misdaden iedereen natuurlijk al de biecht afgenomen.'

De priorgeneraal negeerde dit. 'Mijn kapelaan maakt aantekeningen,' zei hij. 'In een noodgeval als dit moeten we van het biechtgeheim afwijken.'

De abt liep met hem mee naar zijn cel, met het gevoel dat hij op eigen terrein aan de kant werd geschoven en zijn bevoegdheden hem werden afgenomen. Zuchtend rechtte hij zijn schouders; hij had geen andere keus gehad dan het hoofd van de orde te laten komen. In zekere zin was de wetenschap dat hem een moeilijk kwartier stond te wachten zelfs vreemd troostrijk. Deze strenge, onbuigzame monnik onthief de abt van zijn last. Als iemand de vreselijke misdaden in Giardinetto kon oplossen, was het Michele da Cesena wel.

De spanning in de abdij was tastbaar. Iedereen wist waarom de priorgeneraal gekomen was en wachtte op zijn beurt om ondervraagd te worden. Er werd doorgewerkt, maar niemand kon zich concentreren. Zodra een monnik terugkwam van de priorgeneraal wachtte hem een nieuw verhoor van zijn medebroeders. 'Hoe ging het? Was je bang?' vroegen de jongere monniken en novicen, die voor deze keer hun eerbiedige houding tegenover hun meerderen lieten varen.

Broeder Anselmo bleef zo lang bij de priorgeneraal dat er druk over werd gespeculeerd in de kleurwerkplaats. De monniken waren zenuwachtig en keken vaak naar Silvano, die niet wist of het kwam doordat hij zo'n goede band met de kleurenmeester had of omdat ook hij verdacht werd.

Toen Anselmo terugkwam, zag hij er grauw en gespannen uit en iedereen was opgelucht dat de klok luidde voor de sext. Meteen daarna gingen ze aan het middagmaal en de lector las uit de Openbaring van Johannes, nadat hij de andere monniken met een dwingende blik het zwijgen had opgelegd.

Michele da Cesena verscheen niet in de eetzaal en de abt kwam evenmin eten.

'Die man kan toch niet van de wind leven?' fluisterde broeder Taddeo aan het uiteinde van de tafel.

'Misschien heeft Bertuccio eten gebracht in de cel van de abt?' zei Silvano.

'Daar is vader abt niet,' zei Monaldo de bibliothecaris, die al ondervraagd was. 'Ik denk dat hij in de kapel zit te bidden. De priorgeneraal heeft beslag gelegd op zijn cel.'

De verhoren gingen de hele dag door, en de volgende dag ook.

Michele en zijn kapelaan verschenen heel even bij het avondeten, namen amper iets van het maal dat Bertuccio met opzet schamel had gehouden, en gingen meteen weer aan het werk. De gastencel was aan de priorgeneraal aangeboden, maar hij gaf er de voorkeur aan in de cel van de abt te slapen. Zijn kapelaan voegde zich in de slaapzaal bij de jongere broeders, maar hij liet zich niet uithoren over het werk van zijn baas.

En nog steeds was Silvano niet opgeroepen.

In Perugia ging het nieuws van het voorgenomen huwelijk van de mooie weduwe Angelica als een lopend vuurtje rond. Het duurde niet lang of baron Montacuto kreeg het te horen. Hij viel van de ene emotie in de andere: verbazing, omdat zijn oude vriend De' Oddini toestemde in het huwelijk van een zoon, zelfs al was het een jongste zoon, met de weduwe van een schapenboer; opluchting, omdat zijn eigen zoon nu niet langer in het brandpunt van het onderzoek stond, want Angelica was blijkbaar niet verliefd geweest op Silvano; en ten slotte argwaan.

Geldgebrek moest wel de belangrijkste reden zijn voor Gervasio's huwelijk. En als hij berooid was, had hij vast schulden gemaakt. Bartolomeo da Montacuto besloot zijn spionnen achter de jonge Gervasio de' Oddini aan te sturen; een verschrikkelijk wantrouwen was bij hem opgekomen.

Hij had Silvano's brieven gelezen en het greep hem aan dat de jongen zo'n heimwee had. Silvano was in de brief aan zijn moeder zo voorzichtig geweest om zijn nieuws neutraal te houden; niemand kon eruit opmaken dat hij vanuit een klooster schreef. Toen Margarethe de kamer van de baron binnen kwam, had hij het hart niet om haar de brief nog langer te onthouden.

'Ik heb nieuws, lieverd,' zei hij, getroffen door haar bedroefde blik. 'Een brief van Silvano.'

Het gezicht van de moeder klaarde onmiddellijk op en ze rukte haar man zo ongeveer de rol perkament uit handen. Ademloos las ze.

'Het gaat goed met hem, hij is veilig!' zei ze en ze klampte het perkament tegen haar borst alsof het haar zoon zelf was, die ze kon strelen en zoenen.

'Dat heb ik je toch gezegd, schat,' zei de baron en hij omhelsde haar. 'Ik heb je toch beloofd dat ik hem zou beschermen.'

Hij was niet van plan haar te vertellen dat Silvano opgesloten zat bij minstens één en misschien zelfs twee moordenaars; hij gunde het haar van dit gelukkige moment te kunnen genieten.

'Wanneer krijgen we hem terug?' vroeg Margarethe, die haar blonde hoofd tegen de brede borst van haar man vlijde. 'Wanneer komt Silvano weer thuis?'

'Al heel gauw, schat, al heel gauw,' zei de baron en hij klopte haar zachtjes op de rug. 'Ik heb misschien iets ontdekt waardoor hij binnenkort weer bij ons terug kan zijn.'

15

De kleur van bloed

Kort voor de noen, het gebed om drie uur 's middags, op de tweede dag van zijn onderzoek, liet de priorgeneraal Silvano naar de cel van de abt komen. Het loopje van de kleurwerkplaats naar het hoofdgebouw had hem nog nooit zo lang geleken.

Hij trof Michele da Cesena streng en kaarsrecht zittend aan in de stoel van de abt, terwijl de vermoeide kapelaan achter een hoge leestafel stond.

'Jij bent geen novice,' was de openingszin van de priorgeneraal; het was geen vraag.

'Nee, ik ben geen novice,' beaamde Silvano.

'De abt heeft me je situatie uitgelegd. Het is een eerbiedwaardige kloostertraditie om bescherming te bieden aan de behoeftigen, en ik zeg niet dat de abt er in jouw geval het recht niet toe had. Maar in het licht van de gebeurtenissen na jouw komst hier, in deze voorheen zo vredige en onopvallende gemeenschap, trek ik de juistheid van zijn oordeel in twijfel.'

'Ik ben niet schuldig aan moord, vader, niet aan de moord waarvan ik in Perugia word beschuldigd en niet aan de twee moorden die hier zijn gepleegd. Net als iedereen wil ik dat de dader gevonden wordt.'

'Vertel me precies wat je hebt gedaan op de avond dat de koopman Ubaldo werd doodgestoken.'

'Ik ben broeder Anselmo gaan opzoeken in zijn cel. Hij voelde zich tijdens het eten niet goed en ik maakte me ongerust.'

'Je bent dus gehecht geraakt aan broeder Anselmo? Zou je een andere monnik die zich niet goed voelde ook hebben opgezocht?'

Silvano aarzelde. 'Waarschijnlijk niet. Ik ben... gesteld op broeder Anselmo. Hij is mijn meester in de kleurwerkplaats en hij is aardig voor me.'

'Als je een monnik was, zou ik je nu berispen. Wij mogen de ene broeder niet boven de andere stellen, geen enkel mens boven een ander. Onze-Lieve-Heer zelf heeft zijn discipelen gemaand hun familie te verlaten en hem te volgen. Elke verbintenis met een ander mens leidt af van het werk des Heren.'

'Maar ik ben geen monnik,' zei Silvano zacht.

Michele da Cesena keek hem aan, zijn zware borstelige wenkbrauwen gefronst boven zijn doordringende ogen. Toen leek het alsof het grimmige gezicht zich een beetje ontspande.

'Nee. En in alle eerlijkheid moet ik dan ook zeggen dat jij niet onder mijn rechtsbevoegdheid valt. Je hoeft zelfs mijn vragen niet te beantwoorden, al raad ik je dringend aan dat wel te doen.'

Streng maar rechtvaardig, dacht Silvano. 'Ik ben bereid uw vragen te beantwoorden,' zei hij.

'Mooi. Was broeder Anselmo in zijn cel toen je hem ging opzoeken?'

'Nee. Hij kwam aanlopen toen ik bij zijn deur stond.'

'En waar kwam hij vandaan?'

'Hij had in de tuin gewandeld. Hij zei dat hij een luchtje moest scheppen.'

'Dat heeft hij ook tegen de abt gezegd. En dat hij moest vechten tegen de drang naar de koopman te gaan en hem de waarheid te zeggen.'

'Als hij dat zegt, geloof ik hem,' zei Silvano.

'Tja, maar we weten al dat jij een bijzondere band met broeder Anselmo hebt,' zei de priorgeneraal. 'Jouw mening is gekleurd. En de andere moord? Waar was je toen broeder Landolfo vergiftigd werd?'

'Ik kan niet precies zeggen waar ik was op het moment dat hij het gif binnenkreeg,' zei Silvano, die angstvallend nauwgezet wilde zijn tegenover deze veeleisende inquisiteur. 'Ik was er wel bij toen hij ziek werd. Bijna iedereen was er. Het gebeurde in de eetzaal.'

'En was broeder Anselmo er ook?'

'Ja. Hij hielp broeder Rufino, die broeder Landolfo wilde redden.'

'Zonder succes.'

'Ja. Het was te laat. Broeder Landolfo kreeg de ene aanval na de andere en stierf al snel.'

'Je ontkent dus enige betrokkenheid bij de dood van de broeders,' zei de priorgeneraal. 'Heb je een idee wie er wel bij betrokken kan zijn?'

'Ik denk bijna nergens anders meer aan,' zei Silvano. 'En ik heb nog steeds geen flauw idee.'

'Wie kan broeder Landolfo het gif hebben toegediend?'

'Tja, de kok, denk ik, Bertuccio. Hij is een lekenbroeder.'

'Ik heb broeder Bertuccio ondervraagd en hij ontkent.'

'Het is waar dat hij geen reden had om Landolfo te vermoorden. Hij mocht hem graag – iedereen mocht hem.'

'Met uitzondering van één persoon dan toch,' zei de priorgeneraal droog.

'Eigenlijk was iedereen in de eetzaal wel in de gelegenheid

gif in zijn eten te doen,' zei Silvano.

'Wie kon aan arsenikon komen?' vroeg de priorgeneraal.

De vraag overrompelde Silvano. 'Broeder Anselmo,' gaf hij toe, 'en broeder Fazio ook. Hij gebruikt het bij het verluchten van manuscripten. Ik heb het ook in de werkplaats zien staan, maar ze maken het zelden. Iedere broeder kon het daarvandaan halen, of uit Fazio's cel.'

Michele da Cesena trok plotseling een dolk tevoorschijn en hield hem op nog geen centimeter afstand van Silvano's gezicht.

'En wat is dit?'

Silvano wilde geen krimp geven; hij hield met moeite zijn hoofd stil. 'Een dolk, vader. Geen van de monniken heeft een dolk, dus hij moet van de koopman zijn geweest. Maar u houdt hem zo vlak voor mijn ogen dat ik hem niet goed kan zien.'

De priorgeneraal liet het wapen zakken en bood het Silvano aan, met het heft naar voren.

'Kijk dan maar eens goed. Vertel me wat je ervan denkt.'

Met een onbehaaglijk gevoel nam Silvano de dolk over en balanceerde hem in zijn hand. 'Het is een goed wapen, heel stabiel.'

'Mis je je eigen dolk?'

'Nee,' zei Silvano eerlijk. 'Er is iemand mee gedood, en ik wil hem niet meer dragen.'

'Daar is een dolk toch voor? Waarom droeg je er eerst dan wel een?'

'Om me te verdedigen. Het is vaak gevaarlijk in de stad.'

'Blijkbaar,' zei Michele da Cesena.

'Ik dacht dat zijn dolk met zijn andere spullen mee teruggegaan was naar Gubbio,' zei Silvano en hij gaf het wapen terug.

Het mes was schoongemaakt, maar hij had het idee dat hij het bloed nog kon ruiken.

'De abt vond het tactloos om het moordwapen met zijn bagage mee te geven. Ik betwijfel of een van zijn zoons het zal willen dragen.'

De priorgeneraal keek Silvano zo doordringend aan dat het leek alsof hij recht in zijn ziel wilde kijken. Met een snelle armbeweging stootte hij de dolk in het tafelblad voor hem, waar hij trillend bleef staan; met het handvat erbij leek het net een kruis.

'Laat ons bidden!' beval hij opeens, en hij wees naar de vloer.

Ze knielden samen op de koude stenen en de kapelaan legde zijn pen neer en boog zijn stramme vingers.

Onvermoeibaar ging Michele da Cesena eindeloos door met hardop bidden, en lang voor hij klaar was schreeuwden Silvano's knieën om genade. Maar hij viel in met de juiste woorden zodra het van hem werd verlangd.

'En nu neem ik je de biecht af,' zei de priorgeneraal eindelijk, terwijl hij overeind kwam. Hij beduidde dat Silvano geknield moest blijven.

Silvano wierp een blik op de kapelaan; de biecht met een derde erbij was geheel nieuw voor hem.

'Let niet op hem,' zei de priorgeneraal. 'Vertel me je zonden.'

Chiara was een warmrode kleur aan het maken in de kleurwerkplaats. Na haar eerste dag had ze niet meer met drakenbloed gewerkt, maar ze wist wat hematiet was. 'Bloedsteen' noemde zuster Veronica de harde natuursteen met een paarse kleur. Hij was zo hard dat ze hem kapot moest slaan in een bronzen vijzel voor ze hem kon malen op de porfiersteen.

Chiara sloeg uit alle macht op de bloedsteen in. Kon ze haar warrige gedachten maar even gemakkelijk uit haar hoofd slaan! Ze had geen oog meer dichtgedaan sinds de kunstenaar Simone had geopperd dat de moordenaar krankzinnig kon zijn. 's Nachts draaiden haar gedachten steeds in hetzelfde kringetje rond, en als ze al sliep, kreeg ze meteen nachtmerries. Grillige gestalten met een monnikskap sprongen met een dolk druipend van het bloed uit de schaduwen op haar af. Schimmige moordenaars verscholen zich achter elke deur.

'Laat die vijzel heel, zuster,' waarschuwde zuster Veronica en Chiara besefte dat ze haar gevoelens aan het botvieren was op de steen.

Ze stond nog steeds voor het dilemma of ze moest blijven of weggaan. En dat werd nog ingewikkelder door haar groeiende gevoelens voor Silvano. Ook als ze die gevoelens opzijzette, vond ze dat ze niet uit het klooster weg kon zolang ze niet wist of de vreselijke misdaden, die zo dichtbij waren gepleegd, waren opgelost. Goed, in Gubbio zou ze veilig zijn, en niet alleen voor schimmige moordenaars, maar dan zou ze nog niet kunnen vergeten dat de hele kloostergemeenschap in Giardinetto gevaar liep. En in het bijzonder één van de bewoners, van wie ze het idee niet kon verdragen dat hij doodgestoken of vergiftigd zou worden.

Zou de moordenaar ontmaskerd worden tijdens het bezoek van de priorgeneraal? Iedereen gaf hoog op van zijn grote geleerdheid. Chiara was niet gerust op zijn bezoek aan het nonnenklooster; hij werd hier verwacht om de mis op te dragen zodra hij klaar was met zijn verhoren bij de buren.

Zuster Eufemia kwam in de deuropening van de kleurwerkplaats staan. 'Hij is er,' kondigde ze aan. 'We moeten allemaal in de kapel komen.'

De kapel van de zusters had veel weg van een langwerpig, kaal lokaal, zonder ornamenten of een klokkentoren. De nonnen zaten in houten banken en een ruwe steen diende als altaar, met een houten kruis en twee houten kandelaars. Op de achtermuur hing een houtpaneel waarop de kruisiging was geschilderd. Chiara keek er nu kritischer naar dan toen ze voor het eerst in Giardinetto was. Ze zag welke pigmenten er bij het schilderen waren gebruikt en kon het geheel vergelijken met de kunstwerken die ze in Assisi had gezien.

Ook van dit schilderij ging kracht uit, die haar aandacht beter wist vast te houden dan de donkere gestalte die ervoor stond. De kapelaan assisteerde de priorgeneraal als acoliet en de mis werd met strenge waardigheid opgedragen. Als een van de jongste nonnen en de laatst gekomen novice, ontving Chiara de hostie als laatste. Toen ze haar gezicht ophief zodat Michele da Cesena het gezegende brood op haar tong kon leggen, ving ze een glimp op van zijn donkere wenkbrauwen en vonkende ogen en ze moest zich bedwingen om niet terug te deinzen.

Wist hij al meer? Het was nergens aan te merken. En tegen haar, de minst belangrijke van de kloosterorde, zou hij sowieso niets zeggen. Maar misschien had hij nieuws voor de abdis?

Monna Isabella verwachtte bezoek. Toen de man werd aangekondigd, trof hij haar aan in het kantoor dat van de koopman was geweest; ze gebruikte haar zitkamer nu alleen nog voor privéontvangsten.

'Ah, ser Bernardo,' begroette ze hem.

Bernardo kwam zenuwachtig de kamer in, onzeker van de reden waarom die rijke dame hem had ontboden.

'Ik wil het met u over uw zusje hebben,' zei Isabella.

'Chiara?' vroeg Bernardo. Dat was wel het laatste wat hij had verwacht.

'Ze wordt geen Chiara meer genoemd, wel?' vroeg Isabella. 'Haar echte naam is haar afgenomen en ze heet nu zuster Orsola.'

'Hebt u haar ontmoet, madama?'

'Ja. U hebt misschien gehoord dat mijn man in Giardinetto is gestorven. Ik heb veel steun aan uw zusje gehad toen ik zijn lichaam ging ophalen. Ik vind haar erg aardig en ik trek me haar lot aan.'

'Haar lot, madama? Dat deelt ze met veel meisjes zonder bruidsschat.'

'Ongetwijfeld, maar ze heeft geen roeping. Ik heb haar aangeboden bij me te komen wonen. En als ze ooit een bruidsschat nodig heeft, zal ze die krijgen. Ze kan als gezelschapsdame en vriendin bij me wonen. Ik heb maar één dochter, die nog veel te klein is om een vertrouweling te kunnen zijn.'

Bernardo voelde zich niet op zijn gemak. Isabella's goedgevigheid gaf hem het gevoel dat hij zijn zusje slecht had behandeld, terwijl hij zichzelf ervan had overtuigd dat hij het beste met haar voor had gehad.

'Aangezien u uw zusje aan de nonnen hebt overgedragen,' zei Isabella, 'vind ik niet dat ik uw toestemming hoef te vragen haar hierheen te halen. Maar ik neem aan dat u er geen bezwaar tegen hebt?'

'Nee,' zei Bernardo verbijsterd. Als ze hem niet om toestemming vroeg om Chiara een nieuw thuis te geven, waarom had ze hem dan uitgenodigd? 'Het is heel vriendelijk van u.'

'Een weduwe uit Perugia is hier in Gubbio een wolhandel begonnen,' zei Isabella. 'En ik heb besloten om ook het bedrijf van mijn overleden man voort te zetten.'

Van deze plotselinge wending in het gesprek raakte Bernardo nog meer in de war. Hij had nog nooit gehoord van vrouwen met een eigen bedrijf en nu bleken er zelfs twee te zijn! Wilde die vervaarlijke dame Chiara soms opleiden tot haar opvolgster?

'Nu zoek ik nog een bedrijfsleider,' zei Isabella. 'En ik vroeg me af of u interesse hebt voor een dergelijke functie bij mij.'

Bernardo was met stomheid geslagen. Zijn gebeden werden verhoord. Hij kon de leiding krijgen in het bedrijfspand van Isabella's overleden man! Dan kon hij zijn eigen noodlijdende bedrijfje verkopen en zijn schulden afbetalen. Die monna Isabella moest wel zijn beschermengel zijn! En dat ze ook Chiara's beschermengel wilde zijn vond hij allang best.

De priorgeneraal was op de terugweg van Giardinetto. Hij was diep teleurgesteld in zijn missie. Ondanks strenge verhoren, intimidatie en dreigen met de hel was hij niet op het spoor van de moordenaar gekomen. Hij worstelde met zijn gevoelens, in het besef dat hij meer van streek was door het idee dat zijn gezag was ondermijnd dan door de volslagen mislukking een moordlustige monnik te ontmaskeren.

Onderweg naar Assisi was hij stil en zijn kapelaan was er dankbaar voor; hij had de afgelopen twee dagen genoeg woorden gehoord om er zijn leven lang mee toe te kunnen.

Ze kwamen een eenzame ruiter tegen, die zijn hoed optilde, hen passeerde, toen zijn paard inhield, omkeerde en terugreed.

'Vergeef me, vader, maar bent u Michele da Cesena?' vroeg de onbekende.

Een kort knikje moedigde hem aan verder te praten. 'Ik meen dat u een onderzoek hebt ingesteld naar de moord op de koopman Ubaldo in Giardinetto? Ik ben Umberto, zijn jongere broer. Mag ik vragen of u succes hebt geboekt?'

'Helaas niet,' zei de priorgeneraal, met een gezicht als een donderwolk.

'Mag ik u misschien iets interessants vertellen?' opperde Umberto.

En daar, op de stoffige weg, vertelde hij de priorgeneraal wat hij in Giardinetto over broeder Anselmo had gehoord.

Michele da Cesena had het verhaal al uit Anselmo's eigen mond gehoord: zijn jeugdige hartstocht, het verlies van zijn geliefde en daarna bijna twintig jaar van toewijding aan het religieuze leven; de schok toen hij Ubaldo in de abdij had gezien en over zijn vrouw had horen praten; zijn besluit de koopman niet aan te spreken en geen slapende honden wakker te maken.

Maar nu, niet langer onder invloed van Anselmo's oprechte stem en eerlijke ogen, klonk het heel anders. Een verachtelijke geschiedenis van jaloezie, seksuele rivaliteit en wraak.

De priorgeneraal deed zijn best niet te laten merken dat hij zich om de tuin had laten leiden door een van zijn eigen monniken toen hij Umberto aandachtig aanhoorde.

'Dank u voor uw hulp,' zei hij stijfjes toen de bedroefde broer zijn zegje had gedaan. 'Ik ga terug naar Assisi om me te beraden. Misschien bent u hierin geïnteresseerd?' Uit zijn zadeltas haalde hij de dolk die van de vermoorde koopman was geweest. Umberto keek er gefascineerd en angstig naar. Hij nam het wapen aan, boog en wendde het hoofd van zijn paard weer in de richting van Gubbio.

Broeder Anselmo ging de mis opdragen bij de nonnen, zich er niet van bewust dat de priorgeneraal hem al voor was geweest. Als hij erbij had nagedacht, zou hij beseft hebben dat die kans groot was, maar hij was nog te vol van het onderhoud dat hij met Michele da Cesena had gehad.

De abdis legde de situatie tactvol uit en bood hem brandnetelthee aan in haar kamer.

'Hoe gaat het in de abdij?' vroeg ze.

'Iedereen is aan het bijkomen van het onderzoek,' zei broeder Anselmo somber. 'Het was een slopende ervaring. En ik geloof niet dat het ook maar iets heeft opgeleverd.'

Moeder Elena knikte meelevend. 'Misschien heeft de moordenaar tijdens de biecht berouwd getoond?' opperde ze.

'Ook dan blijft hij een gevaar zolang hij op vrije voeten is,' zei Anselmo. 'Moord is een doodzonde, die niet tijdens de biecht vergeven kan worden om verder ongestraft te blijven.'

'Oog om oog,' zei de abdis.

'Ja, daar komt het wel op neer. De moordenaar kan er niet op hopen dat hij in onze kloosterorde mag blijven. Denk eens in hoe Sint-Franciscus dat gevonden zou hebben!'

'Hoe gaat het met de jonge Silvano?' vroeg Elena.

'Waarom hij in het bijzonder? We zijn er allemaal hetzelfde aan toe. Onder de indruk van zijn verhoor bij de priorgeneraal, zou ik denken. Dat is geen zachtmoedige ondervrager.'

'Wist u dat onze jongste novice, Orsola, van monna Isabella het aanbod heeft gekregen bij haar te komen wonen?'

Door die doelbewuste verandering van onderwerp begreep broeder Anselmo dat de abdis scherper zag dan de meeste mensen beseften. Evenals hijzelf had ze gemerkt dat de twee jonge mensen zich steeds sterker tot elkaar aangetrokken voelden. Hij moest zijn stem en gezichtsuitdrukking in bedwang houden nu er over Isabella werd gepraat.

'Dus zuster Orsola gaat het klooster verlaten?'

'Ze denkt erover na,' zei Elena. 'U moet weten dat ze geen roeping voelt. En het is niet mijn bedoeling haar hier tegen haar wil te houden.'

En op een dag vertrekt Silvano ook, dacht Anselmo. Dan houdt niets ze meer tegen om samen de liefde te vinden. Een golf van verdriet en spijt stroomde door hem heen, meteen gevolgd door wroeging omdat hij twee jonge mensen, die hij graag mocht, hun geluk benijdde. Maar stel dat ze dat geluk zouden vinden onder Isabella's dak? Deed haar dat dan niet denken aan haar eigen voorbije jeugd en liefde? Het leek Anselmo een bron van zowel pijn als blijdschap voor haar.

Peinzend ging hij bij de abdis weg en terug in de abdij vond hij een bericht van de abt. Het onderwerp van zijn gedachten had laten weten dat ze de volgende dag naar de abdij wilde komen om haar zaken te bespreken met abt Bonsignore. En ze had om een gesprek onder vier ogen met Anselmo verzocht.

Umberto had veel zin om op weg naar huis weer in Giardinetto langs te gaan en die sluwe broeder Anselmo eens flink de waarheid te vertellen, maar hij wist niet eens welke monnik het was. En hij kon toch moeilijk aan de abt vragen of hij hem wilde voorstellen aan de man die hij wilde doden.

Hij had zichzelf wijs gemaakt dat Anselmo de moordenaar van zijn broer moest zijn. Hij meende ook dat de priorgeneraal hem de dolk had gegeven als een stilzwijgende opdracht ervoor te zorgen dat er recht werd gedaan. Umberto wist niets van het religieuze leven en het kwam geen moment bij hem op dat Michele da Cesena gegruwd zou hebben van deze interpretatie.

De dolk van zijn broer, weggestoken in zijn hemd, deed Umberto gloeien van een bijna heilig vuur. Hij had alle bewijzen die hij nodig dacht te hebben voor Anselmo's schuld, naar zijn gevoel had hij de zegen van de Kerk en hij had het geschikte wapen om zijn plan uit te voeren.

Als hij naar Giardinetto terugging, was het om wraak te nemen. Het vooruitzicht monna Isabella te kunnen vertellen dat haar geliefde dood was, proefde als een zoete smaak in zijn mond.

16

Graven in het verleden

In de salon van baron Montacuto werd een bloednerveuze man binnengelaten. Hij zag bleek, transpireerde hevig en weigerde zijn naam te zeggen. Hij wilde alleen loslaten dat hij gestuurd was door degene die voor de baron de moord op de schapenboer Tommaso onderzocht. Op kracht van die woorden mocht hij onmiddellijk binnenkomen.

De baron brandde van nieuwsgierigheid naar wat de man te zeggen had; als ervaren jager voelde hij aan dat hij zijn prooi bijna in handen had.

'Wie je ook bent, vertel me wat je weet over de kredietverstrekking van de schapenboer,' beval hij.

'Ik ben zelf een jongste zoon,' hakkelde de man. 'En ik ben zo stom geweest om de toelage van mijn vader over de balk te smijten. Gokken, drinken, vrouwen... U weet hoe dat gaat, heer.'

De baron schonk wijn in en knikte bemoedigend, al verachtte hij iedereen die erop los leefde, of hij nu veel of weinig geld had. Hij had het geluk gehad dat hij nooit geld tekort kwam voor zijn behoeften en hij had zijn land en inkomsten goed beheerd. De nalatenschap voor Silvano zou groter zijn dan het erfdeel dat Bartolomeo da Montacuto zelf van zijn vader had gekregen.

'Maar goed,' zei de informant. 'Ik hoorde toevallig dat er een man in de stad was bij wie je een rentedragende lening kon krijgen, al is dat bij de wet verboden. Als je wanhopig bent, grijp je alles aan. Ik schaamde me voor mijn schulden en wilde niet dat mijn vader erachter kwam, zodat ik naar die man toe ben gegaan.'

'En wie was dat?'

'Tommaso de schapenboer. Hij hield er een lucratief bedrijfje in illegale kredietverlening op na. Leningen zonder onderpand, waarvoor hij een torenhoge rente vroeg... van wel dertig procent of meer. Algauw zat ik nog veel dieper in de problemen.'

'Hoe ben je daaruit gekomen?' vroeg de baron, die zag dat de man behoorlijk gekleed was en er goed gevoed uitzag.

'Ik heb geboft,' zei de informant bitter. 'Mijn vader ging dood.' Hij zweeg om een slok te nemen. Montacuto zag dat hij zijn tranen probeerde te verbergen. De man veegde zijn mond af aan zijn mouw, beheerste zich en praatte verder.

'Ik heb net genoeg geld geërfd om Tommaso terug te kunnen betalen. Ik dacht dat ik eindelijk weer vrij man was, al was ik dan arm. Ik heb mijn hele erfdeel uitgegeven en zit zonder werk. Mijn familie... niemand van ons heeft ooit hoeven werken, maar ik heb mijn hele erfenis verkwist aan de oude schulden die zich opstapelden toen ik nog jong en dwaas was. De rente die de schapenboer eiste maakte het nog een graadje erger. Maar goed, ik kon tenminste mijn hoofd rechthouden en in het geheim ben ik op zoek gegaan naar eerlijk werk.'

'En toen?'

'Toen kwam Tommaso zeggen dat ik hem klanten moest bezorgen, anders zou hij mijn moeder en oudere broer vertellen wat ik vroeger heb uitgespookt.'

De baron hield zijn adem in; hij rook zijn prooi.

'Als je zo met geld smijt als ik heb gedaan, weet je wie er nog meer hevig gokken en geld uitgeven dat ze niet hebben. Ik vond dan ook al snel een jongste zoon die schulden had.'

'En wie was dat?'

'Blijft mijn naam echt buiten schot?'

'Ik weet je naam niet eens,' zei de baron. 'Je krijgt goed betaald voor de informatie en misschien moet je je verhaal nog eens voor de rechtbank vertellen. Maar als blijkt dat de man die jij hier noemt de moordenaar van Tommaso is, vormt hij niet langer een gevaar voor je. Tot de dag van zijn arrestatie sta je onder mijn bescherming.'

Montacuto besefte dat hij hiermee het risico liep zijn prooi weg te jagen. Hij waagde het erop; hij voelde dat deze in ongenade geraakte man dolgraag van zijn schande af wilde, en hij bood hem de kans.

'Ik wens hem geen kwaad toe,' zei de informant. 'Ik wou alleen dat hij Tommaso had vermoord voor ik in zijn klauwen kon vallen. Of dat ik zelf de moed had gehad om te doen wat hij heeft gedaan. De kredietverstrekker was een slecht mens. Hij verrijkte zich aan de ellende van anderen. Maar uw zoon is onschuldig en hoeft er niet de dupe van te worden.'

'Hoe heet de man?' drong Montacuto aan.

'Gervasio de' Oddini.'

De baron slaakte een diepe zucht van opluchting. Hij schonk voor zichzelf en de tipgever nog een beker wijn in. Op dit moment had hij de bezoeker wel tegen zijn borst kunnen drukken en hem op beide wangen kunnen zoenen.

'De' Oddini?' zei hij, zo beheerst als hij kon.

'Gervasio, de jongste zoon,' zei de man. Nu de naam was gevallen, werd hij loslippig en wist hij niet meer van ophouden.

'Ik wist van zijn schulden en op een dag vertelde ik hem ter-
loops in de herberg dat hij aan geld kon komen. Hij wist ook
van de rente – ik heb hem niet bedrogen – maar hij was net zo
wanhopig als ik destijds.'

'Je weet dat hij op het punt staat te trouwen met de weduwe
van de kredietverschaffer?'

'Ja. Ook daarom was ik bereid hier te komen en mijn verhaal
te doen. Dat deugt niet. Ik kan me voorstellen dat hij de oude
bloedzuiger heeft vermoord, maar het deugt niet dat hij dan
ook nog eens zijn vrouw en zijn geld inpikt.'

'En je weet zeker dat hij de moordenaar is?'

'Zo goed als zeker. Weet u, Tommaso had een hele lijst schuldenaren, compleet met het geleende bedrag en de aflossingen
erbij. Iedereen die bij hem in het krijt stond wist van die lijst.
Hij had hem altijd bij zich en haalde hem alleen tevoorschijn
als hij iets moest noteren.'

'De lijst is niet op hem gevonden toen hij dood was.'

'Nee. De moordenaar wist precies waar hij hem kon vinden
en heeft hem meegenomen toen hij zijn dolk in Tommaso's
hart had gestoken.'

'Het was zijn dolk niet,' zei de baron grimmig. 'Hij was van
mijn zoon.'

'Het ging De' Oddini alleen om de lijst.'

'Als de lijst was gevonden, zou hij verdacht zijn geweest. De
dolk wees mijn zoon aan,' zei de baron. 'Dat moet geen moeilijke keus zijn geweest voor een man als Gervasio.'

'Hij zat er nu eenmaal tot over zijn oren in. Hij vermoordde
Tommaso om van zijn schuld af te zijn en hij moest en zou die
lijst hebben.'

'Hoe weet je dat Gervasio in het bezit is gekomen van die
lijst?'

'Op de avond na de moord was Gervasio in de herberg. Hij was opgewonden en hij zat zwaar te drinken. Hij beweerde dat hij overstuur was omdat uw zoon was gevlucht. "Het ziet er slecht uit voor mijn vriend," zei hij steeds. Maar toen het later werd – en hij bleef maar rondjes geven, die jongen met al die schulden – noemde hij nog een paar namen van mogelijke verdachten, die op Tommaso's lijst stonden.'

'Wisten de mensen op de lijst van elkaar?'

'Nee. Tommaso hield het geheim. Ik wist het van niemand, alleen van Gervasio natuurlijk, omdat ik hem zelf had aangebracht. Ik werd dan ook argwanend toen hij andere schuldenaren bij naam noemde, omdat hij ze alleen kon kennen als hij die lijst had.'

'En wie waren dat?'

De tipgever noemde twee namen. Een van de twee was de baron zelf al op het spoor gekomen. Tevreden leunde hij achterover. Nu had hij voldoende bewijs om Gervasio te laten veroordelen en Silvano naar huis te halen.

'Dank je,' zei hij. 'Je hebt me mijn grootste geluk teruggegeven.'

Het was moeilijk te zeggen wie van de twee zenuwachtiger was. Abt Bonsignore had nog aangeboden bij het gesprek te blijven, maar Isabella en Anselmo wilden liever onder vier ogen praten. Sinds ze elkaar hadden teruggezien in de abdijtuin van Giardinetto hadden ze beiden geweten dat dit gesprek er ooit van moest komen.

Eerst had Isabella een zakelijk gesprek met de abt gevoerd, al was ze verstrooid omdat haar hoofd vol was van de dingen die komen gingen. Broeder Anselmo was nog in de werkplaats bezig met het maken van terra verde; een rustgevender werkje kon hij niet bedenken. Na het officie van de noen liet de abt weten dat Isabella hem nu kon spreken.

Ze ontmoetten elkaar in de cel van de abt. Toen Anselmo binnenkwam, waren ze allebei geagiteerd en wisten niet hoe ze elkaar moesten begroeten. Isabella stak haar hand uit en hij pakte die hand aan alsof hij hem wilde kussen, maar hij deed het wijselijk niet. Zij zei per vergissing 'Domenico', al had ze urenlang bij zichzelf op 'broeder Anselmo' geoefend.

'Dit is een lastige situatie,' zei Anselmo, toen ze waren gaan zitten. 'Ik had nooit gedacht dat ik je nog eens terug zou zien.'

'Toch ligt Giardinetto niet ver van Gubbio,' zei Isabella. 'Dat moet je toch beseft hebben toen je hierheen kwam.'

Anselmo erkende het. 'Een ontmoeting leek me ondenkbaar als ik uit mijn oude stad wegbleef. Ik had nooit kunnen denken dat jij hier zou komen.'

'En was het dan zo vreselijk me terug te zien? Ben ik zo veranderd?' vroeg Isabella, met een klein stemmetje.

'Wat het zo vreselijk maakt is juist dat je helemaal niet veranderd bent, behalve dat je er nog mooier op bent geworden,' zei Anselmo ernstig.

'Bedoel je dat je nog steeds iets voor me voelt?'

'Meer dan een monnik voor een vrouw mag voelen.'

Het was Isabella alsof haar lot als klokgelui in haar oren galmde.

'Je vraagt niet naar mijn gevoelens voor jou,' zei ze.

'Daar heb ik het recht niet toe,' zei Anselmo. 'Als monnik die de geloften van armoede en kuisheid heeft afgelegd, mag ik niet vragen naar iets wat mij als gewoon burger misschien als muziek in de oren zou hebben geklonken.'

'Het is vaker vertoond dat een man het kloosterleven achter zich laat, ook al heeft hij de geloften afgelegd,' zei Isabella.

'En wil je dan dat ik dat doe?'

Ze zweeg, niet in staat een woord uit te brengen.

'Je hebt er geen idee van,' zei Anselmo bitter, 'wat ik heb doorstaan om me los te maken van mijn liefde voor jou. Dacht je dat het makkelijk was voor een man om de geloften af te leggen die ik heb gedaan aan Sint-Franciscus en aan God? Armoede was geen zware beproeving, al heb ik mijn eigen boeken wel gemist. Ik ben doorgegaan met studeren in mijn vorige kloosters en in de bibliotheek hier. Gehoorzaamheid viel me zwaarder – je weet dat ik ook in mijn jonge jaren geen volgzaam type was. Maar ik heb mezelf overwonnen en me onderworpen aan de orde en aan mijn abt. Hier onder Bonsignore is dat niet zo moeilijk.'

Hij ging staan en begon rusteloos door het kleine vertrek te ijsberen, zodat hij met zijn rug naar haar toe stond en zijn stem gesmoord klonk toen hij verder sprak.

'Maar kuisheid! Ik moest mijn diepste hoop op onze liefde opgeven en tot de orde toetreden toen ik nog jong en vurig was, in de wetenschap dat jij nacht na nacht met die man in bed lag. Elke nacht vocht ik wanhopig tegen de gedachte aan jullie twee samen!'

Isabella kon het niet langer verdragen.

'Hou op,' smeekte ze hem. 'Kwel jezelf en mij niet zo. Elke nacht die ik met Ubaldo doorbracht, en geloof me als ik zeg dat het er steeds minder werden toen de jaren verstreken, was voor mij een even grote kwelling als voor jou. Je gelooft toch niet dat ik ooit van hem ben gaan houden of van zijn omhelzingen heb genoten!'

'Dat maakt niet uit,' zei Anselmo. 'Voor mannen is het anders dan voor vrouwen. Het was niet alleen het verlangen waartegen ik vocht. Het was jaloezie. Als je van Ubaldo had gehouden en

mij voor hem aan de dijk had gezet, had ik het misschien makkelijker verwerkt. Dan had ik je kunnen vergeten. Maar zoals
het in werkelijkheid was, kon ik er alleen onder lijden.'

'Mijn arme Domenico,' zei Isabella.

'Ik heb mijn lijdensweg opgedragen aan God,' vervolgde hij.
'Jarenlang heb ik me door stormachtige zeeën van verlangen
en jaloezie geworsteld en uiteindelijk ben ik in kalmer vaarwater gekomen. Ik heb me inmiddels verzoend met mijn verlies
en mijn leven als monnik. Mijn lichaam en geest gaan er niet
meer onder gebukt.'

'Betekent dat dat je niet bij me terug wilt komen?'

'Ik kan het niet.'

'Dan zal ik het er nooit meer over hebben,' zei Isabella. Met
de grootste inspanning wist ze zich schrap te zetten tegen het
verdriet dat haar dreigde te overmeesteren.

Broeder Anselmo had er al even grote moeite mee. Het leek
alsof hij nog veel meer wilde zeggen, maar uiteindelijk ging hij
met neergeslagen ogen zitten. Het was de weduwe die een
eind maakte aan het gesprek. Ze stond op en liep naar de deur.

'Vaarwel, broeder Anselmo,' zei ze. 'Ik weet nu dat Domenico voorgoed verleden tijd is.'

Ze keek niet meer om, anders zou ze gezien hebben dat Anselmo languit op de koude vloer was gaan liggen, als een man
die ternauwernood een marteling had overleefd.

Michele da Cesena dacht lang na over wat hem te doen stond.
Ten slotte stuurde hij een bericht aan abt Bonsignore in Giardinetto.

> *De abdij dient verlost te worden van de duivel die er rond-
> waart. Ik stuur een zeer kostbare relikwie naar Giardinet-*

to. Hier in Assisi is het stoffelijk overschot van de heilige Egidio mij toegevallen, een van de eerste metgezellen van Sint-Franciscus, en het is mijn wens hem met de nodige eer en ceremonie begraven te zien. De broederorde bekostigt een waardige schrijn en ikzelf begeleid de heilige beenderen naar Giardinetto, alvorens ze hier in Assisi ter aarde worden besteld.

Zij moeten ertoe bijdragen dat de abdij gereinigd wordt van het kwaad binnen de muren. Daarnaast is het mijn wens broeder Anselmo opnieuw te horen. Het bezoek en de komst van de schrijn zullen binnen enkele dagen plaatsvinden. Er mag geen tijd verloren gaan voor de duivels uit Giardinetto worden uitgedreven.

De abt voelde zich overdonderd toen hij de brief las. De prior-generaal bewees de abdij een grote eer met de beslissing de beenderen van de heilige Egidio tijdelijk in Giardinetto te laten rusten, en hij twijfelde er geen moment aan dat hun heilzame effect de abdij kon verlossen van het kwaad. Maar de opmerking over Anselmo baarde hem zorgen. Het had er alle schijn van dat de kleurenmeester steeds dieper in de problemen kwam.

Monna Isabella werd er beter in haar gevoelens te verbergen; ze liet ze pas de vrije loop toen ze alleen in haar privésalon was. Na het gesprek met broeder Anselmo was ze bij Chiara langs geweest en zelfs toen had ze het klaargespeeld kalm en beheerst over te komen.

'Heb je nog over mijn aanbod nagedacht, Chiara?' vroeg ze. Isabella noemde haar nooit Orsola; dat was een van de dingen die het meisje zo leuk aan haar vond.

Chiara had inderdaad veel nagedacht over hoe het zou zijn om bij Isabella te wonen. Silvano had haar niet gevraagd in Giardinetto te blijven. Hoe zou hij ook kunnen? Als ze bleef was het als non die op den duur de geloften zou afleggen, en zo iemand kon niet toegeven aan de bevlieging voor een zestienjarige jongen, hoe mooi zijn grote grijze ogen en zijn lange zwarte wimpers ook waren.

Nee, ze moest zelf beslissen over haar lot, ongeacht hoe het met Silvano verderging.

'Ik wil graag bij u komen wonen, madama,' zei ze.

'Wat heerlijk!' zei Isabella. 'Dat is het beste wat er vandaag is gebeurd.'

'Maar...'

'Maar wat?'

'Nog niet meteen, als u het niet erg vindt,' zei Chiara impulsief. 'Ik wil niet ondankbaar lijken, maar ik moet hier blijven tot ik zeker weet dat iedereen veilig is. Ik bedoel moeder Elena en mijn medezusters.'

'En de broeders natuurlijk,' zei Isabella met een mat lachje.

'Ja, de broeders ook,' zei Chiara, die opeens buitengewoon geïnteresseerd was in haar voeten.

'Ik begrijp het wel, kind,' zei Isabella zacht. 'Ik vrees ook voor de veiligheid van degenen in Giardinetto om wie ik geef. Kom naar Gubbio als de moordenaar gevonden is en er met hem is afgerekend. Dan gaan we samen in zaken. Af en toe zul je je broer bij mij thuis tegenkomen. Hij heeft zich bereid verklaard mijn bedrijfsleider te worden.'

'Bernardo?' zei Chiara verbaasd. Ze zag zichzelf al, gekleed in mooie jurken, bevelen uitdelend aan de broer die haar had achtergelaten bij de grijze zusters van Giardinetto. Het was een valse gedachte, die ze snel onderdrukte; het bewees weer eens hoe ongeschikt ze in feite was voor het leven van een non. Maar Isabella's nieuws verleende haar aanbod een heel pikant tintje.

Pas toen Isabella alleen was vielen de gebeurtenissen van die dag in hun volle gewicht over haar heen en ze huilde even hartstochtelijk als ze had gedaan toen Domenico en zij destijds uit elkaar waren gedreven. Ze hield nog altijd evenveel van hem; de witte haren tussen de bruine en zijn magere, doorleefde gezicht riepen niets dan meeleven en tederheid in haar op. Hij was misschien niet meer zoals vroeger, maar dat gold ook voor haar. En ze wisten beiden wie daar de schuld van was.

Ze kon zichzelf niet wijsmaken dat Domenico, of broeder Anselmo zoals ze hem nu in gedachten moest noemen, niet meer van haar hield. Daardoor was het nog moeilijker te verdragen dat ze niet bij elkaar konden zijn. Ze had het gevoel, als zo vaak in haar dromen, dat haar iets verrukkelijks werd afgenomen vlak voor het haar lippen kon raken om ervan te genieten.

Haar botten deden pijn alsof er een rijtuig overheen was gereden en haar hoofd bonkte. Ze vroeg om azijn en liet haar kamermeisje haar slapen betten, maar veel verlichting gaf het niet. Tevergeefs probeerde ze die avond te rusten; ze kon de slaap niet vatten.

In zekere zin zou het gemakkelijker zijn geweest als Ubaldo nog geleefd had. Als ze dan had ontdekt dat haar oude liefde in de buurt woonde, zou het geen verschil hebben gemaakt; dan was Isabella nog steeds gebonden geweest aan de koopman. Maar om hem nu terug te vinden – nu haar lange jaren van dienstbaarheid voorbij waren en ze na een fatsoenlijke rouwperiode vrij zou zijn om te hertrouwen! Het was te wreed voor woorden.

Toen ze geen tranen meer over had en uitgeput was van verdriet viel ze eindelijk in slaap.

'Wat maak je?' vroeg Simone.

Hij was bij wijze van uitzondering een halfuurtje weg van zijn fresco's en dwaalde door het complex van de basilica en het aangebouwde monnikenklooster. Hij kwam langs de werkplaats van Teodoro, een goudsmid die hij uit Siena kende.

De goudsmid was platen kristal aan het opmeten.

'Goedenavond, Simone,' zei hij. 'Het is een spoedopdracht, van Michele da Cesena zelf. Ik moet een schrijn maken.'

'Is de priorgeneraal stervende?' vroeg Simone.

'Nee, nee, dat niet, tenminste niet voor zover ik weet. De hemel beware hem,' zei Teodoro. 'Dit is voor het stoffelijk overschot van de heilige Egidio. Ik moet de klus binnen een paar dagen klaren, zodat de relikwieën naar Giardinetto vervoerd kunnen worden.'

'Naar Giardinetto? Waarom? Ze gaan zo'n bijzondere heilige toch zeker niet daar begraven?'

'Ik zou het niet weten. Een nederig ambachtsman stelt geen vragen wanneer de grote Michele da Cesena hem een opdracht geeft.'

'Vertel mij wat,' zei Simone. 'Maar misschien is het om de abdij te zuiveren en te zegenen. Wist je dat daar moorden zijn gepleegd?'

'Ja, dat heb ik gehoord,' zei Teodoro. 'Zou Assisi de beenderen van de heilige Egidio soms uitlenen aan de grijze monniken? Om een einde te maken aan die moordpartijen?'

'Ik hoop dat het werkt,' zei Simone. 'Als de monniken zo veel heiligheid in hun nabijheid hebben, wordt de moordenaar misschien tot berouw en een bekentenis bewogen. Ik zou maar wat graag zien dat de duivel van Giardinetto wordt uitgedreven.'

17
Dodekop

Angelica's vader deed na de dood van haar man één zwakke poging zijn gezag over haar terug te krijgen.

'De wet zegt dat je weer thuis moet komen wonen en je bruidsschat inbrengen,' zei hij.

Angelica snoof verachtelijk. 'En wat koop je daarvoor?' hoonde ze. 'Voor zover ik weet kon je maar heel weinig bij elkaar schrapen om het op een akkoordje te gooien met mijn man. Ik heb mezelf als bruidsschat ingebracht en ik val op mezelf terug.'

'Maar je hebt geen man en geen kind,' protesteerde haar vader.

'Binnenkort heb ik allebei,' zei ze. 'Ik ben verloofd met Gervasio de' Oddini. Volgend jaar draag ik een adellijke naam – en dan heb ik een kind ook.'

Haar vader was blij en geschokt tegelijk. Een dochter van hem die met een edelman trouwde, al was het dan verarmde adel, was aan de ene kant een opwaardering van status waar de familie niet van had durven dromen. Ze hadden een schapenboer al een flinke stap vooruit gevonden. Aan de andere kant stond het hem niet aan dat zijn dochter zo losbandig bleek te zijn dat ze nu al het kind van een andere man droeg.

Angelica vond het toch belangrijk dat haar vader goed over

haar dacht en besloot hem de waarheid te vertellen.

'Het is niet van Gervasio,' zei ze, en ze klopte op haar bolle buik. 'Maar dat hoeft hij niet te weten. Ik maak hem wel wat wijs over de datum waarop de baby is verwekt als we eenmaal getrouwd zijn. En dat moet maar gauw gebeuren.'

Toch zal iedereen denken dat Angelica al met hem rommelde toen haar man nog leefde, dacht haar vader. Waarom zouden ze anders zo overhaast trouwen? Hardop zei hij: 'Nou, dan zijn we het in ieder geval over één ding eens. Laat De' Oddini zo snel mogelijk een fatsoenlijke vrouw van je maken. Deze keer zal het je niet aan een bruidsschat ontbreken.'

'Precies,' zei Angelica. 'En dan heb ik ook nog eens een goedlopend bedrijf in Gubbio.'

Een dienstmeisje kwam opgewonden binnen en fluisterde haar bazin iets in het oor. Angelica greep naar haar hart en zag eruit alsof ze flauw ging vallen.

'Gervasio is opgepakt,' zei ze tegen haar vader. 'Ze zeggen dat hij Tommaso heeft vermoord!'

De monniken van Giardinetto probeerden een zo gewoon mogelijk leven te leiden, ondanks het feit dat ze een moordenaar in hun midden hadden. Daar werden ze voortdurend aan herinnerd als ze op weg naar de kapel langs het kleine kerkhof met het vers gedolven graf van broeder Landolfo kwamen.

Broeder Anselmo was verstrooid en in zichzelf gekeerd na zijn ontmoeting met Isabella, maar hij leidde de werkplaats even standvastig als altijd. Silvano had de indruk dat zijn meester hem buitensloot en hij voelde zich veel eenzamer dan hij zich tot nu toe in de abdij had gevoeld.

Hij begon de gebedstijden over te slaan en trok er steeds vaker op uit met Manestraal. Voor een novice zou zoiets als ongehoorzaamheid hebben gegolden; voor iemand die veiligheid zocht was het ronduit dwaasheid. Maar niemand deed een poging hem tegen te houden. Abt Bonsignore werd te zeer in beslag genomen door zijn eigen problemen om zich er druk om te maken.

Bij een van die tochten kwam Silvano de herborist tegen. Broeder Valentino was in zijn grijze pij bijna onzichtbaar tegen de rotsachtige helling. De schimmel, die hem als eerste opmerkte, hield abrupt in om hem niet omver te lopen.

'Hé, dag jongeheer Silvano,' zei Valentino monter. 'Ik schrok van je.'

'Sorry, broeder,' zei Silvano en hij steeg af. 'Ik zag u niet. Wat bent u aan het doen?'

'Ik zoek wilde tijm,' zei broeder Valentino. 'Ik heb bijna niets meer. Ik moet een grote voorraad kruiden aanleggen, want vader abt heeft me gevraagd Landolfo op te volgen als gastenbroeder.'

'En daarnaast moet u ook kruiden blijven kweken en verzorgen?'

'Ja, maar het is geen veeleisend werk. Er komen zelden gasten in Giardinetto. Maar nu verwachten we een grote groep uit Assisi. De beenderen van de heilige Egidio worden hier gebracht en 's nachts in de kapel achtergelaten, voor ze teruggaan naar Assisi om daar begraven te worden in de tombe die de priorgeneraal laat bouwen.'

'Ik begrijp het niet zo goed van die beenderen. Het zal wel een hele eer zijn, maar wat voor effect moeten ze eigenlijk hebben?'

'Egidio was een van de eerste medestanders van Sint-Franciscus. Iemand die zijn hele leven in het gezelschap van de heilige is geweest. Er gaat zo'n zegenende kracht van zijn botten uit dat ze ons huis vast en zeker zullen verlossen van het kwaad dat zich hier heeft gevestigd. En ik denk dat de priorgeneraal gelooft dat daarmee de duivel wordt uitgedreven uit de medebroeder die Landolfo heeft vermoord, zodat hij zijn zonde opbiecht.'

'Laten we het hopen,' zei Silvano. 'Rijdt u mee terug? U kunt op Manestraal rijden, dan loop ik er wel naast.'

Valentino keek een beetje geschrokken naar de grote schimmel en de gehuifde jachtvogel.

'Nee, dank je. Ik ben nog niet klaar. Maar het is vriendelijk aangeboden.'

Hij wuifde toen de jongen weer opsteeg, en Silvano reed weg met de gedachte dat hij nooit eerder met de herborist had gepraat. En toen dacht hij: stel dat Valentino niet alleen onschuldige kruiden zoekt? Bestaat er een wilde plant die arsenikon bevat?

Hij zette het idee onmiddellijk uit zijn hoofd. Broeder Valentino was een lieve man die anderen met zijn kruiden beter maakte. Hij kon zich niet voorstellen dat zo iemand een ander moedwillig zou vergiftigen, laat staan iemand neersteken.

Hij bracht Manestraal terug naar de stal en zette Celeste weer op haar standaard. Hij was de noen misgelopen en besefte dat ook broeder Valentino het getijdengebed had overgeslagen. Silvano haastte zich naar de kleurwerkplaats, waar een scherpe geur hem tegemoet sloeg.

'Aha, Silvano,' zei Anselmo. 'We maken *caput mortuum*.'

'Dood hoofd?' zei Silvano. 'Wat is dat?'

'We noemen het dodekop, en het is oker: kleiaarde met ijzeroxide die rijk is aan rode mineraalafzettingen. Vermalen en vermengd met water wordt het een prachtige, donkerpaarse kleur, heel geschikt voor waardigheidsmantels.'

Anselmo leek weer de oude, de man die graag over zijn geliefde kleurstoffen praatte en ze demonstreerde. Silvano lachte naar hem. Ze werkten door tot de vespers, liepen toen samen naar de kapel en bleven even staan om een kruisteken te slaan bij het graf van Landolfo.

'Wist u dat broeder Valentino de nieuwe gastenbroeder is?' vroeg Silvano.

'Ja, dat heb ik gehoord,' zei Anselmo.

Ze keken de kapel rond of ze de herborist zagen, maar hij was nergens te bekennen.

'Zou hij nog kruiden aan het plukken zijn?' fluisterde Silvano.

De abt kwam binnen en het koorgebed begon.

Valentino was er ook niet bij het eten en het zat Silvano niet lekker. Het was heel ongewoon dat een monnik een maaltijd oversloeg. Hij zag dat Anselmo met Bonsignore praatte en de abt wenkte hem.

'Broeder Anselmo zegt dat je broeder Valentino vanmiddag hebt gesproken?' vroeg hij.

'Ja, vader. Ik was met mijn paard in de heuvels en ik zag hem kruiden verzamelen.'

'Is hij niet met je mee teruggekomen?'

'Nee. Ik heb hem mijn paard aangeboden, maar hij zei dat hij nog niet klaar was.'

'Hoe laat was dat?'

'Tegen de noen, rond twee uur 's middags,' zei Silvano. 'Het viel me op dat hij er met de vespers ook niet was. Is hij er nog steeds niet?'

De abt schudde zijn hoofd. 'Vlak na het middageten kwam hij naar me toe en vroeg of hij de noen mocht overslaan. Hij wilde kruiden plukken. We moeten maar eens in zijn opslagkamer gaan kijken of hij soms zo in beslag wordt genomen door zijn nieuwe pluksels dat hij de klok voor de vespers heeft gemist.'

De abt, Anselmo en Silvano gingen weg en de achterblijvenden in de eetzaal begonnen te roezemoezen over de vraag wat er mis kon zijn. Iedereen had een hard hoofd in de goede afloop.

Er lag geen levenloze broeder Valentino in de opslagkamer. Hij was er wel geweest, zagen ze aan de twee manden vol geurige, versgeplukte kruiden die op een bankje stonden. Het leek alsof hij te veel haast had gehad om ze op te ruimen.

Ze gingen naar Valentino's cel. Ook die was leeg.

'Zou hij inmiddels in de eetzaal zijn?' opperde Silvano.

Bij hun terugkomst werd het meteen stil en de monniken keken hen afwachtend aan. De abt beende naar het hoofd van de tafel en bonkte met zijn houten mok om aandacht te vragen. Nodig was het niet; iedereen keek al muisstil naar hem.

'Broeders,' zei hij, 'we maken ons zorgen om broeder Valentino's veiligheid. Heeft iemand hem zien terugkomen van het kruiden zoeken?'

Silvano was opeens dankbaar dat ze de manden hadden gevonden. Als er iets met Valentino was gebeurd in de heuvels, zou het er slecht voor hem hebben uitgezien, omdat ook hij op dat moment niet in de abdij was geweest.

'Het was zijn beurt om de klok voor de vespers te luiden,' zei broeder Taddeo. 'Ik heb hem door de hof zien hollen.'

'En heeft de klok ook geluid?' vroeg Bonsignore. Zoals alle monniken was hij zo gewend aan het gelui van de abdijklok die de dag in gebedstijden indeelde, dat hij niet kon zeggen of hij naar de vespers was gegaan omdat de klok hem riep of omdat zijn lichaam nu eenmaal wist dat het er tijd voor was.

Iedereen was het erover eens dat de klok geluid had.

'En sindsdien is hij niet meer gezien?' vroeg Bonsignore. Het bleef stil. 'Enfin, bij de vespers was hij niet. We moeten maar eens in de toren gaan kijken. Misschien is hij onwel geworden.'

Silvano hoopte echt dat het zoiets was, al vond hij het een akelig idee dat broeder Valentino misschien niet goed was geworden omdat hij zich te veel had ingespannen toen hij halsoverkop naar de abdij terug was gegaan en zelfs had moeten hollen. Hij wilde maar dat de herborist de lift op Manestraal had aangenomen.

Niemand dacht meer aan eten en de monniken volgden met een bang voorgevoel hun abt naar de klokkentoren.

Het was een eenvoudige stenen toren met één klok boven in de koepel. Een hoge wenteltrap leidde naar de bronzen klok, die geluid werd met een zwaar touw dat door de hele toren hing tot op de grond. Silvano kwam er zelden, want hij mocht niet in zijn eentje naar de toren om de klok te luiden en zijn naam kwam niet voor op het rooster van dienstdoende monniken.

De kleine stoet bleef beneden bij de houten deur van de toren staan.

'Kom mee, broeder Rufino,' beval de abt. 'We hebben je nodig als Valentino ziek is geworden.'

Maar toen ze de deur openduwden, was zelfs in het schemerdonker van de toren meteen te zien dat Valentino door niemand meer geholpen kon worden.

Hij bungelde aan een balk in zijn grijze habijt, dat vormeloos langs zijn lijf slobberde. De zoom reikte tot op een paar centimeter boven de grond en zijn voeten waren onzichtbaar. Zijn gezicht was paars en opgezwollen, zijn tong hing slap uit zijn mond. Er zat een bebloede bult op zijn voorhoofd.

De monniken hielden hun adem in toen Bonsignore en Rufino naar binnen holden. Anselmo en Silvano volgden hen op de voet. De abt tilde zelf het zware lichaam omlaag toen Rufino en Anselmo het touw losmaakten. Ze legden Valentino op de plavuizen. De abt sloot zijn levenloze ogen en dekte het lichaam af met zijn eigen mantel. Op gedragen toon sprak hij in het Latijn een zegen over de dode monnik uit, en alle broeders zeiden: 'Amen.'

Het nieuws bereikte Assisi al snel. Het ging als een lopend vuurtje door de basilica en Simone en Pietro hoorden het de volgende ochtend, toen ze met hun assistenten zaten te ontbijten bij de werkplaats buiten op het terrein.

'Weer een moord?' zei Simone, terwijl Pietro zich afvroeg wie van de monniken nu ook alweer de herborist was.

'De priorgeneraal brengt vandaag de relikwieën van de heilige Egidio over,' zei Teodoro de goudsmid, die hun het nieuws had gebracht omdat hij wist dat ze geïnteresseerd waren in Giardinetto.

'Heb je de schrijn dan al klaar?' vroeg Simone.

'Ik heb drie dagen en nachten aan een stuk doorgewerkt,' zei de goudsmid geeuwend. 'En dan ook nog geholpen door mijn assistenten. Het is een mooi ding geworden.'

'Mogen we hem zien?' vroeg Pietro.

Teodoro begeleidde hen naar de bovenkerk, waar de relikwieenkist op twee schragen voor het grote altaar stond. Het was een schitterend werkstuk. Hij was gemaakt van roze dooraderd marmer, in het deksel en de zijkanten zaten platen van bergkristal, en het geheel omhulde een loden kist die de heilige beenderen bevatte. De scharnieren en hoeken waren ingelegd met goud.

Simone en zijn vriend Pietro knielden eerbiedig neer. Als kunstenaars waren ze net zo onder de indruk van het vakmanschap en de kunstzinnigheid van de buitenkant als van de inhoud van de kist. Ze liepen de koude ochtendzon in en prezen intussen Teodoro's werk.

'Dank je,' zei Teodoro. 'De priorgeneraal lijkt wel tevreden.'

'Dat is hem geraden,' zei Simone verontwaardigd. 'Het is idioot om op het laatste nippertje met zo'n opdracht te komen. Jij hebt in een paar dagen iets ontworpen en gemaakt waar andere ambachtslieden weken, zo niet maanden, de tijd voor zouden eisen.'

Toen ze over het gazon liepen zagen ze een kleine processie naderen. Een rijtuig getrokken door twee paarden werd vergezeld door een aantal ruiters, onder wie Michele da Cesena.

'Jullie hebben de schrijn nog net op tijd kunnen zien,' zei Teodoro. 'Ze komen hem kennelijk al halen. Giardinetto heeft er meer dan ooit behoefte aan.'

'Heb je zin in een tochtje de provincie in?' vroeg Simone aan Pietro.

'Zin wel,' zei Pietro, 'maar ik moet werken, en jij ook.'

'Donato en de anderen kunnen doorwerken als ik weg ben. En jij hebt toch ook je eigen assistenten. Bovendien kunnen we meteen pigmenten bij de monniken gaan halen.'

'Zou Michele da Cesena prijs stellen op onze aanwezigheid?'

'Hij kan ons niet bestraffend toespreken alsof we dwarse monniken zijn, of wel soms? En wij kunnen het niet helpen dat we toevallig in Giardinetto moeten zijn om pigmenten te · halen terwijl hij daar ook is.'

Silvano had slecht geslapen en verschrikkelijk gedroomd. Hij dacht dat hij nooit meer het beeld van Valentino's afschuwelijke paarse gezicht uit zijn geheugen kon verdrijven. De herborist was opgehangen aan het koord van zijn eigen habijt, wat de misdaad nog wreder maakte. Geen mens veronderstelde dat de herborist de hand aan zichzelf had geslagen.

Het had er alle schijn van dat de andere jonge monniken en novicen een al even onrustige nacht hadden doorgemaakt. Iedereen zag bleek en praatte zachtjes. Maar niemand had de vorige avond veel gegeten en ze hadden allemaal honger, zodat de hele broedergemeenschap in de eetzaal aanwezig was om krachten op te doen.

De completen en de metten waren overgeslagen en slechts een paar monniken waren vroeg in de ochtend naar de kapel gegaan voor de lauden. Toen de klok bij zonsopgang luidde voor de priem, schrok iedereen op. Wie had de moed die toren in te gaan na wat er zich daar de vorige avond had afgespeeld?

De monniken gingen naar de kapel en zagen de deur van de toren wijd openstaan. Het was broeder Anselmo die krachtig aan het touw trok. De abt was er ook, zegende de toren met wijwater en droeg een houten kruisbeeld voor zich uit.

Silvano voelde een golf van warmte voor die twee mannen. Ze waren sterk en vastbesloten om het religieuze leven van de abdij voort te zetten, welke nieuwe verschrikking hun ook wachtte. Toen de monniken de kapel binnengedromd waren, kwam de abt hen toespreken voor ze het koorgebed zeiden.

'Broeders in Jezus, de dood van weer een medebroeder is een verschrikkelijke klap voor ons allemaal. Ook voor de moordenaar onder ons.' Hij zweeg even en keek de gezichten één voor één langs. 'Als die moordenaar aanwezig is, hier in de kapel gewijd aan onze geliefde Sint-Franciscus, smeek ik hem naar voren te komen en zijn daad op te biechten. Laat de duivel uit hem verdreven worden, zodat hij vrij zal zijn om berouw te tonen in het aangezicht van Onze-Lieve-Heer.'

In de onbehaaglijke stilte die hierop volgde, durfde geen van de aanwezigen naar degene naast zich te kijken.

'Laat ons bidden voor de zielenrust van broeder Valentino, wiens stoffelijk overschot in de ziekenzaal ligt. Dat hij de rust en de zegen moge vinden nu hij zonder de laatste sacramenten het eeuwig leven tegemoet gaat. Wij bidden eveneens voor onze medebroeder Landolfo en voor Ubaldo, de koopman. Geef hun Uw eeuwige genade, o Heer.'

'En moge het eeuwige licht hen verlichten,' antwoordden de monniken.

'Dat zij rusten in vrede.'

'En verrijzen in Uw glorie.'

Nadat het officie van de priem was gebeden, sprak Bonsignore zijn monniken opnieuw toe.

'Later vandaag komt de priorgeneraal uit Assisi hier met de beenderen van de heilige Egidio. De relikwieënschrijn blijft vandaag en vannacht in de kapel staan en iedereen kan te allen tijde komen bidden. Volgend op de vespers wordt een requiemmis opgedragen. Morgenochtend na de terts gaan de relikwieën terug naar Assisi. Ik wacht in mijn cel de processie uit Assisi af. Wie mij wil spreken, kan me daar vinden. Intussen dient iedereen net als anders zijn bezigheden voort te zetten.'

Hij ging de kapel uit met de houding van iemand die de situatie volkomen meester was, al voelde hij zich in werkelijkheid verre van zelfverzekerd.

'Het is goed dat Michele da Cesena terugkomt,' zei broeder Anselmo tegen Silvano. 'Deze last is veel te zwaar voor vaderabt om alleen te dragen.'

'Wat gaat er gebeuren, denkt u?' vroeg Silvano. 'Zal hij de abdij opheffen?'

'Die mogelijkheid zit er zeker in. Misschien zijn we morgen om deze tijd allemaal op zoek naar een ander klooster.'

'Gaan we vandaag gewoon pigmenten maken?'

'We moeten wel. De abt wil het, en we moeten ons verstand gebruiken.'

'De moordenaar is zijn verstand al kwijt.'

'Ja. Ik ben bang dat Simone gelijk heeft. Een van onze mede-broeders moet zijn verstand zijn verloren. Broeder Valentino was een even beminnelijk mens als Landolfo, zonder een en-kele vijand. Er kan geen andere beweegreden zijn dan krank-zinnigheid.'

'Misschien kunnen we maar beter geen dodekop maken?'

Anselmo keek hem begrijpend aan. 'Nee. Vandaag kunnen we wel een vrolijker pigment gebruiken.'

Umberto beraamde zijn plannen zorgvuldig. Hij had geen vrouw of kinderen die om hem zouden rouwen als de onder-neming verkeerd afliep en hij had een testament laten maken waarbij hij zijn drie neefjes al zijn geld en bezittingen naliet en zijn nichtje een bruidsschat. Hij had in alle opzichten zijn zaakjes op orde.

Nu zat hij zwaar te drinken. Evenals zijn broer kon hij veel drank hebben zonder uit het zadel te vallen, maar het maakte hem nog gevaarlijker dan hij toch al was. Hij was van plan om gewapend met Ubaldo's dolk naar Giardinetto te rijden en wraak te nemen op de moordenaar van zijn broer.

Het was alleen jammer dat zijn schoonzuster er pas van zou horen als het achter de rug was. En als hij de domme pech mocht hebben dat hij de monnik niet de baas was, hoe on-waarschijnlijk dat ook klonk, dan zou hij de genoegdoening mislopen haar verdriet te zien om het verlies van haar geliefde.

Umberto piekerde hierover door en stuurde uiteindelijk zijn knecht met een boodschap naar Isabella: 'Naar Giardinetto om mijn broer te wreken. U.'

Nu hij de losse eindjes aan elkaar had geknoopt, leunde hij voldaan achterover en maakte hij nog twee bekers wijn soldaat. Hij had nog nooit iemand gedood. En zijn aanstaand slachtoffer was nog wel een man in dienst van God – zogenaamd dan. Het hield Umberto niet tegen. Hij verwachtte niet dat hij in de hel zou komen vanwege moord of heiligschennis. Hij zag zichzelf als de wrekende gerechtigheid; een gerechtigheid die zijn broer tot nu toe was ontzegd.

'Het komt op mij neer,' zei hij bij zichzelf en zijn stem klonk al wat slepend. 'Ik ben de enige van de familie die Ubaldo kan wreken. Zijn zoontjes zijn te jong. En ik zal zorgen dat die namaakmonnik gestraft wordt voor de moord.'

Hij liet zijn paard zadelen.

18

Bladgoud met een bijtmiddel

De soldaten van het gerechtshof waren al gearriveerd toen Angelica bij het palazzo van de familie De' Oddini kwam. Ze was nog op tijd om te zien hoe Gervasio geboeid werd afgevoerd. Hij wierp smekende blikken naar haar en haar vader, maar het viel haar op dat hij niet beweerde onschuldig te zijn.

'En welke bewijzen hebt u om hem te arresteren?' stamelde Vincenzo.

'Vraag dat maar aan baron Montacuto,' zei de kapitein.

'Montacuto? Die moet iets verzonnen hebben om zijn eigen zoon vrij te pleiten,' protesteerde Vincenzo. 'Maak je geen zorgen, Gervasio. Binnen een uur heb ik je uit de gevangenis.'

'Zorg voor Angelica,' was alles wat Gervasio zei en hij keek zijn aanstaande uitdagend aan.

Vincenzo en Angelica bleven diep geschokt achter. De vader geloofde gevoelsmatig in de onschuld van zijn zoon en wilde meteen naar het palazzo Montacuto. De aanstaande echtgenote had zo haar bedenkingen over haar verloofde. Ze had meteen aan de uitdrukking op zijn gezicht gezien dat hij wel eens de moordenaar van haar man kon zijn.

Angelica koesterde geen illusies over Gervasio. Ze herinnerde zich dat hij bevriend was geweest met de jongeman die het gedicht had geschreven. En hoewel de rode bloem verdiend was door de een, was het de ander die haar met tomeloze energie het hof had gemaakt. Zoiets deed een echte vriend niet. Als hij daartoe in staat was, kon hij net zo gewetenloos een man doden en een ander de schuld in de schoenen schuiven. Daar twijfelde ze geen moment aan.

Toch wilde ze niet van het huwelijk afzien. Gervasio was haar vrijgeleide naar een voornaam bestaan en met hem kon ze haar boerenafkomst van zich afschudden. Er moest een manier zijn om zijn leven te redden, maar het mocht niet ten koste gaan van die jonge Montacuto. In haar herinnering had hij zoiets liefs en onbevangens dat hij een ongekend moederlijk gevoel in haar losmaakte.

'Laten we de baron proberen,' zei ze. 'Ik ga met u mee.'

De plechtige processie was op Giardinetto aangekomen. De abt ging hen met bezwaard gemoed tegemoet. Verzwijgen zou zondig zijn geweest, maar hij wenste dat hij het feit van broeder Valentino's dood geheim had kunnen houden voor de priorgeneraal. Zijn kritiek en afkeuring waren Bonsignore de vorige keer niet in de koude kleren gaan zitten.

Nu zag hij dat behalve Michele da Cesena en zijn kapelaan er nog vier monniken uit Assisi waren meegekomen – en blijkbaar hadden ook de twee kunstschilders zich bij de groep aangesloten.

De abt en de priorgeneraal sloegen plichtmatig even de armen om elkaar heen en daarna haalden de vier monniken de prachtige schrijn uit het rijtuig en droegen hem op de schouders naar de kapel, alsof de heilige Egidio nog maar gisteren was overleden, zoals die arme broeder Valentino die nu in een eenvoudige houten kist voor het altaar stond opgebaard.

Er waren twee schragen klaargezet. Toen de relikwieënkist

was geplaatst, kwamen de monniken van Giardinetto binnen onder het zachte zingen van de inleiding van de requiemmis, alsof ze de heilige beenderen afsmeekten hun werk te doen en de moordenaar in hun midden te ontmaskeren.

Maar aan het einde van de mis was er niets gebeurd, behalve dat een aantal jongere monniken hun tranen de vrije loop had gelaten.

Naderhand werd Valentino naast Landolfo op het kleine kerkhof begraven. Terwijl de priorgeneraal de teraardebestelling leidde, keek hij het kerkhofje rond en Bonsignore hoorde hem bijna denken dat er veel te weinig ruimte was voor een huis waar zo ongeveer elke week een moord werd gepleegd.

Toen Valentino onder de grond lag, ging de groep uit Assisi naar de cel van de abt om iets te drinken. Simone en Pietro, de onverwachte gasten, liepen naar de kleurwerkplaats. Broeder Anselmo zei tegen zijn assistenten dat ze buiten pauze konden nemen terwijl hij met de kunstenaars uit Siena praatte. Silvano bleef erbij.

'Dit is een slechte zaak,' zei Simone. 'Heb je echt geen idee wie erachter zit?'

'Ik heb zo mijn vermoedens,' zei Anselmo, tot verbazing van Silvano. De kleurenmeester had die in ieder geval niet met hem gedeeld. 'Maar ik heb geen bewijs.'

'Dan moet je heel voorzichtig zijn,' zei Pietro. 'Als de moordenaar doorkrijgt dat je iets vermoedt, loop je nog meer gevaar.'

'Ga vooral niet in je eentje op hem af,' drong Simone aan, 'anders word je zijn volgende slachtoffer. Praat na het vertrek van de priorgeneraal met de abt en zorg dat hij je helpt.'

Anselmo was geroerd door hun bezorgdheid. 'Dat zal ik doen, als ik dan nog hier ben,' zei hij.

'Als u dan nog hier bent?' herhaalde Silvano. 'Wat bedoelt u?'

'Vader Bonsignore zegt dat de priorgeneraal me opnieuw wil ondervragen. Ik denk dat hij me tot de moordenaar heeft bestempeld.'

'Dat is belachelijk!' zei Silvano. 'Ik dacht dat hij zo veel mensenkennis had.'

'Het is roerend hoe jullie drie me trouw blijven,' zei Anselmo. 'Ik denk dat we op een crisis afstevenen. Als de priorgeneraal me beveelt naar Assisi te gaan, moet jij op onze medebroeders letten, Silvano. En op de zusters van hiernaast.'

'Weten de zusters van broeder Valentino?' vroeg Pietro.

'Vader abt heeft de stalknecht erheen gestuurd om het te zeggen,' zei Anselmo. 'Hij wilde niet dat een van ons de abdij verliet voor de groep uit Assisi er was. Moeder Elena heeft de deuren op slot gedaan en gebarricadeerd, maar ik ben niet zo bang dat ze gevaar lopen. De moordenaar heeft ze tot nu toe met rust gelaten en het zou meteen opvallen als een andere monnik dan ik, als hun kapelaan, naar het klooster ging.'

'Ik hou het niet meer uit,' zei Silvano. 'Denkt u nu echt dat de moordenaar zal bekennen, alleen omdat we nu de beenderen van de heilige Egidio hier hebben?'

'Vader abt hoopt van wel. Wat hier is gebeurd is een persoonlijke schande voor hem. En ik weet dat hij bang is dat Michele da Cesena hem uit zijn ambt zal zetten, of het huis zal ontbinden, als de relikwieën de zonde niet uitbannen.'

Broeder Fazio stak zijn hoofd om de deur.

'Neem me niet kwalijk dat ik stoor, broeder Anselmo, heren. Kan ik wat goud krijgen?'

'Ben je nog met het evangelie bezig?' vroeg Anselmo, die een sleutel van zijn riem haalde en naar een kast in de hoek ging.

'Natuurlijk,' zei Fazio en hij keek verstrooid naar de anderen. 'Gods werk moet doorgaan.'

'Bent u de letters aan het vergulden?' vroeg Simone, die altijd geïnteresseerd was in werken met goud. 'Gebruikt u bijtend bladgoud?'

Fazio knikte en richtte zich op de schilder. 'Water, eiwit, een beetje kalk en een beetje honing,' zei hij. 'En dan de fijnste flintertjes goud.'

'Waarom noemt u het bijtend?' vroeg Silvano, ondanks de verschrikkingen die zich afspeelden toch geïnteresseerd in dit nieuwe aspect van de kunstbeoefening.

'Omdat het bladgoud met een bijtmiddel is,' zei Pietro en hij klapte zijn sterke tanden zo abrupt op elkaar dat Silvano ervan schrok. 'De speciale lijm op de bladzijde bijt zich aan het goud vast als een hond die zich aan een bot vastbijt.'

'Ik had het zelf niet beter kunnen zeggen,' zei Fazio. 'U werkt op een heel andere manier met goud, nietwaar?' vroeg hij aan Simone.

'Ja, daar zijn we net aan begonnen in de kapel,' zei Simone. 'Voor de aureolen van de heiligen maken we krassen en putjes in de nog niet helemaal harde gesso. Als de gesso eenmaal droog is, strijken we er velletjes bladgoud of verguld tin over- heen. Dat neemt veel tijd in beslag, maar uw werk met het bij- tend bladgoud lijkt me veel moeilijker.'

'Ik wou dat ik het kon zien,' zei Silvano tegen hem. Hij ver- langde opeens naar Assisi, waar hij aan niets uitputtenders hoefde te denken dan kleur, vorm en techniek.

Simone klopte hem op zijn schouders. 'Dat komt er heus nog wel van.'

'Ach, zo kent elk vak zijn eigen kneepjes,' zei broeder Fazio, die het piepkleine pakje goud van Anselmo aannam. 'En nu moet ik terug naar mijn eigen werk. Ik ben een nieuw hoofd- stuk aan het voorbereiden.'

Vincenzo de' Oddini luisterde radeloos naar de vernietigende bewijzen tegen zijn zoon. Tegenover die overmacht kon hij niet bij hoog en bij laag blijven volhouden dat Gervasio onschuldig was. Hij was vooral geschokt toen hij hoorde hoeveel schulden de jongen had. Maar hij kon hem niet zomaar een zekere doodstraf tegemoet laten gaan.

'Helpt u hem alstublieft,' smeekte hij de baron. 'Doe alsof hij uw eigen zoon is.'

'Hoe durft u!' zei Montacuto. 'Mijn eigen zoon kwijnt weg in ballingschap terwijl zijn moeder en zusjes hun ogen uit huilen omdat hij zich niet meer in Perugia kan vertonen. Dat heeft úw zoon aangericht door de schapenboer met Silvano's dolk te doden.'

'Ja. Dat had nooit mogen gebeuren. Maar denk aan de oude vriendschap tussen onze families. Onze jongens zijn altijd de beste vrienden geweest.'

'Herinner mij daar liever niet aan. Welke waarde hechtte Gervasio nog aan die vriendschap toen hij de dolk van mijn zoon stal en hem liet opdraaien voor zijn misdaad? Van jongs af aan heeft Silvano tegen uw zoon opgekeken. Dacht u dat hij uw zoon ooit zoiets zou hebben aangedaan?'

'Misschien was het geen opzet van hem om de dolk in het lichaam achter te laten en Silvano de schuld in de schoenen te schuiven?'

De baron kreunde. 'Opzet of niet, het wordt er niet beter van. En Gervasio wil trouwen met... met deze dame,' zei hij, wijzend op Angelica, die diep onder de indruk om zich heen keek in de luisterrijke salon van het palazzo. 'Wat moeten we daarvan denken?'

'Ik denk niet dat hij dat al van plan was toen hij mijn man doodde,' zei ze met een klein stemmetje. 'Het moet hem om de schulden zijn gegaan. Maar nu hebben we samen een toekomst. Ik smeek u ruimhartig te zijn. Ik... ik verwacht een baby.'

De baron en Vincenzo waren zo verbaasd over deze aankondiging dat het niet bij ze opkwam te vragen of het Gervasio's kind was; ze namen het domweg aan. Angelica was opgelucht dat ze niet hoefde te liegen.

'Ik smeek het u,' zei Vincenzo, die op zijn knieën viel. 'Breng uw wraak niet over op mijn ongeboren kleinkind. Gun hem een vader, en deze vrouw een beschermer. Laat hem uit Umbrië weggaan om elders een nieuw leven te beginnen.'

'Ik kan niets beginnen,' zei Montacuto. 'De Raad heeft bewijzen en ze hebben hem opgepakt. Het recht moet zijn loop hebben.'

'Je kunt wel iets beginnen,' zei een zachte stem. De baronessa was stilletjes de salon binnen gekomen en had al een poosje meegeluisterd. 'Jij en Silvano kunnen samen het verzoek indienen de straf te verminderen tot verbanning en een boete.'

'Margarethe,' zei Montacuto. 'Kwel jezelf hier niet mee. We krijgen Silvano terug. En gauw ook.'

'Moet een andere vader dan wél zijn kind verliezen?' vroeg de baronessa. 'En een zwangere vrouw haar man?'

Ze pakte Angelica's hand. De weduwe voelde zich groot, plomp en opzichtig in haar nieuwe opsmuk naast de slanke, tere baronessa. Ze had dezelfde grote grijze ogen als de jongeman die het mooie gedicht voor Angelica had geschreven.

'Lieveling,' zei de baron. 'Dat ligt anders. Gervasio de' Oddini heeft een moord gepleegd. Onze zoon moest vluchten om zijn leven te redden terwijl hij niets had misdaan. Wil je dan dat een moordenaar zijn straf ontloopt?'

'Wordt hij niet genoeg gestraft als hij voorgoed bij zijn familie en vrienden weg moet en uit zijn stad wordt verbannen?'

De baron zweeg. Plotseling knielden zijn vrouw en de mooie jonge weduwe van de schapenboer beiden voor hem neer, naast Vincenzo.

'Sta op, sta op,' zei hij geërgerd en hij hielp de vrouwen overeind met meer tederheid dan er in zijn stem doorklonk. 'Ik overleg het met mijn zoon. Als Silvano toestemt in strafvermindering, probeer ik of ik Gervasio kan helpen te ontkomen aan de maximale straf die hem volgens de wet toekomt.'

Chiara rilde van kou en angst. Nu de abdis over de laatste moord had verteld, had ze spijt van haar beslissing in Giardinetto te blijven. Er rustte een vloek op de abdij en ze was al even bang om Silvano als om zichzelf. Ze ging de werkplaats uit en keek door het tralieluikje in de voordeur van het nonnenklooster naar de kapel van de monniken. Niemand kwam haar bestraffend toespreken; de discipline in het klooster leek in te storten.

Ze zag de aankomst van de relikwieën uit Assisi en het viel haar op dat de kunstschilders meegekomen waren. Ook kon ze van hieraf zien dat de monniken weer een doodskist in de grond lieten zakken en daarna wegliepen. Het was een kwelling om niet precies te weten wat er gebeurde. Elk moment verwachtte ze dat de rouwklok zou luiden om een nieuw sterfgeval aan te kondigen of omdat er weer een lijk de kapel in werd gedragen.

Wat ze in werkelijkheid te zien kreeg, was zelfs nog griezeliger. De dode koopman Ubaldo kwam op zijn paard naar Giardinetto terug! Haar hart bonkte heftig en ze kon het wel uitschreeuwen om de monniken te waarschuwen dat de wereld op zijn kop was gaan staan en de doden weer tot leven kwamen. Maar langzamerhand kreeg ze haar verstand terug en herinnerde ze zich dat Ubaldo een jongere broer had. Ze kneep haar ogen tot spleetjes en meende inderdaad verschillen te zien.

Deze man was langer, al hing hij net zo op zijn paard als Umberto had gedaan toen de zusters hem die middag onderweg vanuit Assisi waren tegengekomen, voorafgaand aan de avond waarop hij werd vermoord. Die broer had zeker ook te veel gedronken. Wat had hij nog te zoeken in Giardinetto? Hij maakte haar bang, ook al was hij geen spook maar een levend mens. Ze vroeg zich af of ze het aan de abdis moest gaan vertellen, maar wat moest moeder Elena eraan doen?

De avond viel over de abdij van Giardinetto. Aan het hoofd- en voeteneinde van de relikwieënkist stonden brandende kaarsen. Er werd die avond in stilte gegeten, tot zichtbare ergernis van Umberto, de onwelkome gast. Michele da Cesena was veel strenger in de leer dan abt Bonsignore en hij stond erop dat de lector onder iedere maaltijd uit de Bijbel las terwijl de monniken zwijgend aten, ongeacht de aanwezigheid van gasten.

Toen Umberto aankwam, luidkeels eisend broeder Anselmo te spreken, was hem verteld dat de kleurenmeester onder vier ogen met de priorgeneraal sprak. Umberto begreep er niets van, want hij meende dat de priorgeneraal het aan hem had overgelaten om de monnik te straffen. Maar hij kon niets anders doen dan zieden van woede.

Anselmo was na zijn gesprek met Michele da Cesena niet naar de eetzaal gekomen. Bovendien had de abt Umberto ronduit meegedeeld dat er geen slaapplaats vrij was in de abdij. Op deze toch al zo zware dag was hij, op zijn zachtst gezegd, niet blij met de onverwachte komst van de broer van de koopman, die zelf ook al niet op zijn best was met een slok op. Nu moest Umberto besluiten of hij door zou rijden naar een herberg in Assisi of teruggaan naar Gubbio. En hij wist nog steeds niet hoe hij Anselmo alleen te spreken moest krijgen.

De monniken gingen vroeg naar bed, een gewoonte waar Silvano nog altijd een hekel aan had. Hij liep de kapel in en knielde bij de schrijn. Er waren nog een paar monniken, die in stilte zaten te bidden. Hij bleef niet lang. Hij kon voor de heilige kracht van de relikwieën niet het enthousiasme opbrengen dat zo spontaan bij de echte monniken was opgekomen.

Hij overwoog om naar broeder Anselmo te gaan, maar de avond deed hem op een akelige manier denken aan de avond van Ubaldo's dood; hij wilde het noodlot niet tarten door hetzelfde te doen als toen. Dus ging hij maar terug naar zijn dunne stromatras en lag een paar uur te woelen voor hij eindelijk in slaap viel.

De klok werd niet meer geluid voor de gebedstijden in de nachtelijke uren; de monniken gingen uit eigen beweging naar de kapel om de metten en de lauden te bidden.

Ergens tussen de lauden en de priem werd Silvano wakker van het onmiskenbare gehinnik van Manestraal. Hij stond onmiddellijk op, sloeg in de kille ochtend zijn mantel om en rende naar de stallen. Manestraal was bang en onrustig, rolde met zijn ogen. Ook de andere paarden in de stal waren in de greep van de angst.

'Wat is er, jongen?' vroeg Silvano, die zijn schimmel tussen de oren streelde. De vertrouwde aanraking kon het dier niet kalmeren. Ook Celeste fladderde onrustig op haar paal, al wist hij niet of ze van de paarden was geschrokken of zelf bang was.

Silvano ging de hof op. De hemel was al licht, en talloze vogels zwermden wanordelijk rond, alsof ze niet wisten waar ze het zoeken moesten. Het licht had iets griezeligs en hij voelde zich opeens bang worden. De grond onder zijn voeten begon te schokken en hij viel op zijn knieën. Op hetzelfde moment wist hij wat de dieren schrik had aangejaagd.

'Een aardbeving!' schreeuwde hij uit alle macht, terugrennend naar de cellen om de monniken te wekken. Binnen de kortste keren stond iedereen buiten, klampte zich aan elkaar vast of aan de eerste de beste muur of boom binnen handbereik toen de grond onder hun voeten vandaan leek te schuiven. De aarde tussen de kapel en het monnikenhuis scheurde bijna tien centimeter open. Uit de spleet sloeg een stroom hete lucht.

En daarna werd alles weer roerloos en stil.

Michele da Cesena nam de leiding en commandeerde de broeders naar de kapel te komen. Sommige monniken moesten over de spleet in de grond heen stappen.

'Dit is een teken van Onze-Lieve-Heer,' zei hij scherp, zodra iedereen binnen was. 'Er is niets beschadigd, maar er is een kloof ontstaan tussen uw huis en dat van God. Het is een symbool voor de scheuring tussen iedereen hier en de liefde van onze Schepper, veroorzaakt door het moordzuchtig kwaad. Kniel, broeders! Bid, zoals u nog nooit hebt gebeden, dat de zondaar zich bekendmaakt.'

En nog stond niemand op om een bekentenis af te leggen. Niemand werd er door de beenderen van de heilige Egidio toe bewogen het plegen van de moorden op te biechten; zelfs Gods wraak die de aarde had geteisterd bracht geen verlossing.

Oplettend keek Silvano de kapel rond. Hij had er een gewoonte van gemaakt de monniken te controleren aan de hand van de presentielijst in zijn hoofd en ze waren er allemaal, ook broeder Anselmo. Silvano slaakte een zucht van opluchting;

het leek idioot om al blij te moeten zijn dat er die nacht niemand was gestorven. De aardbeving had geen slachtoffers gemaakt en er was geen nieuwe moord gepleegd.

Na het ontbijt zouden Michele da Cesena en zijn groep teruggaan naar Assisi. De schilders waren de vorige avond al vertrokken, met een nieuwe voorraad pigment in hun zadeltassen. Tegen beter weten in hoopte Silvano vurig dat het leven in de abdij nu weer gewoon zou worden.

'Hoe voelt u zich?' vroeg hij aan broeder Anselmo toen ze samen de kapel uit gingen.

'Ik heb me wel eens beter gevoeld,' zei Anselmo met een wrang lachje. 'De priorgeneraal ziet me als hoofdverdachte in de moordzaken – al had ik geen enkele reden om geweld te gebruiken tegen mijn medebroeders Landolfo en Valentino. Mijn geschiedenis met Ubaldo is genoeg om mijn naam te besmeuren.'

'Hebt u zijn broer gisteravond gezien?'

'Was Umberto hier?'

'Ja. Hij zocht u. En hij was dronken.'

'Gelukkig ben ik hem niet tegen het lijf gelopen,' zei Anselmo. 'Is hij weg?'

'Ik geloof van wel,' zei Silvano. 'Vader abt zei dat we geen plaats voor hem hadden.'

De twee gingen de eetzaal in en ontbeten stevig. Anselmo had het avondeten gemist en Silvano had altijd trek. Terwijl ze aan de pap en het grove zwarte brood met honing zaten, zagen ze de stalknecht binnenkomen en met de abt praten. Bonsignore fronste bezorgd zijn wenkbrauwen.

'Heeft iemand Umberto van Gubbio gezien?' vroeg hij, de stilte in de eetzaal doorbrekend. 'Zijn paard staat nog op stal.'

Silvano en Anselmo keken elkaar met bange voorgevoelens

aan. Ook de abt voelde angst. Hij vroeg meteen aan de prior-generaal of de vier monniken die waren meegekomen uit Assisi de abdij mochten doorzoeken naar een teken van Umberto. Alle monniken van de abdij moesten in de eetzaal blijven.

Het werd een zwaar uur. Na de schrik van de aardbeving hadden de monniken meer trek dan anders, maar niemand durfde veel te eten of te drinken omdat het harteloos leek bij de gedachte aan Umberto's mogelijke lot. Broeder Gregorio nam weer plaats achter de lessenaar en las uit de Handelingen der Apostelen. Praten werd onmogelijk gemaakt.

Eindelijk kwamen de monniken uit Assisi terug. Ze hadden elke cel en opslagruimte uitgekamd, waren zelfs in de ziekenzaal, stallen en klokkentoren geweest, maar van Umberto was taal noch teken te bekennen.

'We moeten terug naar Assisi,' zei de priorgeneraal, 'en we nemen de beenderen van de heilige Egidio mee om te begraven. De zonde ligt zo zwaar over Giardinetto dat zelfs de relikwieën geen verlossing konden brengen. Veiligheidshalve neem ik broeder Anselmo ook mee. Hij kan met de schrijn mee in het rijtuig – dat zal zijn ziel goed doen.'

En met die woorden verliet hij haastig de abdij, merkbaar teleurgesteld in Giardinetto en iedereen die er woonde.

Silvano ging snel afscheid nemen van Anselmo.

'Wees gerust,' zei zijn mentor. 'De waarheid zal aan het licht komen. Ik kan niet veroordeeld worden voor iets wat ik niet gedaan heb. En jij ook niet. Op een dag worden we van alle blaam gezuiverd.'

Silvano had zich sinds zijn komst in Giardinetto nog nooit zo ellendig gevoeld als nu. Het liefst zou hij naar Chiara in het nonnenklooster gaan, maar dat was volstrekt onmogelijk. Het leek hem erg lang geleden dat hij nog vol was geweest van een blonde schoonheid in Perugia. En toen, als geroepen door Silvano's gedachten aan zijn eigen stad, zag hij een boodschapper de hof op komen rijden, gekleed in het livrei van het palazzo Montacuto.

Niet veel later werd Silvano naar de cel van de abt geroepen.

'Je bent vrij, mijn zoon,' zei Bonsignore, blij dat hij eindelijk goed nieuws had te melden. 'Een ander is schuldig bevonden aan de moord op de schapenboer en jouw naam is gezuiverd.'

'Wie?' vroeg Silvano, te beduusd om dankbaarheid te kunnen tonen.

De abt keek het na in de brief. 'Een jongeman die Gervasio de' Oddini heet. Ken je hem?'

19

Een begrafenis

Silvano duizelde nog na van de aardbeving en het wegvoeren van Anselmo, en deze onverwachte wending trof hem als een mokerslag.

'Gervasio?' herhaalde hij. Hij geloofde zijn oren niet.

'Ja,' zei de abt. 'Blijkbaar wilde die man de schapenboer dood hebben om met de weduwe te kunnen trouwen.'

'Gaat Gervasio met Angelica trouwen?' vroeg Silvano, nog steeds verbouwereerd.

'Tja, dat was kennelijk zijn bedoeling. Hun verloving was nog maar net bekendgemaakt toen hij werd opgepakt. Maar hoor eens, ik heb een brief van je vader voor je, waarin hij het allemaal uitlegt.'

Silvano nam de brief aan. 'Dus het staat me vrij om terug te gaan naar Perugia?'

'Je kunt gaan wanneer je wilt,' zei Bonsignore vriendelijk. 'Ik ben heel blij voor je.'

Silvano kon de voor- en nadelen van dit nieuws niet zomaar verwerken. Hij stond eindelijk niet meer onder verdenking, maar zijn vrijheid betekende ook het verlies van zijn beste vriend en van zijn geïdealiseerde beeld van Angelica. En tegelijkertijd waren elke zenuw in zijn lijf en elke gedachte in zijn hoofd gespitst op het drama in de abdij; hij kon niet als bij toverslag omschakelen naar zijn oude leven.

'Ik wil niet uit Giardinetto weg,' zei hij. 'Tenminste, niet om naar Perugia te gaan. Als u het goedvindt, vader, wil ik graag naar Assisi, om te kijken of ik broeder Anselmo kan helpen.'

'Ik geef je mijn zegen,' zei de abt. 'En ik heb nog iets voor je.' Hij liep naar een diepe kast in de hoek van de kamer en haalde een bundel tevoorschijn.

Silvano ging ermee naar de lege slaapzaal en pakte de kleren uit die bij zijn oude leven hoorden. Toen hij het hemd van fijne mousseline over zijn hoofd trok, voelde de zachte streling van de stof ongewoon behaaglijk. Hij zag dat er een rode vlek op zat en keek er angstig naar; was dat het bloed van de schapenboer, veroorzaakt door Gervasio? Nee, het was het enige wat er over was van Angelica's bloem, en al bijna even weerzinwekkend. Ook bevatte de bundel een zwaard, dat onwennig voelde in zijn hand.

De boodschapper van zijn vader wachtte op een antwoord dat hij mee terug moest nemen naar Perugia, maar Silvano vroeg hem of hij nog langer in de abdij kon blijven. De boodschapper had een zware tocht achter de rug en hij had er geen enkel bezwaar tegen om de rest van de dag uit te rusten. Hij ging languit in de zon liggen bij het hek van het kerkhof, zonder zich iets aan te trekken van de verse graven in zijn buurt of van de akelig gapende scheur in de grond.

Silvano vloog de trap af en holde naar de stallen. Hij bleef even staan om de stalknecht te vragen Celeste te voeren en haar te laten vliegen, zadelde daarna Manestraal en wendde het hoofd van zijn paard in de richting van Assisi.

Van haar uitkijkpost bij het tralieluikje zag Chiara hen gaan. Behalve om te eten en te slapen had ze haar post niet verlaten. Toen ze Silvano zag vertrekken in zijn uitdossing van edelman was ze de wanhoop nabij. Hij ging natuurlijk naar Perugia terug, en ze zou hem nooit meer zien. En hij was niet eens afscheid komen nemen! Maar toen troostte ze zich met twee gedachten.

Om te beginnen had hij niet langer een schuilplaats nodig, als hij niet meer gekleed ging als monnik. Dan moest de echte dader van de moord waarvan hij was beschuldigd nu zijn opgepakt. Vervolgens besefte ze dat hij zijn valk niet bij zich had. Hij zou toch nooit voorgoed vertrekken zonder zijn valk? Ze vond het een kwelling om nergens zeker van te kunnen zijn.

'Zuster Orsola,' zei een zachte stem. Het was de abdis. 'Kom eens bij die deur vandaan. Ik denk dat het tijd wordt dat je ons verlaat. Het is me al langer duidelijk dat je hart niet bij ons in het klooster is. De buitenwereld roept je en het lijkt me tijd dat je naar monna Isabella verhuist.'

Moeder Elena ging Chiara voor naar haar cel. Daar gaf ze het meisje de kleren terug waarin ze gekomen was en ze deed haar de witte sluier af.

'Je haar groeit snel,' merkte ze glimlachend op. Het was na Chiara's komst in Giardinetto geen tweede keer geknipt en een zee aan donkerbruine krullen golfde tevoorschijn.

Chiara boog haar hoofd. 'Het spijt me zo, moeder.'

'Wat? Dat je gezond haar hebt?'

'Dat ik niet deug als non. Het was niet mijn wens om in te treden.'

'Dat weet ik,' zei de abdis. 'En dankzij de goedhartigheid van monna Isabella heb je nu de kans het klooster eervol te verlaten en een leven te leiden dat beter bij je past.'

'Wat moet ik nu doen?' vroeg Chiara. 'Hoe kom ik in Gubbio?'

'De weduwe komt je halen; ik heb haar bericht gestuurd.

Trek je eigen kleren aan en doe waar je zin in hebt tot ze er is.'

Ik heb hier niets meer te zoeken, dacht Chiara somber. Opeens stond ze te popelen om uit Giardinetto weg te gaan, al was ze er gelukkiger geweest dan ze ooit had durven hopen.

'Treur maar niet,' zei moeder Elena. 'Je hebt je hier niet te schande gemaakt. Zuster Veronica geeft hoog op van je ijver in de werkplaats en ik heb met eigen ogen gezien dat je een goedhartig, bereidwillig meisje bent. Naar mijn mening was het verkeerd van je broer om je hierheen te sturen. Maar we vonden het fijn om zo veel jeugdige energie in huis te hebben.'

'Ik vond het hier ook fijn, moeder,' zei Chiara, en ze meende het. 'Ik zal nooit vergeten hoe aardig u voor me bent geweest, en zuster Veronica en de andere zusters ook.'

Verblind door tranen kon Chiara maar amper de deur vinden. Ze ging naar de slaapzaal en kleedde zich om. Haar kleren voelden onwennig strak na het wijde grijze habijt. Ze maakte de zoom van haar onderjurk los en haalde het robijnen kruisje en de gouden oorbellen tevoorschijn die ze erin had genaaid toen ze haar ouderlijk huis verliet.

Toen ze haar sieraden vastmaakte, had ze het gevoel dat de grijze zuster Orsola voorgoed verdwenen was en dat Chiara haar plaats weer had ingenomen. Tegelijkertijd vond ze zichzelf wel erg opzichtig gekleed en bijna deed ze haar sieraden weer af. Ze zat krachtig haar haar te borstelen toen ze de wielen van een rijtuig over de hof hoorde ratelen.

Geen twee minuten later stormde Isabella opgewonden de slaapzaal op. Ze bleef stokstijf staan toen ze haar beschermelinge in gewone kleren zag.

'Chiara,' zei ze en ze nam de handen van het meisje in de hare. 'Je ziet er prachtig uit.'

'Is er iets?' vroeg Chiara. 'Je lijkt uit je doen.'

'Umberto, mijn zwager, heeft me gisteren een akelig bericht gestuurd,' zei Isabella. 'Hij schreef dat hij naar Giardinetto ging om Ubaldo te wreken. Toen ik zijn bedienden sprak, zeiden ze dat hij voor zijn vertrek zwaar gedronken had. Hij heeft zijn huismeester verteld waar zijn testament ligt. Ik ben zo snel als ik kon hierheen gegaan, maar we hebben geen moment te verliezen. Voor we naar huis kunnen, moeten we naar de abdij.'

De angst van haar beschermvrouw sloeg op Chiara over, al maakte haar hart een sprongetje bij de woorden 'naar huis'. Samen gingen ze naar de abdis en vertelden haar waar ze heen gingen. Voor het eerst liep Chiara het klooster uit zonder zich opgelaten te voelen.

In de abdij sloeg dat gevoel meteen om. Alle monniken keken op dezelfde manier naar haar: één korte blik van spontane bewondering, meteen gevolgd door neergeslagen ogen. Isabella en Chiara schrokken van de scheur die was veroorzaakt door de aardbeving. Het leek alsof de wraak van God de abdij van Giardinetto had getroffen.

De abt was verbaasd hen te zien en zijn verbazing werd nog groter toen hij hoorde waarvoor ze gekomen waren.

'Het spijt me u te moeten zeggen dat broeder Anselmo naar Assisi moest om daar opnieuw gehoord te worden,' zei hij.

'Maar is hij ongedeerd?' vroeg Isabella. 'Heeft mijn zwager hem niets aangedaan?'

De abt zuchtte. 'Nu heb ik alweer slecht nieuws. Nee, niet over Anselmo – lichamelijk mankeert hem niets. Maar uw zwager is verdwenen. Gisteravond kwam hij onverwachts aanzetten, onder invloed van drank en op zoek naar broeder Anselmo. Vanochtend was hij weg, maar zijn paard staat er nog. We hebben de hele abdij afgezocht, maar hij was nergens te vinden. We vrezen het ergste.'

'En Anselmo is in Assisi?' vroeg Isabella, die niet inzat over Umberto zolang hij zijn onuitgesproken dreigement niet had uitgevoerd. 'Dan gaan we daarheen, Chiara.'

Silvano zette bij de basilica zijn schimmel op stal en rende de benedenkerk in. Hij trof Simone zoals gewoonlijk werkend aan in de kapel van Sint-Martinus.

'Goeie hemel!' zei de schilder bewonderend vanaf de steiger. 'Had ik jou maar als model gehad toen ik Martinus als ridder schilderde. Jammer dat ik de cyclus bijna af heb.' Hij was bezig met het vergulden van de aureool van de heilige op de afbeelding op de rechtermuur, waar Martinus de wapenen afgooit om een religieus leven te beginnen. Al eerder waren er in de toen nog zachte onderlaag veel putjes gestempeld, waardoor de aureool na het vergulden een goudreliëf zou krijgen.

Silvano keek de kapel rond. Hij was inderdaad bijna af. De ronde steiger was verlaagd tot even boven de grond en Simone werkte aan de laatste afbeelding in de reeks, al vertelde die een verhaal uit de begintijd. De kunstenaar had in omgekeerde volgorde moeten werken, zodat bezoekers aan de kapel de schilderingen van onder naar boven konden bekijken, om pas op het laatst hun ogen op te heffen naar de met sterren bezaaide hemel op het plafond.

'Broeder Anselmo is naar Assisi gebracht voor verdere ondervraging,' zei Silvano dof, niet in staat zich vandaag op kunst te concentreren. 'De priorgeneraal denkt dat hij Umberto heeft vermoord.'

'Umberto? Is er na ons vertrek dan nog een moord gepleegd?'

'Nee. Of eigenlijk, dat weten we niet. Maar Umberto is verdwenen en Michele da Cesena is vooringenomen tegen Anselmo.'

Simone kwam met een licht sprongetje van de steiger en veegde zijn zachte kwast zorgvuldig schoon voor hij bij Silvano kwam staan. Hij sloeg zijn arm om de schouders van de jongen.

'Zit er niet zo over in. Ze kunnen broeder Anselmo niets doen als hij onschuldig is. En ik neem aan dat jij goed nieuws hebt gehad over je eigen zaak, nu je je niet langer vermomt als monnik?'

'Ja,' zei Silvano, in een poging enthousiast te klinken. 'De echte moordenaar is gevonden.'

'Dat is prachtig nieuws!' zei Simone. 'Gefeliciteerd.'

Silvano besloot hem niet te vertellen waarom het nieuws niet echt prachtig was; Anselmo was nu belangrijker. Ze gingen samen de zon in, waar ze de goudsmid Teodoro tegen het lijf liepen.

'Goedendag,' zei Simone.

'Ook goedendag. Ik hoor dat de heilige Egidio geen wonderen heeft verricht in Giardinetto.'

'Nee, jammer genoeg niet. Er is geen bekentenis afgelegd.'

'Hij wordt vandaag begraven,' zei Teodoro.

'Wie?' vroeg Silvano, opeens bang.

'De heilige Egidio, *monsignore*,' zei Teodoro, die nieuwsgierig naar de jonge edelman keek en zich afvroeg wie hij was. 'Hij wordt bijgezet in de crypte. Het zal ze trouwens nog moeite kosten om de schrijn de trappen af te krijgen. Hij was al zwaar toen ik hem af had, maar de monniken die hem naar Giardinetto hebben gebracht vinden dat hij nu nog zwaarder voelt. Volgens hen komt het doordat nu ook de zondelast van de abdij meeweegt.'

Simone en Silvano keken elkaar aan en dachten hetzelfde.

'Waar is de schrijn nu?' vroeg Simone.

'Weer terug voor het altaar,' zei Teodoro en hij krabde zich op het hoofd toen zijn gesprekspartners de benen namen en in vliegende vaart de trap naar de bovenkerk op gingen.

Buiten adem kwamen Silvano en Simone aan; ze moesten eerst tot bedaren komen voor ze het bevoegd gezag konden vragen om de kist weer te openen.

Het was Angelica verboden om Gervasio te bezoeken, maar de bewakers lieten zijn vader wel bij hem toe. Hij schrok ervan hoe slecht zijn zoon er in een paar uur tijd uit was gaan zien. Hij had een stoppelbaard en zijn haar zat onverzorgd en wild. Zijn ogen stonden dof en het leek alsof hij al berustte in zijn lot als veroordeelde. Vincenzo kon het niet verdragen.

'Ik ben bij Montacuto geweest,' zei hij.

'Nou en?' vroeg Gervasio lusteloos.

'We kunnen hem waarschijnlijk wel overhalen jou te helpen hier weg te komen,' zei Vincenzo met gedempte stem. 'Ik denk dat Angelica het toverwoord heeft gesproken. Ze heeft hem van de baby verteld.'

Het effect op Gervasio was indrukwekkend. Met één klap was zijn apathie weg. 'De baby?' zei hij verbluft.

'Ja. Daardoor heeft de baronessa jouw kant gekozen. Zij kan de baron vast overtuigen.' Vincenzo vond het beter om er niet meteen bij te vertellen dat Gervasio's leven nu afhing van Silvano's genade.

Hij begreep niet waarom zijn zoon zo raar lachte.

'Nou, die baby zullen we dan maar een godsgeschenk noemen,' zei Gervasio.

Vincenzo ging met lood in de schoenen de gevangenis uit. Hij moest Gervasio daar weg zien te krijgen voor de jongen alle moed verloor om voor zijn leven te vechten. Hij maakte zich er niet meer druk om of zijn zoon schuldig was, want dat stond nu wel vast. Zijn enige zorg was hoe hij hem vrij moest krijgen en hoe hij hem kon helpen naar een ver oord te komen waar hij veilig kon zijn.

Uiteindelijk moest de priorgeneraal erbij gehaald worden. Met een gezicht als een donderwolk kwam hij de bovenkerk in, gevolgd door een monnik met een breekijzer. Hij keurde Silvano, die hij kennelijk niet herkende in zijn uitdossing als edelman, amper een blik waardig; hij was volkomen gericht op wat hun te doen stond. Michele da Cesena gaf opdracht de grote deuren af te sluiten; hij wilde niet dat willekeurige pelgrims getuige waren van de schending van de schrijn.

'Alleen de ernst van de zaak en uw goede naam bij mijn kloosterorde kunnen deze daad rechtvaardigen,' zei hij tegen Simone. 'De schrijn openen is heiligschennis, waarin ik slechts met de grootste tegenzin toestem.'

Simone boog kort. 'In andere omstandigheden zou ik er nooit om vragen, vader.'

De monnik met het breekijzer liep onzeker op de kist af en sloeg verlegen een kruisteken voor hij het deksel openwrikte. Simone en Silvano hielpen hem het zware deksel van marmer en kristal op de grond te tillen en daarna begon de monnik aan het deksel van de loden binnenkist. Dat was zachter en gemakkelijker te openen.

Zodra de jonge monnik het deksel had weggetrokken, sloeg hun een lijkgeur tegemoet. Die kwam niet van de oude, vleesloze botten van de metgezel van Franciscus. Het stijve lijk van Umberto was boven op de botten gepropt en hij lag daar met een gekneusd, asgrauw gezicht en starende ogen.

Instinctief sloeg de monnik zijn mouw voor zijn gezicht en wendde zich af, kokhalzend.

'Zo,' zei de priorgeneraal onbewogen. 'Er is dus weer een moord gepleegd in Giardinetto. Broeder Giovanni,' commandeerde hij de monnik, 'ga broeder Anselmo halen.'

De jonge monnik ging maar al te graag weg. Toen hij de zware deur opendeed, glipten Isabella en Chiara naar binnen. Hij probeerde hen tegen te houden, maar Isabella was zo vastbesloten de priorgeneraal te spreken dat ze hem opzij duwde.

Michele da Cesena was verre van blij haar te zien; hij gebaarde naar Simone en Silvano dat ze de vrouwen de toegang tot de schrijn moesten verhinderen. Silvano herkende Chiara, die achter de weduwe stond, met een schok. Even staarden ze elkaar aan alsof ze elkaar voor het eerst zagen. En in zekere zin was dat ook zo, nu ze allebei hun vermomming hadden afgelegd. Toen ze de uitdrukking van bewondering op Silvano's gezicht zag, durfde Chiara hoop te koesteren.

Maar romantisch was de situatie bepaald niet.

'Het is hem, madama,' zei Simone zachtjes. 'Het lichaam van uw zwager is in de kist gevonden. U hoeft niet te gaan kijken.'

Isabella zakte op een van de banken neer. Ze voelde niets dan opluchting omdat Umberto heengegaan was zonder erin te zijn geslaagd Anselmo iets aan te doen.

Alsof ze hem met deze gedachten had opgeroepen, kwam broeder Anselmo in eigen persoon de basilica in. Langzaam liep hij naar de groep bij het altaar.

'Zo,' zei de priorgeneraal. 'Het zal u niet verbazen te horen dat we het lichaam van Umberto hebben gevonden.'

Anselmo sloeg een kruisteken. 'Wat vreselijk.'

'Vreselijk dat hij dood is, of dat zijn lichaam is gevonden? Ik veronderstel dat u dacht dat zijn lichaam onopgemerkt begraven zou worden met de relikwieën van de heilige Egidio?'

'Het is bijna twintig jaar geleden dat ik Umberto van Gubbio voor het laatst heb gezien,' zei Anselmo. 'Ik heb hem niet vermoord.' Hij keek naar Isabella. 'Kan de dame dit tafereel niet bespaard blijven?'

De priorgeneraal knikte naar Silvano alsof hij hem voor het eerst opmerkte.

'U daar, u bent toch Montacuto? Wilt u ervoor zorgen dat de dames veilig in het gastenverblijf komen? En vraag broeder Giovanni meer monniken hierheen te sturen, met een kist voor die arme man. Ik kom straks met u praten, madama, om meer te weten te komen over uw familie.'

Simone ging met de anderen mee; hij was blij dat hij weg kon uit de bovenkerk met het dodelijke geheim.

Isabella wilde Anselmo niet alleen achterlaten bij de genadeloze Michele da Cesena, maar Chiara troonde haar mee. Toen ze eenmaal in de frisse buitenlucht waren, knapten ze een beetje op.

'Jij bent weer een vrij man, zie ik,' zei Isabella tegen Silvano. 'Wat fijn voor je. Ik wilde maar dat de echte moordenaar van Giardinetto gevonden werd, zodat broeder Anselmo's naam ook gezuiverd kan worden.'

'Broeder Anselmo heeft ons verteld dat hij een idee heeft wie de moordenaar is,' zei Silvano.

'Wie dan?' vroeg Isabella, maar ze voegde er snel aan toe: 'Nee, zeg het maar niet. Ik ben allang blij dat Anselmo hier is, al is hij dan in de greep van de priorgeneraal. Hij hoeft zich in ieder geval niet te verweren tegen een nog veel gevaarlijker persoon.'

Isabella en Chiara voelden er niets voor om te blijven wachten tot Michele da Cesena hen kwam ondervragen, zodat Simone aanbood zijn schilderijen te laten zien. Ze wilden graag uit de buurt zijn van de verschrikkingen in de bovenkerk en liepen de buitentrappen af naar de fonkelende, vergulde schatkist die de kapel beneden was.

'Kijk, Silvano,' zei Chiara. 'Simone heeft de valkenier een handschoen gegeven.'

Het was waar. Simone had de vuist van de valkenier, uiterst links in het schilderij waarin Sint-Martinus tot ridder werd geslagen, opnieuw geschilderd. De handschoen was een nauwelijks waarneembaar blauwgrijs vlekje, maar hij was er.

Silvano voelde zich belachelijk blij worden. Het stelde niets voor in vergelijking met alle dood en ellende om hem heen, maar hij vond het geweldig dat hij invloed had gehad op ook maar het kleinste detail in het werk van een grootmeester als Simone. Dit werk kon nog eeuwen blijven bestaan, lang nadat hij, Chiara, Gervasio en Angelica tot stof waren weergekeerd.

'Je had natuurlijk gelijk met die handschoen,' zei Simone, achter hen. 'Ik heb zelf nooit een jachtvogel gehad, dus ik wist het niet.'

'Op de handschoen zitten ringen waaraan je de riempjes van de vogel vastmaakt,' legde Silvano de vrouwen uit. 'Als hij terugkomt naar je vuist, haal je de lijn erdoorheen en maak je de valkeniersknoop. Kijk, je kunt zien dat Simone de lijn erin heeft geschilderd.'

'Het lijkt me niet makkelijk om een knoop te leggen als de vogel al op je vuist zit,' zei Chiara.

'Je moet leren het met één hand te doen,' beaamde Silvano.

En opeens was het alsof de wereld om hem heen stil bleef staan. Hij kon aan Isabella's bewegende mond zien dat ze iets zei, maar hij hoorde niets meer. De kleuren en vormen van Simones schilderijen tolden langzaam om hem heen. Als bij toverslag wist Silvano wie de moordenaar was.

'Dus u blijft ontkennen betrokken te zijn bij de moorden in Giardinetto?' De priorgeneraal zette Anselmo onder zware druk.

'Ik kan niet anders, zelfs niet als ik gemarteld word,' zei Anselmo. 'Ik heb nooit geweld gebruikt tegen wie dan ook. Ik had geen reden om Umberto van Gubbio dood te wensen. En al helemaal geen reden als het om mijn medebroeders van de abdij gaat.'

'Ik zou u graag geloven,' zei de priorgeneraal. 'Uw staat van dienst als kloosterling is smetteloos. Maar in uw burgerlijk leven, voor u toetrad tot de orde, had u wel degelijk reden de koopman Ubaldo te haten. U bent de enige monnik met ook maar een greintje motief voor de moorden. Umberto geloofde in ieder geval dat u zijn broer hebt gedood.'

'Dan moet hij gedacht hebben dat ik het deed zodat monna Isabella vrij zou zijn om met mij te trouwen,' zei Anselmo. 'Om te trouwen moet ik mijn geloften als monnik afzweren. Ik ben niet van plan dat te doen.'

'Dat is waar,' zei Isabella.

De twee monniken draaiden zich om; ze hadden haar niet horen terugkomen in de bovenkerk.

'Ik heb u gevraagd de dames naar het gastenhuis te brengen,' zei de priorgeneraal scherp tegen Silvano.

'We hebben iets belangrijks ontdekt,' zei Silvano.

Isabella onderbrak hem. 'Ik ben broeder Anselmo gaan vragen om uit de orde te treden en bij me terug te komen,' zei ze, naar Anselmo kijkend. 'Hij weigerde. Hij zei dat hij zijn leven aan de Kerk heeft gewijd en zijn geloften niet wilde breken. Zou hij zo gereageerd hebben als hij mijn man had vermoord om weer bij me te kunnen zijn?'

Michele da Cesena gaf niet meteen antwoord, maar toen zei hij eenvoudig: 'Wie zou het anders kunnen zijn?'

Silvano deed gretig een stap naar voren. 'Vergeef me, vader, maar ik denk dat ik het weet,' zei hij. 'Het is...'

Anselmo kwam tussenbeide. 'Zeg het niet,' zei hij. 'Er zijn al te veel mensen het slachtoffer geworden van onjuiste verdachtmakingen. We moeten onomstotelijk bewijs hebben.' Hij wendde zich tot de priorgeneraal. 'Laat mij met deze jongeman teruggaan naar Giardinetto en de verdachte met onze vermoedens confronteren. Als ik gelijk blijk te hebben, brengen we hem hierheen zodat hij berecht kan worden.'

'Dat is toch veel te gevaarlijk!' riep Isabella uit. 'Wie het ook is, hij heeft al vier mensen vermoord! Hij zal toch ook proberen jou te vermoorden als je hem beschuldigt?'

'Ik blijf bij hem,' zei Silvano. 'En ik ben gewapend.'

'Laat ze niet gaan,' smeekte Chiara. 'In ieder geval niet alleen. Stuur andere monniken mee om ze te beschermen.'

Michele da Cesena aarzelde. Daarna knielde hij voor het altaar en bad langdurig bij de relikwieën van Franciscus' metgezel en het lijk van Umberto. Toen hij overeind kwam, bracht een groepje monniken een houten doodskist de kerk in.

'Ga,' zei hij tegen Anselmo. 'Ik geloof in uw onschuld. Ga naar de abdij en neem deze jongeman mee. En breng mij dan de moordenaar.'

20

Dodelijk wit

De boodschapper uit Perugia rekte zich geeuwend uit. Hij had een heerlijk luie dag achter de rug. Een aardige oude monnik had hem tussen de middag brood met kaas gebracht en hij had urenlang in de zon liggen soezen. Toen het te heet werd, vond hij een plekje in de schaduw van een groepje taxusbomen en was weer in slaap gevallen, zonder zich druk te maken om zijn omgeving.

Hij werd wakker toen de monniken de kapel uit kwamen na de noen, het gebed om drie uur. Als de jonge meester niet opschoot met zijn antwoord, werd het nog vliegen om voor donker in Perugia terug te kunnen zijn.

Die gedachte was nog niet bij hem opgekomen of Silvano kwam er al aan. De hoeven van de grote schimmel klepperden de keitjes van de hof op, gevolgd door de koets van een dame.

Er is dus echt een vrouw in het spel, dacht de boodschapper, die geruchten over Angelica had opgevangen. En inderdaad hielp Silvano een heel mooi jong meisje uit het rijtuig. Waren dat misschien haar ouders, die knappe vrouw en die nogal lelijke man met die neergetrokken mondhoeken? In dat geval bofte Silvano dat het meisje op haar moeder leek. Er was ook een monnik bij – was de jonge meester soms halsoverkop naar Assisi vertrokken om daar te trouwen? Zo ja, dan had jongeheer Silvano nog een knap lange brief aan zijn vader te schrijven. De boodschapper maakte het zich weer gemakkelijk, met zijn rug tegen een boom.

Op de terugweg uit Assisi was er niet veel gepraat in de koets. Simone had met Isabella wat over kunst gebabbeld en Chiara zei ook af en toe iets. Broeder Anselmo zat stil te luisteren. Ze wisten allemaal dat ze eigenlijk wilden praten over iets wat onuitspreekbaar was. Silvano reed naast de koets en keek herhaaldelijk verlangend naar binnen. Het zou goed zijn om voor eens en altijd een einde aan de kwestie van de moorden te maken, dacht Anselmo, zodat die jonge mensen hun eigen leven konden gaan leiden. En toch, als hij het bij het rechte eind had, bracht hij iedereen nu in gevaar.

Isabella had per se met Anselmo mee terug willen reizen naar Giardinetto, maar nu ze er waren, wist ze niet wat ze moest doen. Ze wilde Anselmo niet uit het oog verliezen. Hij maakte een eind aan haar getwijfel door haar en Chiara naar de abt te brengen.

'Je bent terug!' zei vader Bonsignore blij. 'Heeft de priorgeneraal je vrijgesproken?'

'Hij gelooft niet langer dat ik de moorden heb gepleegd, vader,' zei Anselmo.

'Wat een geweldig nieuws! Jij en de jonge Silvano op één en dezelfde dag onschuldig verklaard!'

'Slecht nieuws is er ook,' zei Anselmo. 'We hebben Umberto gevonden. Zijn lichaam lag in de schrijn.'

Bonsignores goede humeur verdween als sneeuw voor de zon. 'Nog een moord,' zei hij zacht. 'En de beenderen van de heilige Egidio geschonden! Maar weet de priorgeneraal dan wie er wél achter de moorden zit, als hij jou heeft laten gaan?'

'Nee, hij weet het niet. Maar wij wel,' zei Anselmo, met een knikje naar Silvano. 'Tenminste, dat denken we. We gaan met hem praten, maar u moet monna Isabella en zuster Orsola, ik bedoel Chiara, hier houden om ze te beschermen.'

Voor vader abt de kans kreeg verder te vragen, waren de drie mannen zijn cel al uit.

'We gaan eerst naar de kleurwerkplaats,' zei Anselmo. 'Voor ons is dat heel gewoon en de moordenaar zal geen lont ruiken.'

De monniken en novicen zaten nog te werken; Anselmo was maar één dag weg geweest en hij had meer dan genoeg opdrachten achtergelaten. Bij hun binnenkomst keek Matteo op en lachte toen hij zag dat Silvano geen pij meer droeg.

'Ik ga terug naar Perugia, Matteo,' zei Silvano. 'De echte moordenaar daar is ontmaskerd en ik kan als vrij man naar huis terug, zonder een smet op mijn blazoen.'

Er werd kort geapplaudisseerd in de kleurwerkplaats. Silvano was een populaire kracht geworden.

Anselmo liet Simone de productie van vermiljoen zien. Silvano ging intussen aan de werktafel zitten; het was wel duidelijk dat ze de confrontatie met de moordenaar niet meteen aangingen. Hij dacht opeens aan de papieren van zijn vader, die hij in zijn hemd had gestopt zonder er verder nog naar om te kijken. Hij haalde de brief tevoorschijn en las hem.

Gervasio, Angelica en Tommaso de schapenboer kwamen hem nu stuk voor stuk voor als personages in een verhaal – misschien een spannend verhaal om op een winteravond te vertellen. Het leek allemaal zo ver van hem af te staan, vergeleken met het mooie meisje dat door het raampje van de koets naar hem had gelachen en het moment van openbaring dat hij in de Sint-Martinuskapel had ervaren.

Hij wist nog steeds niet of Gervasio van plan was geweest hem de moord in de schoenen te schuiven, of dat hij de dolk alleen had gestolen omdat hij zoveel mooier was dan zijn eigen wapen, zoals hij blijkbaar tegen de baron had gezegd. Het was natuurlijk onvergeeflijk iemand dood te maken, maar iets van de wanhoop die Gervasio daartoe had gedreven kon Silvano zich wel voorstellen. Van kleins af aan was zijn iets oudere vriend zich bewust geweest van de minder bevoorrechte positie van zijn familie, en van het feit dat hij een jongste zoon was die niets van zijn vader zou erven.

En nu ging hij met Angelica trouwen en zou hij zelf vader worden – tenminste, als Silvano hem die kans gaf. Silvano wist niet of zijn vriend het verdiende aan de doodstraf te ontkomen, maar hij wist wél dat hij in Giardinetto genoeg doden had gezien om niet verantwoordelijk te willen zijn voor het einde van iemands leven. En hij was niet meer jaloers vanwege Angelica. Zijn droombeeld van een vrouw was niet langer mollig, blond en blozend. Zijn beeld van de ideale vrouw was een echt meisje, dat nu thee zat te drinken bij de abt.

Met een heimelijk lachje borg Silvano de brief weer op. Zou hij net als Gervasio nog eens vader worden? Hij kon het zich nauwelijks voorstellen; ook dat leek mijlenver van hem af te staan.

Opeens schoot de wachtende boodschapper hem te binnen. Hij moest die man zoeken en hem naar Perugia terugsturen.

Hij glipte de werkplaats uit en vond al snel de knecht van zijn vader bij het kerkhof. De man sprong overeind en sloeg het gras van zijn livrei.

'Ja, meester?' zei hij.

'Zeg tegen mijn vader dat ik toestemming geef voor de kwestie waarnaar hij vraagt.'

'Is dat alles?' vroeg de man. 'Moet ik geen brief meenemen?'

'Vandaag niet,' zei Silvano. 'Ik kom binnenkort zelf weer

thuis. Geef dit antwoord aan mijn vader en doe hem, mijn moeder en mijn zusjes mijn groeten.'

De man liep weg naar de stallen. Silvano keek hem na – en toen zag hij broeder Fazio naar de kleurwerkplaats lopen.

'Ah, de kunstschilder,' zei broeder Fazio. 'Hoe gaat het met het vergulden?'

'Heel goed,' zei Simone. 'En hoe gaat het met het woord van God?'

'Het vordert langzaam,' zei Fazio. 'Broeder Anselmo, heb je wat *verde azurro* voor me?'

'Zeker,' zei Anselmo, die naar zijn potten liep. 'Heb je vandaag met je loodwit gewerkt, broeder?'

'Nee,' zei Fazio. 'Ik heb de bladzijde gisteren geprepareerd. Ik ga hem nu verluchten, al zal ik niet veel meer kunnen doen voor de vespers.'

'Ik ben blij dat je het niet gebruikt hebt,' zei Anselmo, die met de pot in zijn handen Fazio naar de deur begeleidde. 'Ik denk niet dat de bianco di piombo je goeddoet.'

Het gebeurde in een handomdraai. Op het moment dat Silvano naar binnen wilde gaan, zag hij dat broeder Fazio de pot liet vallen en meteen daarna flitste er een mes.

'Vlug!' schreeuwde Silvano terwijl hij naar broeder Anselmo rende. 'Fazio is de moordenaar. Hij heeft een dolk!'

Het was al te laat. Fazio sloeg toe en raakte Anselmo in de arm die hij hief om de aanval af te weren. Worstelend om het mes vielen de twee mannen tegen de grond, en iedereen in de kamer schoot op hen af om ze uit elkaar te halen. Fazio vocht als de waanzinnige die hij was, en er klonk een schreeuw die overging in gerochel. Bloed vloeide rijkelijk over de vloer van de kleurwerkplaats.

'Ik hou het niet meer uit,' zei Isabella. 'We moeten gaan kijken wat daar gebeurt.'

'Heeft broeder Anselmo u over zijn ideeën verteld?' vroeg de abt. 'Weet u wie hij verdenkt?'

'Mij vertelt hij niets,' zei Isabella bitter. 'Ik beteken niets meer voor hem. Maar toch kan ik hier niet rustig blijven zitten als hij intussen misschien vermoord wordt!'

Er werd opgewonden op de deur gebonkt en Matteo de novice stormde naar binnen.

'Kom alstublieft meteen mee naar de werkplaats, vader,' hijgde hij.

'Wat zit er op je habijt?' vroeg Isabella geschokt. 'Is het rode kleurstof?'

Matteo keek naar zijn bebloede pij en schudde van nee. Het was duidelijk dat hij een shock had. Ze verspilden geen tijd met verdere vragen, maar haastten zich de cel uit.

In de werkplaats zagen ze Anselmo in elkaar gezakt op een bankje aan een tafel zitten. De mouw van zijn habijt was opgerold en Silvano stelpte met afgescheurde repen stof van zijn eigen hemd het bloed dat uit een diepe wond gutste. Broeder Fazio lag op de grond, roerloos.

'Vader abt,' zei Anselmo. 'Michele da Cesena heeft gelijk gekregen. Ik heb iemand gedood.' Zijn ogen rolden weg en hij gleed van de bank.

Isabella slaakte een kreet en rende naar hem toe. Chiara keek naar het roerloze lichaam van de miniaturist op de grond.

'Is hij dood?' vroeg ze aan Silvano.

Hij knikte. 'Hij wilde Anselmo doden. We hebben met man en macht ons best gedaan ze uit elkaar te halen, maar bij de vechtpartij is Fazio dodelijk gewond geraakt.'

'Hij is inderdaad overleden,' zei Bonsignore, die het lichaam had omgedraaid en nu Fazio's ogen sloot.

'Broeder Anselmo moest voor zijn leven vechten,' bezwoer Silvano de abt. 'Fazio had een dolk en hij wilde hem doodsteken. Het was een strijd op leven en dood, en Anselmo wist hem de dolk afhandig te maken, maar Fazio weigerde zich over te geven. Volgens mij was het eerder zo dat hij in de dolk viel, dan dat Anselmo hem ermee gestoken heeft.'

'De wond zit vlak onder zijn oor, waar een ader loopt,' zei de abt, die het lichaam onderzocht. 'Dat is hem fataal geworden.'

Isabella hield Anselmo stevig in haar armen. Silvano liep naar Chiara toe en sloeg zijn armen om haar heen.

'Gaat het?' vroeg hij.

Ze knikte, maar stond te bibberen. Van alle slachtoffers had ze tot nu toe alleen het lijk van de koopman Ubaldo gezien. Ze hadden haar afgeschermd van het lijk van zijn broer in de basilica. Wat leek dat onwezenlijk, nu broeder Fazio languit op de grond lag in een bloedplas en de bewusteloze Anselmo ook hevig bloedde.

Broeder Rufino kwam gejaagd binnen; Matteo had hem uit de ziekenzaal gehaald.

'Laat me erbij, laat me kijken,' zei hij, zo geshockeerd door Isabella's omhelzing van de kleurenmeester dat hij haar min of meer wegduwde. 'Broeders,' zei hij, een paar monniken wenkend nadat hij Anselmo had onderzocht, 'help me hem naar de ziekenzaal te brengen. Het komt wel goed met hem. Er zijn geen aderen of organen geraakt.'

Het duurde uren voordat het leven in de abdij weer een beetje in het gareel kwam. Abt Bonsignore had de stalknecht met een dringende boodschap voor Michele da Cesena naar Assisi gestuurd. Zelf was hij naar de abdis gegaan om haar te vertellen dat er einde was gekomen aan de weken van angst en vrees. En hij stond erop dat broeder Fazio's lichaam voor het altaar in de kapel werd opgebaard.

'Hij was een medebroeder, en welke misdaden hij ook gepleegd heeft, binnenkort staat hij voor de allerhoogste Rechter,' zei de abt. En daarna zette hij een stel jonge monniken aan het werk om de plavuizen van de kleurwerkplaats schoon te schrobben.

Terwijl Bonsignore druk bezig was orde op zaken te stellen in de abdij, bleven de anderen achter in de ziekenzaal, al wilde broeder Rufino ze er niet bij hebben. Anselmo was bij bewustzijn, maar zag nog doodsbleek. Rufino had pertinent geweigerd Isabella te laten helpen, zodat ze maar in een stoel bij het raam was gaan zitten, met Chiara naast zich.

Silvano wilde niet van Anselmo's bed wijken. De vechtpartij in de werkplaats bleef hem door het hoofd spelen, met een heel andere afloop. In zijn gedachten kwam Fazio's mes omhoog, daalde en raakte Anselmo recht in zijn hart in plaats van in zijn arm.

Silvano schudde zijn hoofd om het beeld kwijt te raken. Er kwam een stortvloed aan vragen in hem op. En hij was niet de enige die voor raadsels stond. Zodra de abt weer bij hen in de ziekenzaal kwam en zich ervan had verzekerd dat Anselmo in leven bleef, wilde hij het naadje van de kous weten.

'Hoe wist je dat het broeder Fazio was? En waarom heeft hij het gedaan?'

'Ik vermoedde al een tijdje dat hij zichzelf vergiftigde met bepaalde gevaarlijke stoffen waarmee hij werkte,' zei Anselmo. 'Met name de bianco di piombo. Maar ook zat er arsenikon in het koningsgeel en de robijnzwavel die hij vaak gebruikte.'

'Bedoel je dat alle materialen die een verluchter gebruikt zo gevaarlijk zijn dat hij er krankzinnig van kan worden?' vroeg de abt.

Het was Simone die antwoord gaf. 'Veel pigmenten moeten heel zorgvuldig gebruikt worden. Ook drakenbloed en zelfs vermiljoen bevatten giftige stoffen.'

'En hij was verknocht aan wat hij "de twee koningen" noemde. Dat heeft hij ons zelf verteld,' zei Silvano.

'De twee koningen?' vroeg Bonsignore.

'Zarnik en sandrak heten ze bij de Perzen,' zei Simone. 'Wij zeggen operment en realgar, ook wel koningsgeel en robijnzwavel. Schitterende gele en rode kleuren, maar niet bruikbaar voor muurschilders als ik, omdat ze dan zwart uitslaan. En ze bevatten inderdaad arsenikon.'

'Dat was de doodsoorzaak van broeder Landolfo,' zei Rufino. 'Broeder Fazio moet het in zijn eten hebben gedaan. Hij zat naast hem, weet je nog.'

'Het is in kleine doses niet direct levensgevaarlijk, maar wel als je het in grote hoeveelheden binnenkrijgt,' zei Simone. 'Koningsgeel wordt overigens wel als medicijn gebruikt bij kwalen van sperwers, Silvano. Enfin, Landolfo moet een grote dosis hebben binnengekregen om er zo snel aan te bezwijken.'

'Hij is inderdaad heel snel doodgegaan,' zei Silvano.

'Waarom is broeder Fazio zelf dan niet bezweken aan al dat vergif?' vroeg Chiara.

'Omdat hij er in de loop der jaren zulke kleine hoeveelheden van heeft opgenomen dat het niet dodelijk was,' legde Simone uit. 'Maar zoals broeder Anselmo al zei, langdurige blootstelling aan loodwit veroorzaakt allerlei ziektes, ook zonder de twee koningen van de kleuren – toevallen en uiteindelijk verlamming.'

'Broeder Fazio had inderdaad toevallen,' bevestigde Rufino. 'Ik heb hem er vaak voor behandeld, met bijvoet.'

'En hij maakte het loodwit altijd zelf,' voegde Silvano eraan toe. 'Hij heeft me het schuurtje laten zien waarin hij dat deed.'

'Hij stond erom bekend,' zei de abt. 'Hij liet nieuwkomers graag zien hoe het gemaakt werd.'

'Echt?' zei Simone. 'Maar het stinkt zo vreselijk.'

'Fazio had geen geur meer,' zei Anselmo. 'Ik denk dat hij daardoor niet besefte aan welk groot gevaar hij zichzelf blootstelde.'

'Ik begrijp niet waarom hij er gek van werd in plaats van ziek,' zei Isabella.

'Waanzin is ook een vorm van ziekte,' zei broeder Rufino. 'En het is niet verbazend dat die combinatie van zo veel gifstoffen zijn hersens heeft aangetast.'

'Toch begrijp ik nog steeds niet waarom hij mijn man heeft vermoord,' zei Isabella. 'En alle anderen ook.'

'Ik denk dat hij dodelijk jaloers op me was,' zei Anselmo wrang, 'omdat hij zichzelf beschouwde als de deskundige op het gebied van alle kleurtoepassingen. Toen ik naar Giardinetto kwam, besloot de abt mij kleurenmeester te maken van een nieuwe werkplaats. Ik dacht dat broeder Fazio zich eroverheen had gezet, maar de gifstoffen hebben waarschijnlijk zijn oude wrok weer aangewakkerd.'

'Hij wilde dus dat de verdenking op jou zou vallen?' vroeg Bonsignore. 'Dan moet hij geweten hebben van je vroegere... eh... verstandhouding met monna Isabella.'

'Fazio mocht dan niet meer kunnen ruiken,' zei Anselmo grimmig, 'maar horen kon hij als de beste, en ik denk dat hij vaak aan deuren heeft staan luisteren. Zo wist hij wat ik u had verteld toen ik hier pas was, over mijn burgerleven en de reden voor mijn intrede als monnik. En ik denk dat hij u ook heeft af-geluisterd toen u broeder Ranieri vertelde waarom wij Silvano onder onze hoede hadden genomen.'

'Maar waarom was broeder Landolfo dan zijn tweede slacht-offer?' vroeg Silvano.

'Ik denk,' zei Anselmo, 'dat Fazio aan Landolfo heeft door-verteld wat hij gehoord had. Zo begon het praatje over Silvano de ronde te doen.'

'Ik heb het in ieder geval van Landolfo gehoord,' zei Rufino. 'Al zei hij er niet bij waar hij het vandaan had.'

'En toen alle monniken Silvano verdachten, heeft Fazio Landolfo vermoord zodat hij niet kon verraden dat het praatje van Fazio kwam,' zei Anselmo. 'Hij moet toen al ver heen zijn geweest. Het maakte hem niet uit wie van ons onder verden-king stond, Silvano of ik.'

'Maar hoe heeft hij het gif toegediend?' vroeg Rufino.

'Het moet makkelijk genoeg zijn geweest om het gif in zijn mouw te verstoppen,' zei Anselmo. 'En hij zat altijd naast Landolfo.'

'Dit is vreselijk,' zei Silvano. 'Als ik hier niet gekomen was, zou broeder Landolfo nu nog leven!'

'Vergeet niet wat ik net zei. Zijn jaloezie op mij heeft hem tot de eerste moord gedreven,' zei Anselmo. 'Omdat de moord met een dolk was gepleegd en hij aan iedereen maar al te graag jouw achtergrond bekendmaakte, kwam jij onder verdenking te staan, Silvano. Ook verspreidde hij blijkbaar met succes mijn verhaal, want de priorgeneraal en Umberto geloofden al-lebei dat ik Ubaldo had vermoord – en misschien geloofden andere monniken hier het ook wel.'

Het bleef stil en Silvano zag dat broeder Rufino een beetje be-schaamd keek.

Bonsignore dacht bij zichzelf dat hij het de komende weken nog druk kon krijgen in de biechtstoel. 'Maar waarom heeft hij broeder Valentino dan vermoord?' vroeg hij.

'Daar heb ik geen antwoord op,' gaf Anselmo toe. 'Fazio was die dag met drakenbloed in de weer geweest, en ik denk dat hij zijn laatste restje verstand aan het verliezen was. Een heel onschuldige opmerking van Valentino kan hem al zo razend hebben gemaakt dat hij hem te lijf is gegaan. Maar het was Silvano die besefte hoe hij het had gedaan.'

'Ik stond met ser Simone over de valkerij te praten,' legde Silvano uit. 'We kwamen tot de conclusie dat je maar één hand vrij hebt om je vogel weer aan de handschoen te binden. Toen herinnerde ik me dat ook Fazio met beide handen even vaardig was. Hij kon met één hand de klok voor de vespers luiden en met de andere Valentino aan zijn koord opknopen.'

'Toch niet als Valentino bij bewustzijn was?' vroeg Rufino.

'Dat was hij vast niet,' zei de abt. 'Weet je nog dat hij die buil op zijn voorhoofd had? Broeder Fazio heeft Valentino natuurlijk in de klokkentoren opgewacht en hem meteen buiten westen geslagen.'

'Dan moet Fazio de klok hebben geluid en meteen daarna de kapel in zijn geglipt,' zei Rufino. 'En broeder Valentino was toen al dood.'

'Hij moet enorm sterk zijn geweest,' zei Simone twijfelend. 'Het is niet niks om een dood lichaam met één hand op te knopen.'

'Hij was oersterk,' zei de abt.

'En hij moest tegelijkertijd de klok luiden,' zei Silvano. 'Want de monniken wisten allemaal dat het Valentino's beurt was en ze hadden hem naar de klokkentoren kunnen zien lopen. Als er te veel tijd tussen had gezeten, was er zeker iemand gaan kijken.'

'Hij moet zijn eigen koord al aan de balk hebben geknoopt. Toen Valentino dood was, heeft hij hem zijn koord afgedaan om het om zijn eigen habijt te doen,' zei Anselmo huiverend.

'Een waanzinnige kan heel logisch en meedogenloos denken,' zei de abt.

'En hoe zit het dan met Umberto?' vroeg Isabella. 'Hoe en waarom is hij vermoord?'

'Het moet de zoveelste poging zijn geweest om mij in diskrediet te brengen,' zei Anselmo. 'Ik heb Umberto die avond niet gezien. Nadat de priorgeneraal me aan zijn verhoor had onderworpen, had ik geen zin meer naar de eetzaal te gaan. Ik heb begrepen dat Umberto dronken was en openlijk naar me vroeg. Fazio zal gedacht hebben dat het er slecht voor me uitzag als hij het lijk in de schrijn verborg en het daar gevonden werd. Hij kon niet weten dat ik naar Assisi werd gestuurd en dat ook de kist daar ongeopend heen ging.'

'Maar hoe heeft hij Umberto gedood?' drong Isabella aan. Onder de onthullingen van Fazio's misdaden was ze opgestaan en dichter naar het bed toe gelopen.

'Hij is op zijn hoofd geslagen en zijn lot werd in de kist bezegeld,' zei Simone. 'Omdat Umberto dronken was, zal het snel zijn gegaan.'

'En Fazio heeft Umberto's dolk meegenomen,' zei Silvano.

Rufino pakte de dolk van de tafel, waar hij neergelegd was nadat hij uit Fazio's nek was getrokken. 'Als dit Ubaldo's dolk niet is, had zijn broer een identieke dolk. Kijk maar naar de u en het familiewapen.'

Zelfs Isabella kon niet zeggen van wie de dolk was.

'Wat gaat er nu gebeuren?' vroeg Chiara.

'Zodra ik iets gehoord heb van de priorgeneraal, begraven we broeder Fazio,' zei de abt.

'Wat, op het kerkhof bij de monniken die hij vermoord heeft?' vroeg Simone.

'Zeker,' zei abt Bonsignore. 'Hij was zelf ook monnik. En hoewel hij niet letterlijk van de duivel bezeten was, hebben de gifstoffen op een al even duivelse wijze bezit genomen van het goede karakter dat Fazio ooit had.'

'Daar ben ik het mee eens,' zei Anselmo. 'Hij was een goed mens, ondermijnd door jaloezie en tot waanzin gedreven door de stoffen waarmee hij werkte. De ware broeder Fazio zou geen vlieg kwaad hebben gedaan.'

'Jullie monniken blijven me eeuwig verbazen,' zei Simone hoofdschuddend. 'Jullie hebben een werkelijk oneindig vermogen tot vergiffenis.'

'Wat gaat u nu doen, ser Simone?' vroeg Silvano.

'Ik ga terug naar Assisi om mijn werk af te maken,' zei Simone. 'Ik moet op de feestdag van Sint-Lucas in Siena terug zijn. Hij is onze patroonheilige. Alle leden van het kunstenaarsgilde gaan op die dag met een kaars naar de kathedraal. Pietro en ik moeten er allebei bij zijn, maar hij komt daarna weer terug. Zijn werk in Assisi is nog maar net begonnen.'

'Het is al bijna oktober,' zei Rufino. 'De dagen worden korter.'

Ze keken onwillekeurig naar het raam, waar de lucht donkerder begon te worden.

'Maar vanavond kan ik Assisi niet meer bereiken,' zei Simone met gefronste wenkbrauwen. 'Ik ben in een opwelling met monna Isabella's koets meegegaan, zonder erbij na te denken hoe ik terug moest komen.'

'Blijf hier overnachten,' zei de abt. 'De priorgeneraal komt ongetwijfeld morgen hierheen in zijn rijtuig en je kunt met hem mee terugrijden.'

'We kunnen vanavond tenminste rustig gaan slapen,' zei broeder Rufino. 'Dat is dan voor het eerst in lange tijd.'

'Voor mij is het ook te laat om nog naar Perugia te gaan,' zei Silvano. 'Mag ik nog een laatste nacht op mijn stromatras in de slaapzaal doorbrengen, vader-abt?'

'Natuurlijk,' zei Bonsignore.

'Wij,' zei Isabella, 'gaan in ieder geval wel naar Gubbio terug. Weten jullie dat Chiara bij me komt wonen?' vroeg ze in het algemeen. 'Voelt u zich vooral welkom bij ons thuis, als u ooit voor uw werk in Gubbio moet zijn, ser Simone.' Maar haar ogen gleden naar Anselmo en Silvano. 'Wij spreken elkaar wel weer als alles hier weer bij het oude is, vader abt. Ik zal zeker heel wat documenten hebben die u moet ondertekenen.'

Silvano liep met Isabella en Chiara mee naar de stallen.

'Mag ik je in Gubbio komen opzoeken?' vroeg hij aan Chiara. 'Ik heb je zoveel te vertellen.'

Ze keek naar Isabella, haar beschermvrouw en chaperonne. De oudere vrouw glimlachte naar haar.

'Heel graag,' zei Chiara. Ze voelde zich opeens verlegen tegenover die jonge edelman, met wie ze zich juist zo op haar gemak had gevoeld toen ze beiden nog gekleed gingen als novice.

'Net als hier in Giardinetto is ook in Perugia de echte moordenaar gevonden,' zei Silvano. 'En het was Gervasio, mijn beste vriend,' voegde hij er bitter aan toe.

Intussen protesteerde Anselmo in de ziekenzaal dat hij zich goed genoeg voelde om in de eetzaal te gaan eten.

'En wat ga jij doen, vriend?' vroeg Simone. 'Ga je weer in de kleurwerkplaats aan het werk als je arm beter is?'

'Maak je je zorgen over de leveranties?' vroeg Anselmo. 'Ik

weet nog niet wat er gaat gebeuren. Ik moet afwachten wat de priorgeneraal te melden heeft. Op het moment weet ik alleen dat ik na het eten het liefst meteen terug wil naar bed, om honderd uur te slapen.'

21

Een dwergvalk voor een dame

Baronessa Margarethe da Montacuto zat in haar boudoir toen ze geluiden opving van hollende mensen en een blaffende hond. Ze dacht dat er misschien weer een boodschap van Silvano was, liet haar borduurwerk vallen en sprong op. Maar het was veel mooier dan een boodschap. Haar zoon zelf stormde binnen, verfomfaaid en vuil maar bruisend van levenslust, gevolgd door zijn uitzinnig blije jachthond.

'Madre,' zei hij en hij tilde de baronessa op en zwierde haar rond.

'Silvano!' zei ze, buiten adem. 'Ach, lieve jongen toch! Hoe is het met je? Je haar moet geknipt worden. En wat is er in vredesnaam met je hemd gebeurd?'

'Ik heb het gebruikt om iemands wond te verbinden, moeder,' zei hij naar waarheid, terwijl hij haar neerzette en laconiek aankeek.

De baronessa greep naar haar keel. 'Mon Dieu!' zei ze. 'Was het dan zo gevaarlijk waar je geweest bent?'

'Ik ben gevlucht omdat het juist in Perugia gevaarlijk was, weet u nog? Maar maakt u zich geen zorgen, moeder. Ik was daar veilig,' zei Silvano. 'Al zijn er wel anderen omgekomen.'

'Je bent veranderd,' zei Margarethe, met de opmerkingsgave van een moeder. 'Het lijkt me dat je als man bent teruggekeerd van waar je dan ook was.'

Op dat moment kwamen Silvano's zusjes binnengehold. Ze sprongen op zijn rug, gilden dat zijn kleren kapot waren en maakten bezwaar tegen de ruwe baard die hij volgens hen had.

'Ik moet me omkleden en mijn haar kammen voor ik naar vader ga,' zei Silvano lachend.

'En je scheren,' zei Vittoria.

'Te laat,' zei de baron, die zijn zware lijf het knusse vertrek binnen wrong. 'Hij moet er zo maar mee door kunnen.' En hij sloeg zijn armen om Silvano heen.

Het was niet gemakkelijk om de Raad van Perugia te overreden clement te zijn voor Gervasio. Het kon alleen lukken met de gezamenlijke smeekbeden van de baron, Silvano, en de weduwe van het slachtoffer. Ook het feit dat Tommaso illegaal was opgetreden als kredietverlener gold als verzachtende omstandigheid. Na lange spannende uren voor de familie De' Oddini en Angelica werd de straf verminderd tot verbanning en een torenhoge boete. De boete moest betaald worden aan zowel de weduwe van het slachtoffer als aan de staat, maar het geld moest van Angelica komen, omdat Gervasio op zwart zaad zat.

'Je wordt dus helemaal niet gestraft?' vroeg Silvano aan Gervasio toen hij werd vrijgelaten. Silvano had zijn oude vriend bij de gevangenis opgewacht om de confrontatie met hem aan te gaan. 'Zelfs de geldboete komt van je aanstaande vrouw, zodat je de helft weer terugkrijgt.'

'Ik kan je niet kwalijk nemen dat je kwaad bent,' zei Gervasio, op zijn lippen bijtend.

'Kwaad?' zei Silvano. 'Ik ben niet kwaad. Ik ben alleen maar opgelucht dat ik weer thuis ben.' En tot zijn eigen verbazing besefte hij dat het waar was.

'Het was niet mijn bedoeling dat ze jou als de dader zouden aanwijzen, weet je,' zei Gervasio.

'Waarom heb je mijn dolk dan gestolen?' vroeg Silvano.

'Het ging allemaal zo snel,' zei Gervasio. 'Ik heb hem de avond ervoor van je afgepakt, toen we terugliepen van de herberg. Ik ben altijd jaloers geweest op jouw dolk. Ik was eigenlijk niet eens echt van plan hem te doden, weet je. Maar ik was radeloos vanwege het geld en de dolk gaf me een gevoel van macht over hem. Ik wilde Tommaso alleen bedreigen, maar toen ik hem de volgende dag op straat zag, werd het me rood voor de ogen. De dolk zat in mijn riem en mijn enige gedachte was dat ik in één klap van al mijn problemen af kon komen.'

'Je hebt mijn dolk in zijn lijk laten zitten,' zei Silvano. 'Je moet geweten hebben dat ik dan van de moord verdacht zou worden.'

'Dat was echt geen opzet van me,' zei Gervasio. 'Maar toen kwam jij opeens aangelopen! Ik kon mijn ogen niet geloven. Ik had maar een paar seconden de tijd voor je me zou zien en tot mijn schande dacht ik er alleen aan dat ik Tommaso de lijst moest ontfutselen, omdat die mij als de schuldige zou aanwijzen, en ik dacht niet meer aan de dolk...'

'...die mij als schuldige aanwees,' maakte Silvano zijn zin voor hem af.

'Nu haat je me natuurlijk,' zei Gervasio.

'Daar heb ik alle reden toe,' erkende Silvano. 'Maar ik heb mijn buik vol van haat, moord en doodslag.'

Ze bleven een tijdje stil, verzonken in hun gedachten.

'Toch is het niet waar dat ik niet gestraft word,' zei Gervasio. 'Weet je dat Angelica een baby verwacht? Nou, het is niet van mij, al denkt mijn vader van wel. Ik heb nooit met haar gevreeen. Ik moet een kind van de schapenboer opvoeden alsof het mijn eigen zoon en erfgenaam is.'

'Het kan toch ook een meisje zijn, dat op haar moeder lijkt?' opperde Silvano.

'Ben je er niet eens kwaad om dat ik ga trouwen met je... met de vrouw die jij bewondert?'

Silvano lachte. 'Helemaal niet,' zei hij. 'Met alle respect voor je verloofde, maar ik bewonder haar niet meer. Ik heb mijn hart aan een ander verpand.'

Gervasio keek hem nieuwsgierig aan. Hij had zijn leven aan Silvano te danken, en de jongen was veranderd. Hij kon niet langer de baas over hem spelen.

'Ik zal de stad missen,' zei Gervasio, toen ze samen naar de Platea Magna liepen, waar hun avontuur maanden geleden was begonnen. Weer kwamen ze langs de Sint-Franciscuskerk. 'Maar in ieder geval hoef ik niet meer bang te zijn dat ik naar de orde van de grijze monniken word gestuurd.'

'Dat had je nog wel eens kunnen meevallen, hoor,' zei Silvano uit de grond van zijn hart. 'Er zijn ergere dingen dan het leven in een abdij.'

Chiara was zich bij Isabella zo thuis gaan voelen dat het leek alsof ze er altijd had gewoond. Ze was algauw geliefd bij de kinderen. De jongens voelden zich niet bedreigd door de genegenheid die hun moeder voor haar voelde en Francesca vond het fijn om een ouder meisje in huis te hebben – en dan nog wel zo'n mooi meisje.

Isabella en Chiara stortten zich op Isabella's nieuwe handelsbedrijf. Een moeilijk moment deed zich voor toen Bernardo aan huis kwam om zijn opdrachten te halen en voor het eerst zijn zusje terugzag na die dag waarop hij haar in Giardinetto had achtergelaten.

Hij herkende haar amper in haar lichtgroene japon van fijn fluweel, maar ze zag zijn blik naar het kruisje met de juwelen gaan en ze kon wel raden wat hij dacht: dus ze had het inderdaad meegenomen!

Hij liet echter niets blijken en gedroeg zich uiterst hoffelijk. Isabella zei achteraf dat hij zich ontpopt had tot een goede bedrijfsleider.

De grootste uitdaging was de concurrentie met Angelica's nieuwe bedrijf, dat een enorm succes was, maar dat zou snel veranderen. Op een dag werd de weduwe uit Perugia opnieuw aangekondigd en deze keer werd ze in Isabella's kantoor binnengelaten.

Chiara was er ook bij, omdat zij en Isabella met de boekhouding bezig waren. Ze droegen allebei een lang schort en hadden inkt aan hun vingers.

Wat zien ze er gelukkig uit, dacht Angelica weemoedig. Ze was met een boodschap gekomen die haar verdrietig stemde, ondanks het vooruitzicht op haar huwelijksleven met Gervasio. Ze had ervan genoten zakenvrouw te zijn, maar de pret was van korte duur geweest.

'Monna Angelica,' zei Isabella. 'Welkom. Ga zitten.'

Haar scherpe blik had onmiddellijk waargenomen dat haar concurrente veel dikker was dan bij haar vorige bezoek. Chiara zag niet meer dan een weelderige, blonde vrouw, die elegant in het zwart ging gekleed.

'Chiara, lief kind,' zei Isabella. 'Bel je even om kruidenthee voor onze gast? Het moet iets zijn wat geschikt is voor haar delicate conditie.'

'O,' zei Chiara. 'Natuurlijk. Neemt u me niet kwalijk, madama. Hier, neemt u mijn stoel.' Wat ontzettend treurig, dacht ze. Ze is in verwachting, maar aan haar zwarte kleren te zien is haar man dood.

'Je hebt vast wel eens van onze gast gehoord,' zei Isabella, toen de bediende de thee had gebracht en weer verdween. 'Sinds de droeve dood van haar man in de zomer leidt monna Angelica ook een handelsbedrijf in Gubbio.'

'Angelica,' stamelde Chiara. 'Uit Perugia?'

Het was Isabella's beurt om verbaasd te zijn. 'Kennen jullie elkaar?'

'Je compagnon weet meer dan ik,' zei Angelica peinzend. 'Ik ken haar echt niet.'

Chiara had een hoofd als vuur. 'Het komt doordat Silvano uw naam heeft genoemd,' zei ze. Ze kon haar ogen niet van de mooie weduwe afhouden; dit was de vrouw op wie Silvano verliefd was geworden!

'Silvano da Montacuto?' vroeg Angelica. 'Ken je hem? Hij werd in het begin verdacht van de moord op mijn man, weet je. Dus hij heeft al die tijd in Gubbio verborgen gezeten! Ik kan het haast niet geloven. De keren dat ik hier voor zaken was, had ik hem dus zomaar tegen het lijf kunnen lopen.'

Chiara en Isabella hadden niet de behoefte haar van dat idee af te helpen. Chiara had Angelica het liefst willen vragen of ze Silvano pas nog gezien had, maar ze was te jaloers om het hardop te zeggen.

'Zelfs Gervasio wist niet waar hij zat,' vertrouwde Angelica hun toe. 'Wat zal hij verbaasd zijn als ik het hem vertel. We gaan trouwen, moet je weten, Gervasio en ik. De jongeheer De' Oddini – hij was bij me toen ik hier de vorige keer kwam.'

'Dat weet ik nog,' zei Isabella. 'Gefeliciteerd.'

Silvano's vriend Gervasio, dacht Chiara. Degene die haar man heeft vermoord. Wat een buitengewone vrouw!

'Tja, kijk,' zei Angelica. 'We gaan uit Umbrië weg en beginnen elders een nieuw leven. Misschien gaan we naar het zuiden. We denken aan Rome – dat zou wel chic zijn, vind je niet?'

'Ga je weg?' zei Isabella. 'Maar waarom? Je hebt hier zo'n bloeiend bedrijf van de grond gekregen.'

'Ach, nou ja, familieomstandigheden,' zei Angelica. Ze had niet de hoop dat Gervasio's schande eeuwig geheim kon blijven voor die twee vrouwen, die tenslotte Silvano kenden, maar zelf had ze weinig zin hen wijzer te maken. 'Het punt is, ik vroeg me af of je me zou willen uitkopen?'

Michele da Cesena gaf toestemming broeder Fazio in Giardinetto te begraven. Umberto werd naar Gubbio overgebracht, waar hij niet lang daarna werd bijgezet in de grafkelder die voor zijn broer in de kathedraal was gebouwd.

In de abdij ging de priorgeneraal voor in een reinigingsceremonie en veiligheidshalve werd het ritueel ook nog eens uitgevoerd in het Sint-Claraklooster. Nu Michele da Cesena als priester aanwezig was, kon er geen sprake van zijn dat de monniken en nonnen tegelijkertijd in dezelfde kapel bijeen waren.

Bonsignore mocht aanblijven in zijn ambt als abt. De priorgeneraal erkende dat de abt niets had kunnen beginnen tegen Fazio's geslepen waanzin. En toen dat alles geregeld was, liet Michele da Cesena broeder Anselmo komen.

'Gebleken is dat ik je verkeerd heb beoordeeld,' waren zijn eerste woorden tegen de kleurenmeester. Anselmo knikte erkentelijk; hij had zo het idee dat de priorgeneraal niet vaak zijn excuses aanbood. 'De bewijzen waren tegen je, maar als je in Assisi niet met je vermoedens bij me was gekomen, zouden er nog meer doden zijn gevallen in Giardinetto.'

'Het waren er al te veel,' zei Anselmo. 'De laatste dode had ik kunnen voorkomen.'

'Ah, ja,' zei de priorgeneraal. 'Daar moeten wij het over hebben. Hoe is het met je wond?'

'Die geneest goed, dank u,' zei Anselmo, die nog met zijn arm in een mitella liep. 'Ik heb weinig kunnen werken de afgelopen week. Maar broeder Rufino denkt dat het op den duur helemaal goed komt met mijn arm.'

'Dat is een mooi bericht. En waarvoor ga je die arm in de toekomst gebruiken, broeder?'

Dit was het moment dat Anselmo gevreesd had. 'Ik wacht uw beslissing af, vader,' zei hij nederig.

'Je hebt bloed laten vloeien in de abdij,' zei Michele da Cesena. 'Toegegeven, niet op de gewijde grond van de kapel, zoals Fazio. Niettemin heb je iemand gedood binnen de muren van een religieus huis dat opgedragen is aan de vrede en de leer van onze stichter Sint-Franciscus.'

'Ik heb iemand gedood,' stemde Anselmo in.

'Tracht je je niet te rechtvaardigen?' vroeg Michele da Cesena. 'Herinner je me er niet aan dat je handelde uit zelfverdediging, of om een moordenaar te ontwapenen?'

'U en ik weten allebei dat het geen verschil maakt,' zei Anselmo mat. 'Waar het om gaat is dat ik het gedaan heb, niet waarom ik het gedaan heb.'

'Wil je bij de kloosterorde blijven?'

'U weet dat het niet mogelijk is, vader.'

'Dan onthef ik je van je geloften als monnik,' zei de priorgeneraal. 'Je kunt alle tijd nemen die je nodig hebt om regelingen te treffen, maar je moet Giardinetto verlaten.'

'Wat vond je van haar?' vroeg Isabella toen Angelica weg was.

'Ik vond haar heel mooi,' zei Chiara kleintjes.

'Ze is niet zo mooi als jij,' zei Isabella.

'Vind je?'

'Ja, dat vind ik. En ik weet wel zeker dat Silvano dat ook vindt.'

'Waarom is hij dan niet gekomen?' vroeg Chiara. 'Hij heeft beloofd dat hij zou komen, maar hij komt niet.'

'Zijn familie wil hem vast niet meteen weer laten gaan. En waarschijnlijk was er ook van alles en nog wat uit te zoeken en te regelen in verband met de moord op Tommaso.'

'Dat ís nu toch allemaal geregeld,' protesteerde Chiara. 'Je hoorde haar toch. Ze gaat met Silvano's vriend trouwen, al heeft hij haar man vermoord, en ze gaan ervandoor om ergens anders een nieuw leven op te bouwen.'

'En wij krijgen er een wolhandel in Gubbio bij.'

'Dat is zo,' zei Chiara en ze schudde haar krullen alsof ze daarmee ook de gedachte aan Silvano uit haar hoofd kon schudden. 'We moeten verder met de boekhouding, want we gaan het nog veel drukker krijgen.'

'Wat mezelf betreft, hoop ik dat Silvano niet al te gauw komt,' zei Isabella met een lachje. 'Ik wil je niet meteen weer moeten missen, nu je pas bij me bent komen wonen.' Chiara gaf vol genegenheid een kneepje in haar hand.

'Wat zou ik zonder jou moeten beginnen?' zei Isabella. 'Het duurt nog jaren voor mijn kinderen groot genoeg zijn om er verstandig gezelschap aan te hebben.'

'Wie weet hertrouw je nog eens,' zei Chiara. 'Niet dat ik van plan ben om binnenkort bij je weg te gaan, hoor.'

'Blij het te horen,' zei Isabella. 'En nee, hertrouwen zit er niet meer in. Er is maar één man die me daartoe kan verleiden en hij is voorgoed buiten mijn bereik. Ik ga me aan mijn zaken en aan mijn gezin wijden. En misschien ga ik op mijn oude dag zelf nog wel het klooster in. Wat denk je, zou abdis Elena me willen hebben?'

Haar ogen glansden iets te erg en er zat een brok in haar keel.

'Dan ga ik mee,' zei Chiara impulsief, 'als ik dan nog hier woon en niet getrouwd ben. Ik ben niet meer bang voor het klooster. Ik vond het verschrikkelijk toen ik ertoe gedwongen werd, maar nu denk ik dat je er een gelukkig en nuttig leven kunt leiden als je uit vrije wil gaat.'

'Madama,' zei een bediende, die een klopje op de openstaande deur gaf. 'Er is een heer die u wil spreken. Hij wil zijn naam niet zeggen.'

'Wat ben ik populair vandaag,' zei Isabella, die haar jurk gladstreek en haar schort afdeed. 'Laat hem in de salon. Ruim jij hier op, Chiara?'

Haar vingers zaten nog onder de inkt, haar haar ontsnapte aan haar kapje van zwarte kant. Monna Isabella had er geen idee van wie haar bezoeker was. En ook toen ze de salon binnen kwam, duurde het even voor ze de man die daar zat herkende. Hij droeg zijn monnikspij niet meer.

'Anselmo?' aarzelde ze.

'Ik ben weer Domenico,' zei hij, terwijl hij naar haar toe kwam maar ervoor terugdeinsde haar hand te pakken. 'Ik ben uit de orde getreden.'

'Je bent geen monnik meer?'

'Niet eens meer geestelijke,' zei Anselmo met een wrang lachje. 'In feite ben ik niets. Ik moet werk zoeken. Zal ik maar in de leer gaan bij ser Simone in Siena en zijn pigmenten voor hem malen?'

'Ik begrijp het niet,' zei Isabella, die op haar stoel neerzonk. 'Waarom ben je uitgetreden?' Ze durfde nauwelijks te hopen dat het vanwege haarzelf was.

'Ik wist het eigenlijk al toen het mes broeder Fazio's nek

raakte,' zei Anselmo. 'Dat was het moment waarop ik ophield monnik te zijn, niet toen Michele da Cesena me onthief van mijn geloften.'

'Is dat dan een stelregel bij de franciscanen?' vroeg Isabella. Ze voelde niets dan leegte in haar hart. Domenico ging de orde verlaten, maar niet omdat hij van haar hield. Hij nam de laatste hindernis weg om weer samen te kunnen zijn, maar in plaats daarvan vertrok hij voorgoed. Dit was de laatste keer dat ze hem zou zien.

'Nee, het is geen vaststaande regel,' zei Anselmo. 'Maar voor mezelf is het even duidelijk als wanneer ik van mijn geloof zou zijn gevallen. Ik kan mijn medemensen niet langer geestelijk bijstaan.'

'Je bént geen moordenaar,' wierp Isabella tegen. 'Je hebt een moordenaar gedood. Het was een ongeluk, waardoor je de wereld van een groot kwaad hebt verlost. Waarom moet je daarvoor gestraft worden?'

'Dat klinkt alsof je liever wilt dat ik monnik blijf,' zei Anselmo. 'Ik had gedacht dat dat het laatste was wat je wilde.'

'Wat ik wilde?' zei Isabella. 'Heeft het er ooit iets toe gedaan wat ik wilde? Ik werd weggerukt van mijn ware liefde en gedwongen een man te trouwen om wie ik niet gaf. Ik moest een goede echtgenote voor hem zijn, ik moest hem kinderen geven, zijn vrienden ontvangen, doen alsof ik niets wist van zijn minnaressen. En toen beging een krankzinnige monnik een doodzonde en maakte een einde aan het leven van die echtgenoot. Tegelijkertijd vond ik mijn oude liefde terug, maar wilde hij me nog? Nee, hij was al met een ander getrouwd – met de Kerk!'

'Stil maar,' zei Anselmo. Hij pakte haar handen vast. 'Ik heb je niets te bieden, geen geld, geen baan, geen goede positie in de maatschappij. Ik ben een voormalig geestelijke en voormalig geleerde die iemand heeft gedood. Ik heb het recht niet om mijn hart aan jouw voeten te leggen.'

'Je hart?' zei Isabella.

'De mensen zouden zeggen dat het om je geld was, omdat je een rijke weduwe bent. En ik kan de gedachte niet verdragen dat ik voor een parasiet word aangezien.'

'Wat bedoel je daarmee? Dat je me een aanzoek zou doen als er niet over geroddeld werd? Dat je van me houdt?'

'Ik heb altijd van je gehouden,' zei Anselmo eenvoudig. 'Een liefde als die van mij verandert niet als de omstandigheden veranderen. Als monnik mocht ik niet aan je denken. Ik moest die liefde wegsluiten, in een brandkast stoppen en de sleutel weggooien. Maar nu ben ik geen monnik meer.'

'Waarom ben je hier?'

'Om je nog één keer te zien. Met de ogen van een man die vrij is en van je mag houden.'

'En vrij om met me trouwen?'

'Dat kan ik niet van je vragen,' zei Anselmo. 'Na alles wat er gezegd is bij onze laatste ontmoeting, is dat veel te veel gevraagd.'

Isabella glimlachte, voor het eerst sinds ze in de salon was.

'Dan moet ik het zelf maar vragen,' zei ze. 'Domenico van Gubbio, wil je me de eer doen mijn echtgenoot te worden?'

Chiara begreep niet wie er zo veel beslag kon leggen op Isabella's tijd. Ze had gezorgd dat de kinderen op tijd naar bed gingen, had naar hun avondgebedjes geluisterd en daarna gevraagd of de tafel gedekt kon worden voor haar en haar beschermvrouw. Omdat ze in haar eentje niet verder kon met de boekhouding, had Chiara nu niets meer te doen.

Het was een milde avond, al was het eind september, en Chiara liep naar het raam en keek uit over straat. Even dacht ze dat ze spoken zag. Beneden op straat reed een schimmel met op zijn rug een zwierig geklede jongeman die een grijs fluwelen wambuis en een hoed met een veer droeg. Op de zadelknop zat een jachtvogel.

Dat kon Silvano toch niet zijn! Niemand, ook niet de zoon en erfgenaam van de baron Da Montacuto, nam een jachtvogel mee als hij een bezoek ging afleggen. Ze wreef zich de ogen uit en keek nog eens goed. Het paard en de ruiter waren verdwenen. Ze had echt spoken gezien.

Er werd op de voordeur gebonsd en haar hart begon sneller te kloppen. Ze liep naar de trap, maar ze was zo verbaasd toen ze gelach en een mannenstem uit de kleine salon hoorde dat ze bovenaan bleef staan.

Een bediende liep naar de deur van de salon en monna Isabella kwam de gang in, gevolgd door – en dat leek bijna ongelooflijk – broeder Anselmo. Alleen was hij niet meer gekleed als grijze monnik en had hij zijn arm om Isabella's middel geslagen. Opnieuw wreef Chiara zich de ogen uit.

En toen kwam Silvano de trap op. Hij hield zijn gevederde hoed onder de arm en hij droeg een kleine jachtvogel op zijn linkerpols.

'Welkom,' zei Isabella.

'Fijn je te zien,' zei Anselmo. 'Je kent mijn verloofde al, meen ik?'

'Verloofde!' echoden Chiara en Silvano op hetzelfde moment.

En Silvano zag haar. Hij holde de overige traptreden op tot hij op de trede onder haar stond.

'Chiara,' zei hij, met een formele buiging. 'Ik kom je een cadeau brengen.' Hij stak haar zijn pols met de vogel toe. Het was een heel kleine vogel, zag Chiara nu, een miniatuuruitgave van Silvano's slechtvalk.

'Voor mij,' zei ze verwonderd. 'Dat is heel aardig van je en het is een mooi beestje, maar...'

'Het is een dwergvalk,' zei Silvano met een brede grijns. 'Een dwergvalk voor een dame.'

'Maar ik jaag niet, en ik ben geen dame,' zei Chiara.

'Wat niet is, kan komen,' zei Silvano. 'Om eerlijk te zijn, hoop ik van harte dat het er allebei van komt.'

'Waarom heb je niets van je laten horen?' fluisterde Chiara.

'Ik ben steeds weer aan een brief begonnen, maar de woorden kwamen zo gekunsteld over op papier,' antwoordde Silvano. 'Bovendien wilde ik je het valkje persoonlijk brengen. Hij dient als een soort boodschap.' Hij lachte nog steeds, en Chiara's hart maakte een sprongetje en ze begon ook te lachen.

'Ik weet dat ik je niet waard ben,' zei Silvano. 'Ik weet, na wat ik je verteld heb over Angelica, dat ik je moet overtuigen dat ik je vertrouwen en liefde waard zal zijn. Maar ik zal mijn best doen. Zeg alsjeblieft dat je me gelooft.'

'Ja, zeg dat nou maar,' zei monna Isabella.

'Verlos die arme jongen uit zijn lijden,' zei Anselmo.

Silvano zag er helemaal niet uit alsof hij leed. Deze keer voelde hij heel sterk dat zijn beminde zijn gevoelens beantwoordde.

En Chiara zette de stap en ging naar hem toe.

'Hoe kan ik ook anders, als jullie allemaal tegen me samenspannen?' zei ze.

Ze stak haar handen naar Silvano uit. En heel voorzichtig bracht hij de handschoen met de dwergvalk over naar haar linkerhand. Hij nam haar rechterhand in de zijne en keek erbij alsof hij haar nooit meer zou loslaten.

Lijst van personages

PERUGIA

Silvano da Montacuto, enige zoon uit een adellijke familie
Barone Bartolomeo da Montacuto, zijn vader
Baronessa Margarethe da Montacuto, zijn moeder
Margaretha en Vittoria, zijn jongere zusjes
Gervasio de' Oddini, zijn beste vriend
Angelica, op wie hij verliefd is
Tommaso, de man van Angelica, schapenboer

GUBBIO

Chiara, dochter uit een aan lager wal geraakt gezin
Bernardo, haar broer en voogd
Vanna, de vrouw van Bernardo
Monna Isabella, een getrouwde dame
Ser Ubaldo, haar man, een rijke wolhandelaar
Ser Umberto, zijn jongere broer

DE ABDIJ VAN SINT-FRANCISCUS IN GIARDINETTO

Vader Bonsignore, de abt, een oude vriend van baron Montacuto
Broeder Anselmo, de kleurenmeester
Broeder Bertuccio, de kok, een lekenbroeder

Broeder Fazio, de miniaturist
Broeder Gianni, de stalmeester, een lekenbroeder
Broeder Gregorio, de lector
Broeder Landolfo, de gastenbroeder
Broeder Matteo, een novice
Broeder Monaldo, de bibliothecaris
Broeder Nardo, de keldermeester
Broeder Ranieri, de novicemeester
Broeder Rufino, de ziekenbroeder
Broeder Taddeo, de assistent-bibliothecaris
Broeder Valentino, de herborist

HET KLOOTER VAN DE ARME CLARISSEN IN GIARDINETTO
Moeder Elena, de abdis
Zuster Cecilia, een novice
Zuster Elisabetta, een novice
Zuster Eufemia, de novicemeesteres
Zuster Felicita
Zuster Lucia
Zuster Orsola, zie Chiara van Gubbio
Zuster Paola, een novice
Zuster Veronica, de kleurenmeesteres

DE BASILICA IN ASSISI
Simone Martini, kunstschilder uit Siena
Pietro Lorenzetti, eveneens kunstschilder uit Siena, oude vriend en rivaal van Simone
Lippo (Filippo) Memmi, vriend van Simone en later diens zwager
Tederigo, Lippo's broer
Donato, Simones broer

Marco, een arbeider
Teodoro, goudsmid uit Siena

Michele da Cesena, priorgeneraal van de franciscanen
De kapelaan van de priorgeneraal

De dagindeling in het klooster

Monniken en nonnen bidden de officiën of koorgebeden acht keer per etmaal op bepaalde tijden. Wanneer ze er niet voor naar een kerk kunnen, bidden ze in stilte. In de tijd van *De valkeniersknoop* moeten de gebedstijden in Giardinetto er ongeveer zo hebben uitgezien:

Metten		middernacht
Lauden		03.00 uur
Priem		06.00 uur
	ONTBIJT	
Terts		09.00 uur
Sext		12.00 uur
	MIDDAGETEN	
Noen		15.00 uur
Vespers		18.00 uur
	AVONDETEN	
Completen		21.00 uur
	BEDTIJD	

ᴴistorische achtergrond en verantwoording

Achtergrond

Perugia, Assisi en Gubbio zijn bestaande steden, maar de plaats Giardinetto heb ik bedacht. De daar gesitueerde abdij van de franciscanen en het nonnenklooster van de clarissen heb ik erbij verzonnen. Alle personages in het verhaal zijn bedacht, met uitzondering van de schilders Simone Martini, Pietro Lorenzetti en hun helpers, alsook van de priorgeneraal van de franciscanen, Michele da Cesena.

In de middeleeuwen stond het woord 'klooster' in Italië voor de religieuze huizen van zowel monniken als nonnen, maar ik heb een onderscheid aangebracht door de clarissen een nonnenklooster te geven en de franciscanen een abdij.

De valkeniersknoop speelt zich af in de zomer en vroege herfst van 1316 – aan het begin van de veertiende eeuw, ofwel in het Italiaans: het trecento, als cultuurtijdperk. Ik heb het door kunsthistorici algemeen gedeelde inzicht overgenomen dat Simone Martini in 1317 zijn fresco's in de Sint-Martinuskapel in Assisi had afgerond, enkele maanden na de tijdspanne van dit boek, en dat Pietro Lorenzetti lang daarna zijn eigen werk voltooide en door Simone werd beïnvloed.

Ik heb geen historisch bewijs gevonden voor de plaats waar de pigmenten werden gemaakt voor de kunstenaars die aan de basilica in Assisi werkten. Soms werd dit werk door monniken ondernomen en het paste goed in mijn verhaal om een heel bouwsel te construeren op kracht van uiterst summiere aanwijzingen in de literatuur, vooral in Cennino Cennini's *Il Libro dell' Arte/Het handboek van de kunstenaar*. De kleurwerkplaatsen en de kleurenmeester en -meesteres zijn verzinsels van mij.

Ik heb contact gehad met kunsthistorici en mediëvisten, ging naar Assisi, Perugia en Gubbio voor onderzoek, las en raadpleegde een enorm aantal boeken en tijdschriften over de valkerij, pigmenten, frescotechnieken van het vroege trecento, het leven in de kloosterorden van de franciscanen en arme clarissen in de middeleeuwen, en de maatschappelijke status van weduwen in Umbrië en Toscane.

Daarbij heb ik me enorme vrijheden gepermitteerd, vooral waar ik een jonge novice van de franciscanen, al was hij dan geen echte, de kans geef alleen te zijn met een jonge novice van de arme clarissen. Dat zou volstrekt onmogelijk zijn geweest in de veertiende eeuw in Umbrië. Maar aardbevingen kwamen en komen wel voor!

De valkeniersknoop is geen wetenschappelijk werk maar een roman, zodat ik me met het eksterinstinct van de romanschrijfster heb gestort op fonkelende, glimmende details die mijn oog troffen en heb laten liggen wat ik niet kon gebruiken. Ik hoop dat de vele auteurs van wie ik de theorieën heb gelezen en de vriendelijke academici die ik heb geraadpleegd mij de insteek van de verhalenverteller willen vergeven. Het mag duidelijk zijn dat historische fouten die geweld doen aan de werkelijkheid van toen uitsluitend voor mijn rekening en niet die van hen komen. Rest mij nog te zeggen dat niemand anders dan ik ooit heeft beweerd dat de grote Simone Martini ooit betrokken is geweest bij een moordzaak, al dan niet in de rol van speurder.

Wij kunnen ons maar moeilijk verplaatsen in de positie van vrouwen in de middeleeuwen, of het nu om een meisje gaat of om een vrouw of weduwe van middelbare leeftijd. Meg Bogin, auteur van *Vrouwelijke troubadours*, verwoordt het beter dan ik kan: 'Door de hele middeleeuwen waren vrouwen de pionnen van mannen. Afhankelijk van hun stand leefden ze op allerlei niveaus van luxe of armoede. Alleen in zeer ongewone omstandigheden hadden ze enige inspraak in hun lot. Het huwelijk was een instituut van de adelstand, een economisch en politiek contract dat ertoe diende allianties te sluiten en het bezit van de grote landeigenaren voor de familie veilig te stellen. Na de opkomst van de kooplieden werd het huwelijk om dezelfde reden overgenomen door gegoede burgers – als een middel om hun economische en politieke status te behouden en te vergroten. Liefde en genegenheid speelden geen rol bij het sluiten van een huwelijk.' En ze vervolgt: 'Vrouwen van alle rangen en standen, ook degenen die bezit hadden, waren gedurende de hele middeleeuwen afhankelijk van mannen en stonden altijd officieel onder curatele van een man.'

Overigens hadden de mannen het niet veel makkelijker. Gemiddeld werd geen hoge leeftijd bereikt en stierf men veel jonger dan tegenwoordig. Wie op het land werkte, in de akkerbouw of veeteelt, verrichtte in alle weersomstandigheden zwaar lichamelijk werk, zonder de moderne hulpmiddelen van de techniek. Boeren mochten weliswaar opkijken tegen kooplieden, die steeds meer macht kregen in de middeleeuwen, maar beide klassen waren ondergeschikt aan de adelstand.

Het land dat we nu Italië noemen was verdeeld in talloze

kleine vorsten- en hertogdommen. Het wemelde er van de baronnen, graven en markiezen. Alleen de edelen – degenen met een titel – droegen namen als Da Montacuto (van Montacuto) of De' Oddini (een lid van de familie Oddini). Gewone mensen hadden in de veertiende eeuw geen officiële achternaam. Iemand kon dus bekend staan als Tommaso de schapenboer, of Ubaldo de wolkoopman, wat bijvoorbeeld honderd jaar later werd omgevormd tot de achternamen Boer of Koopman. Simone Martini's naam betekent Simone, zoon van Martino. Achternamen in Italië werden evenals in andere landen gevormd naar plaatsnamen, de naam van de vader, bijnamen (zoals Rosso, voor iemand met rood haar) of beroepsnamen.

Simone Martini

Er is maar bar weinig bekend over de beroemdste van alle kunstschilders in het trecento. Waarschijnlijk werd hij in 1284 geboren in Siena. En waarschijnlijk – dit woord duikt telkens op wanneer je onderzoek doet naar Simone Martini's leven – was hij van zijn twaalfde tot zijn twintigste leerling van Duccio di Buoninsegna. Martini's naam werd gevestigd door de opdracht de *Maestà* – *Maria Majesteit* – te schilderen in het Palazzo Pubblico in Siena, toen hij slechts eenendertig was.

Niet lang daarna begon hij aan zijn fresco's van Sint-Martinus in de benedenkerk van de basilica ter ere van Sint-Franciscus in Assisi, waarvoor hij betaald werd door kardinaal Gentile da Montefiore. Rond 1317 werd Simone geridderd en kreeg hij zeer veel opdrachten voor schilderijen. In 1324, toen hij veertig was, trouwde hij met Giovanna, de jongere zus van zijn collega-schilder Lippo Memmi.

De grote dichter Petrarchus, die in Avignon met Simone bevriend raakte, laat doorschemeren dat Martini geen mooie man was, en in 1957 werd voor het eerst geopperd dat de cynische toeschouwer met de neergetrokken mondhoeken op het fresco *Sint-Martinus die het dode kind tot leven wekt* een zelfportret kon zijn.

In 1336 was Simone in Avignon, waar het pauselijk hof was gevestigd. Petrarchus noemde hem in twee sonnetten en gaf hem de opdracht een portret te schilderen van Laura, de geliefde van de dichter. Helaas is het schilderij niet blijven bestaan. Simone stierf in 1344 in Avignon, maar hij werd begraven in Siena.

Je kunt alle fresco's in de Sint-Martinuskapel van Assisi zien op deze website: www.wga.hu/tours/Siena/index–c2.html.

Websites zijn onderhevig aan verandering, blijven niet eeuwig beschikbaar of worden niet regelmatig bijgewerkt. Als de link niet werkt, kun je 'Simone Martini' intikken in een zoekmachine om meer websites te vinden waarop de kunstwerken zijn te zien die een rol spelen in *De valkeniersknoop*.

Woord van dank

Mijn dank gaat uit naar dr. Cathleen Hoeniger van Queen's University in Kingston, Ontario, die ruimhartig gedeelten beschikbaar stelde uit haar proefschrift *The Painting Technique of Simone Martini.* Ook dank ik de Italiaanse onderzoeker dr. Manuela Perteghella, die van onschatbare waarde was met haar vele bruikbare feiten en commentaar op mijn tekst. Jeryldene M. Wood, hoogleraar in de kunstgeschiedenis aan de universiteit van Illinois, in Urbana-Champaign, nam alle tijd om vragen over de orde van de clarissen te beantwoorden.

De London Library heeft grote aantallen boeken naar mijn buitenhuis gestuurd en de British Library en de Bodleian Library in Oxford stelden relevante boeken in het Engels en het Italiaans beschikbaar. Daarnaast heeft ook de Sackler Library zich uitgeput.

Ik heb gebruikgemaakt van Joel Brinks theorie over verwijzingen naar Siena in het fresco *Sint-Martinus wekt het dode kind tot leven* uit zijn paper in *Simone Martini: atti del convegno,* L.Bellosi ed., 1998.